Geog
D0107841

HISTOIRE DE L'ISLE DE GRENADE EN AMÉRIQUE

1649-1659

DANS LA MÊME COLLECTION

L'Archipel inachevé. Culture et société aux Antilles françaises, publié sous la direction de Jean Benoist, 1972

HISTOIRE DE L'ISLE DE GRENADE EN AMÉRIQUE

1649-1659

Manuscrit anonyme de 1659

Présenté et annoté par Jacques PETITJEAN ROGET

Texte établi par Élisabeth Crosnier

1975

LES PRESSES DE L'UNIVERSITÉ DE MONTRÉAL

C.P. 6128, Montréal 101, Canada

Cet ouvrage a été publié grâce à une subvention accordée par le Conseil canadien de recherche en sciences sociales et provenant de fonds fournis par le Conseil des arts du Canada.

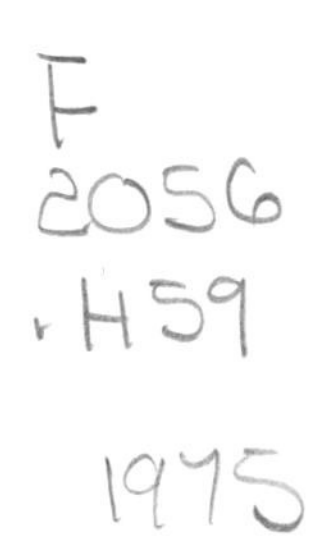

Couverture

Fac-similé d'une page du manuscrit original

Carte de l'Isle de la Grenade, par Bonne, 1758

Carte des Antilles françoises et des isles voisines, dressée sur des mémoires manuscrits

La présente édition respecte intégralement l'orthographe du manuscrit.

Le dernier mot de chaque page recto (r) et verso (v) du manuscrit est suivi, dans cette édition, d'un numéro entre parenthèses indiquant la pagination originale.

Les suppressions effectuées à l'intérieur du manuscrit sont indiquées par le signe : (...).

ISBN 0 8405 0270 2

DÉPÔT LÉGAL, 1er TRIMESTRE 1975 — BIBLIOTHÈQUE NATIONALE DU QUÉBEC

Introduction

Par un heureux concours de circonstances, le professeur Jean Benoist de l'Université de Montréal a pu acquérir chez un libraire parisien un petit recueil factice cartonné groupant, avec des lettres des pères jésuites résidant aux Antilles françaises à la fin du XVIIe *siècle, un manuscrit d'une écriture plus ancienne concernant la Grenade.*

En parfait état de conservation, celui-ci comprend 61 feuillets de papier in 4° de 237 sur 170 mm. L'écriture, qui peut être datée du milieu du XVIIe *siècle, couvre recto et verso en ne laissant que très peu de marge ou même point du tout. Au début elle est assez claire malgré l'exiguïté des blancs. Peu à peu, au fil du récit, les mots se bousculent, les lignes se resserrent jusqu'à en compter cinquante par page. En tête du premier feuillet qui porte le numéro 40, un court espace est réservé au titre* l'Histoire de l'Isle de Grenade en Amérique *suivi de la mention « Préface ». Certaines pages sont coupées par des blancs étroitement mesurés où se lisent des dates se référant à l'ère chrétienne, de 1649 à 1659 en suivant, accompagnées de durées en années et mois comptées les premières depuis l'avènement de Louis XIV, les secondes depuis la fondation de la colonie française à la Grenade et enfin les dernières depuis la prise de possession de l'île par Jacques Dyel du Parquet d'abord, puis par le comte de Sérillac. Cette disposition souligne l'intention de l'auteur de se placer dans le cadre d'une chronique. On apprend incidemment qu'il avait écrit deux autres livres aujourd'hui disparus consacrés à la faune, à la flore de la Grenade et aux mœurs des Caraïbes qui l'habitaient. On ne relève nulle part sa signature ni une mention quelconque de son identité.*

Un rapprochement avec le manuscrit que Jacques de Dampierre dans son Essai sur les sources de l'histoire des Antilles françaises [1] *analyse sous la dénomination* l'Anonyme de la Grenade, *s'imposait. Il s'agit bien en fait du même document. Cela est prouvé sans aucun doute possible par la référence donnée par Dampierre à une copie due à l'archiviste Margry conservée à la Bibliothèque nationale à Paris sous la cote « Nouvelle acquisition française 9323* [2] *» dont il déclare qu'elle est « plus illisible encore que l'original », ce qui est bien exact. Margry termine son travail méritoire par un énorme « Ouff ! ! » qui barre sa dernière page. Une attestation jointe certifie que l'original prêté par le R.P. Tailhau a été restitué le 4 novembre 1872.*

Ce manuscrit appartenait en effet à la bibliothèque des Jésuites à l'école Sainte-Geneviève où il se trouvait encore en 1901 lorsque Dampierre présenta sa thèse à l'École des chartes. Lors de sa publication en 1904 une note de la page 146 précisait : « L'école Sainte-Geneviève... possédait dans sa riche bibliothèque de nombreux documents » et à la page suivante pour s'excuser de ne donner qu'un résumé il écrivait : « Il serait... oiseux de renvoyer à un texte qu'on ne peut consulter. » Dans l'intervalle, la loi de 1901 sur les associations, appliquée dans toute sa rigueur par le ministère Combes en 1903, avait conduit à la fermeture de nombreuses écoles congréganistes. Il serait sans doute difficile de suivre les cheminements parcourus pendant trois quarts de siècle par ce manuscrit. L'important est qu'il puisse être mis à la disposition du public après cette longue éclipse car Dampierre n'hésitait pas à le qualifier de « document de premier ordre », et il ajoutait « malgré toute la phraséologie qui l'encombre ».

Les historiens des Antilles n'y ont eu que rarement recours. Le vicomte du Motey dans son Guillaume d'Orange et les

---

1. Paris, A. Picard et fils éditeurs, 1904.
2. Il a écrit par erreur 9324.

origines des Antilles françaises [3], *se réfère explicitement à la copie de la Bibliothèque nationale. Malheureusement, il y recherche surtout des détails pittoresques pour planter un décor autour de son héros. L'abbé Rennard en accumulant avec patience et minutie tous les éléments d'une « histoire religieuse des Antilles françaises » ne l'a pas négligé. Dans un petit* Essai bibliographique *consacré en 1931 à ce sujet il analyse la copie 9323* [4].

L'anonymat d'une œuvre de quelque valeur revêt toujours un aspect irritant et Dampierre comme Rennard ont tenté de lever le voile. Ce problème n'est cependant pas majeur. Nous commencerons donc par situer à grands traits les événements relatés et chercher l'originalité des apports de l'auteur avant d'essayer de l'identifier.

Les petites Antilles, qu'on nommait alors « îles du Pérou » ne constituaient pour les Espagnols que le porche d'entrée, bien négligé, des riches empires d'Amérique. Les nations qui n'avaient pas admis le partage de la terre effectué au traité de Tordésillas s'étaient embusquées dans ces petites îles afin d'y prélever au passage leur part de butin. Ainsi les Hollandais, les Anglais, les Français furent amenés au début du XVIIe *siècle à y installer des bases pour leurs flibustiers exerçant par commissions dûment enregistrées des représailles contre les Espagnols et les Portugais. Le risque était gros, le profit considérable. Des compagnies groupant seigneurs et marchands pour « la grosse aventure » se constituèrent.*

Richelieu, devenu « Grand Maître, chef et surintendant général de la navigation et commerce de France » affirmait à la réunion des notables en 1626 : « La première chose qu'il faut faire est de se rendre puissant sur la mer qui donne entrée à tous les États du monde. » Il estima qu'il allait de l'honneur de son Roi et de la puissance du commerce de la France de planter les lys dans le monde nouveau et d'y encourager les « peuplades ». Il passa contrat le 2 octobre 1626 avec deux capitaines flibustiers des Antilles, Urbain de Roissey et Pierre Belain d'Esnambuc pour fonder la « Compagnie de Saint-

3. Publié en 1908 chez Picard à Paris.
4. P. 34 à 36.

Christophe ». Elle devait son nom à une petite île, aujourd'hui Saint Kitts, où Français et Anglais partageaient un même refuge.

La Compagnie connut des débuts difficiles. En l'année 1629 l'amiral Fabrique de Toledo chassa Français et Anglais de leur île, anéantissant leurs réalisations. Ils revinrent avec persévérance. En 1635 la Compagnie élargie, renforcée, prit le nom de « Compagnie des Îles d'Amérique ». Pendant qu'une expédition conduite par l'Olive et Duplessis occupait la Guadeloupe, Pierre Belain d'Esnambuc prenait solennellement possession de la Martinique au nom du Roi le 15 septembre 1635 et y installait une centaine de colons venus de Saint-Christophe, sous la direction de Jean du Pont. Celui-ci au cours d'une liaison vers Saint-Christophe vit son bateau dérouté par la tempête et fut fait prisonnier par les Espagnols. D'Esnambuc, devenu capitaine général des îles françaises d'Amérique, désigna peu de temps avant sa mort survenue en juillet ou août 1637, son neveu Jacques Dyel du Parquet comme son lieutenant général à la Martinique, qui par son action personnelle devait donner une grande impulsion à la colonisation de cette île.

Successeur désigné de d'Esnambuc, le chevalier de Malte Philippe de Longvilliers de Poincy, ne gagna Saint-Christophe qu'en 1639. Il s'y révéla un chef exigeant et soucieux de ses intérêts. Remplacé en 1645 par Patrocle de Thoisy il refusa de lui céder la place. Il en résulta aux îles françaises d'Amérique, c'est-à-dire Saint-Christophe, la Guadeloupe et la Martinique, une situation confuse où « les Patrocles » s'opposaient aux « Poincy ». Du Parquet prenant fait et cause pour celui qu'une commission royale venait de désigner organisa en janvier 1646 une expédition pour mettre Saint-Christophe à la raison. C'est lui qui fut fait prisonnier et libéré seulement en février 47 par échange avec Thoisy dont les habitants de la Martinique s'étaient emparés et que Poincy renvoya en France. Pour mettre fin au conflit et au long procès qui s'ensuivit, la Compagnie qui avait perdu en 1642, avec la mort de Richelieu, son principal soutien et qui connaissait de graves difficultés financières, envisagea dès août 1647 de vendre Saint-Christophe à la famille du commandeur pour 90 000 livres tournois.

Pendant la détention de du Parquet, un certain Le Cercueil dit Lefort avait dirigé le coup de force sur la personne de

Thoisy qui avait partagé l'île en deux camps. Il avait également maté brutalement une tentative de sédition en assassinant les conjurés dans un guet-apens. À son retour le gouverneur s'attacha à établir la bonne harmonie, n'hésitant pas à se séparer du trop impétueux Lefort qui partit pour la Guadeloupe, il s'appliqua à restaurer l'économie de l'île non sans faire appel aux bateaux hollandais en dépit des prescriptions de la Compagnie qui interdisaient tout trafic aux bâtiments non pourvus de son autorisation.

La Compagnie, société par actions qui initialement comprenait 45 participants, assumait collectivement la seigneurie des îles françaises des Antilles. Chaque prise de possession, solennité qui précédait l'occupation, se faisait au nom du Roi et pour le compte de la Compagnie. Le Roi était représenté dans chaque île par les capitaine et lieutenants généraux qu'il nommait et la Compagnie par un commis général qu'elle désignait. La Compagnie exploitait ses territoires grâce à des « engagés » venus d'Europe qui trente-six mois durant travaillaient pour son compte, plantant des vivres pour subsister, du coton, et surtout du « pétun », du tabac, pour exporter. Une fois libérés les engagés recevaient un pécule et pouvaient soit regagner la France soit exploiter pour leur compte une concession, attribuée gratuitement, en toute propriété, sous réserve d'avoir à la défricher, à en faire une « habitation ». Ces « habitants » devaient chaque année à la Compagnie une rétribution fixée par tête et un pourcentage faible sur certaines exportations. En contrepartie celle-ci devait par ses bateaux propres ou par ceux qu'elle affrétait pourvoir aux besoins des colons. Les échanges s'opéraient sur la base des produits exportables. Les engagements, les avances, se libellaient non en argent mais en « livre de coton » et plus couramment en « livre de pétun ». Plus tard ce sera en « livre de sucre ».

La Compagnie par malchance avait débuté à un moment où les cours du pétun sur les marchés de Dieppe, de Nantes et de la Rochelle s'effondraient. Très vite elle avait dû, manquant de numéraire, emprunter. Elle avait bien tenté de lancer la production du sucre, marchandise qui commençait à être très appréciée en Europe. Seul Poincy y avait réussi à Saint-Christophe, pour son plus grand profit personnel. Les tentatives opérées soit par l'intermédiaire d'un entrepreneur sous contrat à la Martinique, soit directement par la Compagnie sous le contrôle du gouverneur Houel à la Guadeloupe, s'étaient avérées catastrophiques. À l'assemblée générale des actionnaires du 6 janvier 1646 on dut constater que « les grandes dépenses faites à la Guadeloupe (pour la sucrerie) avaient consommé au-delà du fonds ». Il manquait 300 000 livres tournois [5]. Le disponible en deniers ou pétun représentait tout juste 40 000 livres tournois [6].

La conjoncture dans la France de cette époque n'était guère favorable. Disettes et révoltes se succédaient. À la mort de Louis XIII, le 14 mai 1643, son fils n'avait pas atteint sa cinquième année. La régente, Anne d'Autriche s'était arrogé tous les pouvoirs en dépit des cabales des « Importants ». Les édits qui de 1644 à 1647 avaient tenté de combler le déficit du Trésor avaient peu contribué à la popularité de Mazarin. Le conflit entre la Cour et le Parlement devint aigu, en 1648 Paris se couvrit de barricades.

L'année 1649 où débute notre récit voit en janvier le Roi et la Régente obligés de fuir Paris. Condé, auréolé de la victoire qu'il vient de remporter à Lens sur les Espagnols, rétablit pour un temps la situation. La Normandie, tête de pont des îles d'Amérique, dont le gouverneur est alors le vieil époux de la jeune duchesse de Longueville, âme de la Fronde, n'échappe pas aux troubles. Rouen avait connu une grave journée d'émeutes dès le 22 décembre 1648. Le Havre aux mains de la duchesse d'Aiguillon, nièce de Richelieu et l'une des actionnaires de la Compagnie, tient pour Mazarin, Rouen et Dieppe pour les Frondeurs.

La Compagnie ne peut pas résister à toutes ces difficultés, elle se désagrège. Saint-Christophe échappe déjà à son autorité et sa vente, non pas aux Longvilliers mais à l'ordre de Malte, sera ratifiée après procès et discussions le 24 mai 1651. Dès novembre 1648 Houel avait donné procuration à son beau-frère Boisseret pour acheter l'île dont il est gouverneur. L'acte est

5. Pour fixer les idées, très approximativement, 300 000 dollars de nos jours.

6. Archives nationales Colonies, Paris, F² A¹³, registres de la Compagnie des Iles d'Amérique.

passé le 4 septembre 1649, peu de jours après le retour triomphal du Roi à Paris. La vente de la Martinique et îles adjacentes doit fatalement suivre.

Les gouverneurs qui avaient dû faire face à la carence de la Compagnie avaient constaté qu'ils y parvenaient aisément grâce à l'activité de la flotte hollandaise. En achetant leur île ils en deviennent seigneurs et propriétaires relevant seulement pour la Foi et hommage du Roi de France qui pour marquer sa souveraineté les confirme comme ses lieutenants généraux dans leur propre seigneurie. Une ère nouvelle commence pour les Antilles françaises qui durera jusqu'en 1664 date à laquelle Colbert pour ramener le commerce d'Amérique à la France et évincer les Hollandais décidera de les racheter.

Au moment où s'achève le rôle de la Compagnie l'occupation des îles françaises est bien assise et l'on y discerne une certaine tendance à l'extension vers les îles voisines. Il y avait eu des tentatives sur Sainte-Croix, Saint-Barthélemy et Saint-Martin. La Compagnie en 1645 avait distribué des concessions pour occuper Marie-Galante et Tobago, non suivies d'effet il est vrai. Houel en 1648 avait utilisé Lefort réfugié chez lui pour tenter d'aller occuper Marie-Galante, il avait envoyé Dumé aux Saintes.

L'île de la Grenade, la dernière au sud des Antilles, Trinidad n'étant qu'un pan effondré du continent, avait depuis longtemps attiré les Français. Elle disposait sur sa côte est d'une anse bien abritée, d'un promontoire rocheux idéal pour y édifier une défense et pouvait constituer une base pour les nombreux bateaux qui allaient trafiquer sur la Côte Ferme d'Amérique. Les Grenadines offraient un lieu de pêche idéal. Déjà en 1638 Poincy sur les bons rapports de Bonnefoy avait envisagé de s'y installer. Un peu plus tard Houel y avait envoyé un nommé Potel, après son échec à Saba.

Philibert de Nouailly, écuyer, sieur de la Tour de Néron, gentilhomme bourguignon, n'avait pas, malgré ses aventures, conservé un souvenir trop pénible de son séjour outre-mer puisqu'il résolut à son tour de se tailler un domaine à la Grenade. Lors de sa précédente équipée il avait quitté Rouen le 8 août 1643 à la tête d'une des compagnies de l'expédition de Brétigny vers la Guyane. Après les drames où avait sombré la colonie il avait lui-même fondé avec une soixantaine d'hommes un éphémère établissement français au Surinam. Sans doute avait-il connu la Grenade à son retour[7] ? Le 10 juillet 1645 il traita avec la Compagnie pour « habiter et peupler » la Grenade et les Grenadines dont il obtenait le gouvernement jusqu'en 1650 à charge d'y amener la première année 200 personnes de tous sexes et trois ecclésiastiques pour « l'instruction des Sauvages et administration des sacrements aux habitants », et d'y construire un fort. Les colons seraient exempts de tous droits pendant 4 ans puis ils paieraient 50 livres de pétun par tête et au bout de 8 ans 200 livres de pétun. Lui, serait exempt pour trente de ses serviteurs[8]. En juin 1646 Nouailly et ses hommes n'étaient toujours pas partis. Il avait cependant fait nommer Beaumanoir lieutenant général à la Grenade pour le représenter[9]. Le 8 mai 1648 il déclarait qu'il n'était pas satisfait du contrat qu'il avait pourtant fait modifier à sa convenance en avril 1647 et qu'il n'avait pas pu mettre ses projets à exécution à cause des troubles qui agitaient la France[10]. La Compagnie dans un de ses tous derniers actes lui accorda prorogation du « partement de son navire ».

L'Anonyme de la Grenade nous apprend que du Parquet au début de 1649 est en train de lui couper l'herbe sous le pied. Il envoie en effet le capitaine La Rivière en reconnaissance, puis le 14 mars rassemble 45 habitants à la Martinique, part avec eux, débarque le 17 au Fonds du Grand Pauvre, le 20 prend solennellement possession de la Grenade. Il nomme son cousin Jean Le Comte son lieutenant dans l'île, désigne un notaire et regagne la Martinique le 5 avril.

L'Anonyme le reconnaît explicitement, du Parquet s'était acquis la Grenade « par le droit des armes... ç'avait été sans la permission de Messieurs de la Compagnie d'Amérique ». La Grenade se trouvait toujours alors, en principe, concédée à Nouailly. Le père du Tertre en situant la prise de possession

---

7. *Boyer du Petit Puy. Véritable relation de tout ce qui s'est fait et passé au voyage que M. de Brétigny fit à l'Amérique occidentale, Paris, 1654.*

8. *Archives nationales Colonies, F² A¹³, f° 65.*

9. Ibid., *f° 237.*

10. Ibid., *f° 73.*

de la Grenade en juin 1650 [11] *semble bien vouloir escamoter cette entorse à la légitimité commise par son ami du Parquet. En juin 1650 celui-ci a déjà depuis un mois donné procuration à son beau-frère Charles de la Forge pour signer à Paris en son nom l'acte d'achat de la Martinique, Sainte-Lucie, la Grenade et les Grenadines, négocié par ses cousins Dyel de Miromesnil et Dyel du Hamel, qui sera effectif le 27 octobre 1650. On peut donc considérer en juin 1650 l'achat comme pratiquement réalisé. Or du Parquet selon l'Anonyme est bien, c'est exact, venu à la Grenade le 26 mai 1650, il en est rentré le 7 juin mais à son troisième voyage puisqu'il s'y était également rendu en septembre 1649, avec 14 ou 15 habitants, dont la première femme, et un religieux le R.P. Mesland, jésuite. Il avait amené avec lui à cette occasion Lefort qui venait d'abandonner sa tentative de colonisation à Marie-Galante.*

Du Parquet retourne à la Grenade, pour en prendre solennellement possession cette fois comme seigneur propriétaire, le 15 octobre 1652. L'intervalle de deux années qui sépare cette cérémonie de l'achat de la Martinique et des îles voisines peut surprendre. Il s'explique cependant si l'on se réfère aux documents originaux et non aux historiens qui la plupart ont commis une erreur sur ce point. Du Parquet s'est fait reconnaître comme seigneur propriétaire à la Martinique le 13 mars 1651 [12]. *Il a dû aussitôt partir pour la France en raison de son état de santé déplorable, après avoir confié le 20 mars 1651 la lieutenance générale à son jeune fils d'Esnambuc et le commandement effectif de l'île à son cousin Maupas de Saint-Aubin* [13]. *Il a dû regagner les Antilles vers septembre 1652.*

Le père du Tertre, l'« Hérodote des Antilles », est considéré comme un chroniqueur scrupuleux. Sur « L'établissement des Français dans l'île de la Grenade » il n'est pas très prolixe [14]. *Les précisions que fournit l'Anonyme sont à cet égard bien précieuses et l'on peut vérifier qu'elles restent toujours cohérentes avec ce que nous savons de façon sûre par ailleurs. Mais il existe un sujet sur lequel notre auteur et le père du Tertre*

11. *Du Tertre,* Histoire générale des Antilles, *t. I, p. 425.*
12. *Archives nationales Colonies, F³ 247, f° 267.*
13. *Archives nationales Colonies, F³ 247, f° 257.*
14. *Ch. IV, t. I, voir annexe I.*

diffèrent profondément : la nature des rapports entre les Français et les autochtones.

Selon du Tertre, ce sont les « Sauvages » de la Grenade qui « d'eux-mêmes prièrent du Parquet de venir prendre place avec eux. Les voyant donc si bien disposés à le recevoir il se prépara à cette expédition... Le fameux Kaierouane, capitaine de tous les Sauvages de l'île l'y reçut et lui témoigna beaucoup de joie, soit vraie soit feinte, de son arrivée. » Il sollicita simplement quelques menus objets de traite qu'on lui donna et « les Sauvages cédèrent de bon cœur tout le droit qu'ils avaient dans cette île s'y réservant toujours leurs carbets et leurs habitations ». Du Tertre insiste sur ce processus amiable et accuse son rival littéraire, le protestant Rochefort de dénaturer les faits quand il écrit : « Les Français eurent à leur arrivée beaucoup de démêlés avec les Karaïbes qui leur contestèrent quelques mois par la force des armes la paisible possession. »

Ces aimables couleurs du début de la colonisation ne se retrouvent guère chez l'Anonyme de Grenade qui donne raison à Rochefort. Lorsque du Parquet envoya le capitaine La Rivière en détachement précurseur à la Grenade il lui prescrivit de dresser quelques abris, quelques « ajoupas seulement, proches le plus beau mouillage !... pour mettre les armes et munitions à couvert » et pour le cas où les Sauvages feraient mine de s'y opposer de leur raconter qu'il ne s'agissait que d'un abri provisoire pour lui permettre de pêcher. La Rivière s'acquitta point par point de sa mission auprès « des Sauvages... qui lui demandèrent pourquoi il avait ainsi pris pied sur leur terre » et il noya le tout sous de « bons coups d'eau de vie ». Ils s'en vinrent à parler de leur ennemi commun, l'Anglais. Le Français les assura aussitôt que du Parquet les défendrait efficacement contre eux s'ils lui permettaient d'habiter dans l'île.

Lorsque du Parquet, sur cette invitation fortement sollicitée, vint prendre possession de la Grenade « on jeta bien de la poudre au vent pour en donner avis aux Sauvages qui étaient tout tremblottants de frayeur dans leurs carbets ». Mais leur capitaine Kaierouane, revenu de ses craintes, s'en vint demander avec beaucoup de bons sens : « Nous ne voulons point de votre terre et pourquoi prenez-vous la nôtre ? » Il s'agissait répondit-on de prévenir une descente offensive des Anglais. Les

Sauvages consentirent à cette incursion à condition que l'on ne dépassât point le carré de terre occupé. Alors on les fit « boire autant qu'ils voulurent en leur donnant quelques menus cadeaux ».

L'engagement du processus colonial est exposé en toute candeur. Il se poursuivit par l'escalade des représailles réciproques avec des alternances d'accords et d'agressions, de complicité et de duplicité, d'amitiés et de haine, dans un climat permanent d'insécurité où le sort de chacune des îles des Antilles restait lié aux événements qui secouaient les autres. Le récit de l'Anonyme, qui ne recule pas devant l'horreur mais reste sans outrances toujours très vivant, à hauteur d'hommes rudes, précise le déroulement de certains faits que bien des chroniqueurs ont benoîtement passés sous silence. Les choses deviennent ainsi beaucoup plus claires.

Au début nous voyons les indigènes échanger les produits de leurs jardins, de leur pêche, de leur chasse bien que les Caraïbes des îles voisines aient fait de vives remontrances à leur capitaine car ils craignaient d'être frustrés de leur principale escale lors de leurs expéditions vers la Terre Ferme. Et voilà qu'en mai 1649 du Parquet qui accuse les Caraïbes de Saint-Vincent d'avoir participé à des incidents sanglants survenus à la Martinique déclenche une opération sur leur île où les carbets sont brûlés les jardins saccagés. Cinq mois plus tard les équipages de trois barques de pêche de la Martinique pillent aux Grenadines une grande pirogue. Les Caraïbes revenus à Saint-Vincent décident alors d'exercer leurs représailles contre les Français de la Grenade. Le capitaine du Quesne, ami des Français, vient les en avertir. Le fort Marquis attaqué peut résister mais il n'y reste plus que 8 survivants. Là-dessus, à nouveau des pêcheurs venus de la Martinique s'emparent d'une pirogue, tuent ou blessent des Caraïbes puis détruisent des carbets à la Grenade dont ceux du capitaine du Quesne. Alors commence une guerre qui durera un an. Les Français de la Grenade devront rester confinés dans le Grand Fort pendant que les Caraïbes arrachent leurs plantations de vivres et ne font pas de quartier aux isolés. Ces événements, que nous venons de relater selon le récit de l'Anonyme, sont ainsi résumés par le père du Tertre : « Les Sauvages poussés d'un mauvais génie,

8 mois après la prise de possession s'avisèrent de leur faire la guerre [15]. »

L'intervention des Français dans le code complexe des alliances matrimoniales des Caraïbes va porter la guerre à son paroxisme. En 1650, Thomas, Caraïbe de la Dominique, s'étant vu refuser la fille du capitaine du Quesne tue par vengeance le frère de celle-ci, puis se réfugie à la Martinique où il explique à du Parquet qu'il est en mesure de lui procurer le moyen de chasser définitivement les Caraïbes de la Grenade.

Du Parquet saisit l'occasion, il la considère même comme envoyée par Dieu, selon l'auteur. Amenant avec lui le R.P. Mesland, jésuite, il prend la tête d'une expédition qui touche la Grenade le 26 mai. Le 30, soixante hommes commandés par Jaham de Vertpré, conduits par le traître, se rendent à la pointe nord de l'île. À la faveur de la nuit ils surprennent les Caraïbes occupés à un grand « vin » rituel, et les massacrent. Certains plutôt que de tomber aux mains des Français préfèrent se jeter dans la mer du haut d'une falaise abrupte qui depuis s'appelle le Morne des Sauteurs. Du Parquet et ses hommes regagnent la Martinique le 7 juin.

On n'avait que fort peu de précisions sur cet événement qui prenait ainsi figure de légende. Le père du Tertre l'évoque mais il ne mentionne ni l'intervention de du Parquet ni le rôle de Thomas.

Le Comte, qui joue alors le rôle de gouverneur par délégation de du Parquet, lequel n'a encore aucun droit sur la Grenade, tente d'exploiter sa position de force pour rétablir la paix avec les Caraïbes demeurés dans l'île. Il prend alors contact avec le capitaine Antoine et rejette sur « ceux de la Martinique » la responsabilité de tout ce qui s'est passé à Sauteurs. Malgré cela la guerre continue mais les escarmouches se font plus rares. En mars 1653 deux pères jésuites peuvent même s'installer à Saint-Vincent [16]. *Il est vrai que le 23 janvier 1654 ils y sont assassinés et « les Sauvages font des sifflets de leurs os ». Le début de 1654 connaît un nouveau paroxisme des luttes entre les Caraïbes et les Français. Les colons qui*

15. *Du Tertre, t. I, p. 247.*

16. *Père Pierre Pelleprat,* Relation des missions des pères de la Cie de Jésus, *Paris, 1655.*

résident à Marie-Galante sont exterminés, les Hollandais que du Parquet avait installés au Fort Royal sont décimés, La Rivière et ses compagnons installés depuis peu à Sainte-Lucie sont tous massacrés. L'Anonyme ne donne pas de raisons très précises de cette recrudescence des combats dont la cause se situe en dehors de son île. Le père du Tertre qui évoque différents prétextes conclut : « Le véritable sujet de cette guerre ne fut autre que l'établissement des Français dans Marie-Galante, Sainte-Lucie et la Grenade et si les Sauvages ne s'y opposèrent pas dans le commencement c'est qu'ils espéraient que les Français n'y demeureraient pas longtemps[17]. »

Au début de 1654, le père Pelleprat qui se trouvait aux Grenadines au retour d'un voyage à la Côte Ferme vit sa barque assaillie par 300 guerriers qui dans 6 pirogues se rendaient à la Grenade : son salut fut dans ses voiles[18]. *Le 14 avril, un habitant, Imbaut bien qu'alerté par ses « compères » caraïbes de la Grenade est assommé par ceux de Saint-Vincent. Le 15 avril cinq cents Caraïbes attaquent le quartier du Marquis, puis le Beauséjour, tuent 12 hommes, brûlent les cases, ravagent tout. Sur ces entrefaites la Grenade bénéficie du renfort inattendu de 300 hommes, débris de l'expédition de Royville partie pour Cayenne en 1653, à qui les habitants, par un pieux mensonge cachent soigneusement l'étendue du désastre qu'ils viennent de subir. Presque en même temps arrive un bateau qui transporte une soixantaine de Wallons, « soldats de fortune » naguère au service des Hollandais que les Portugais viennent de chasser du Brésil : on les engage aussitôt pour un an, à prix d'argent.*

Dès qu'il en est informé du Parquet donne l'ordre d'utiliser ces troupes pour chasser de l'île tous les Caraïbes de Saint-Vincent mais en prenant bien soin de préserver les Caraïbes de la Grenade. Les habitants, encore traumatisés rétorquent qu'il est bien difficile lorsqu'on échange des coups de réclamer un certificat d'origine, que rien ne différencie les Caraïbes et que d'ailleurs ils sont tous complices. Ils décident dès juillet 1654 de monter une expédition à la Capesterre, la partie est de l'île, où l'on ne fera pas le détail. Ils surprennent les Caraïbes

---

17. Du Tertre, t. I, p. 461.
18. Pelleprat, Relation...

et Le Comte « fait passer par le fil de l'épée indifféremment tous ceux qu'il rencontre ». Lui-même périt noyé en mer lors de son retour. Le 24 août les Caraïbes ripostent en force et détruisent tout au sud-est de l'île.

Du Parquet envoie comme gouverneur, le 23 septembre 1654 un gentilhomme normand de 30 ans, Jacques de Cacqueray de Valmenières. Le fameux Yves Le Cercueil ou Le Cerqueux dit Lefort, ancien engagé, homme de main de toutes les actions brutales, accepte mal cette nomination qu'il estimait devoir lui revenir, et ébauche une rébellion. Le nouveau gouverneur doit dans le même temps en octobre, subir les assauts de 1 100 Caraïbes que les mercenaires wallons parviennent à repousser. Il s'occupe alors de Lefort et au premier incident il le fait arrêter. L'oraison funèbre que l'auteur consacre à celui-ci, après son suicide en prison n'a rien de très édifiante mais elle éclaire bien des faits. Du Parquet alerté se rend à la Grenade où, « laissant le mort en terre et en repos il fait faire le procès du survivant » son complice Le Marquis.

Les quelques repères précis fournis par l'Anonyme permettent de situer dans le temps des événements que du Tertre laisse assez confus. L'expédition destructrice de du Parquet contre Saint-Vincent, comprenant 150 hommes dirigés par Sara de la Pierrière [19] *se situe après l'assassinat des pères jésuites en janvier 1654, vers la même époque que l'attaque de Le Comte donc vers juin 1654. La riposte qui groupa plus de 2 000 Caraïbes venus de toutes les îles, qui attaqua du Parquet jusque sous les murs de sa résidence à Saint-Pierre où il ne dut son salut qu'à l'arrivée inopinée de 4 vaisseaux de guerre hollandais* [20] *eut lieu sans doute un peu avant l'assaut des 1 100 Caraïbes sur la Grenade, avant le voyage qu'y fit du Parquet donc vers septembre 1654.*

Le début de l'année 1655 est plus calme. Le père Pelleprat écrit : « Je partis pour revenir en France le 16 février 1655, il y avait grandes dispositions à la paix et il ne s'y commettait plus aucun acte d'hostilité de part et d'autre [21]*. Toutefois l'œuvre du père Pelleprat semble bien avoir été à l'origine de la Com-*

---

19. Du Tertre, t. I, p. 463.
20. Du Tertre, t. I, p. 465.
21. Pelleprat, Relations..., *p. 90.*

pagnie constituée en 1655 pour aller coloniser la Terre Ferme et ce jésuite a tendance à embellir les choses. En fait les coups de main meurtriers sur la Grenade et les représailles ne cessent pas. L'Anonyme en signale en mars et août 1655, à nouveau en mars 1656. Les mercenaires wallons étaient alors déjà partis depuis octobre 1655 et du Parquet avait dû envoyer des renforts, selon ses moyens par petits paquets.

« Cette colonie, écrit le père du Tertre[22] *a épuisé la meilleure partie de son [du Parquet] bien car ayant été obligé d'entretenir beaucoup de gens, une barque et quelquefois deux pleines de matelots et de soldats qui ne faisaient qu'aller et venir de la Martinique à la Grenade pour y porter toutes les choses nécessaires aux habitants et à la garnison et pour apporter les marchandises qui s'y faisaient. Car comme cette île est fort éloignée de la route des vaisseaux et qu'on y fait fort peu de marchandises elle ne tirait aucun secours que de lui... la Grenade et Sainte-Lucie ont été les deux sangsues qui ont épuisé le plus clair de son bien. » La santé défaillante de du Parquet lui apporte encore bien d'autres soucis.*

En France, où le Roi, la Fronde enfin terminée, avait pu être sacré à Reims en 1654, on recommence à envisager de grandes expéditions outre-mer. Le premier convoi de la Compagnie pour l'exploitation de la Terre Ferme, ramenant le père Pelleprat qui l'avait bien mérité pour son active publicité, part en 1656. Vers la même année, Jean de Faudoas, devenu depuis 1653, comte de Sérillac par érection en comté de sa châtellenie de Courteilles, près Beaumont-sur-Sarthe, songe lui aussi malgré ses 55 ans et sa nombreuse famille à se tailler quelque seigneurie en Amérique. Il s'en ouvre au père du Tertre qui aussitôt lui suggère l'achat d'une île déjà défrichée, lui propose la Grenade, s'offre à négocier l'affaire sur place[23]*. Après un faux départ qui le conduit en Angleterre le père fait voile cette fois sur un Hollandais avec, pour mandataire de Sérillac un ancien secrétaire d'État en Écosse, Jacques de Maubray chevalier et baron de Barabouguil, ainsi que son nom est francisé. Ils arrivent à la Martinique le 28 septembre 1656. Le 12 octobre ils débarquent à la Grenade, en reviennent le 14. Le 30 octobre*

22. *T. I, p. 431.*
23. *Du Tertre, t. I, p. 500.*

Maubray signe devant maître Vigeon notaire à la Martinique l'achat pour 90 000 livres tournois de la Grenade et des Grenadines. Les clauses du règlement financier ouvrant la voie à toutes sortes de discussions : 45 000 livres tournois seront payées au moment du départ de Paris de l'expédition qui viendra prendre possession, le solde en deux versements, d'un an en un an. Cette île naguère considérée par du Tertre comme une sangsue était pour le dominicain devenu commis voyageur, si précieuse « que de toute l'Amérique il n'y avait présentement rien de plus assuré, de plus utile et dont l'on pût espérer davantage [24] *».*

L'année 1657 connaît une recrudescence des attaques des Caraïbes qui conjuguent leurs efforts avec les nègres marrons [25]*. Le 22 mars pendant la messe des Rameaux ils attaquent la Grenade, ils réitèrent à la mi-avril, les Français ripostent en rasant une fois de plus les carbets du Fonds du Quesne. Nouvelle attaque caraïbe le 30 mai, le 3 juillet. En août 1657 ils dirigent une action sur les environs de Saint-Pierre à la Martinique. Mais le 18 octobre le capitaine Nicolas demande la paix à du Parquet, qui y consent volontiers. Il est alors si malade qu'il doit se faire transporter en hamac auprès de Nicolas. Le 12 novembre 1657 le capitaine du Buisson à la Grenade sollicite à son tour la paix qui est enfin conclue, et ratifiée le 10 décembre par un acte solennel auquel participent une quarantaine de Caraïbes de Saint-Vincent.*

Le comte de Sérillac qui avait pris ses dispositions pour partir avec 300 personnes réparties dans 3 navires avait connu toutes sortes d'aventures et de difficultés au cours desquelles ses amis le chevalier de Maubray et le père du Tertre, qui l'accompagnaient, l'avaient abandonné. Lui-même avait dû renoncer à assumer personnellement le commandement. C'est finalement une expédition réduite à 80 hommes, sous la conduite d'un gentilhomme manceau, François du Bu, chevalier seigneur de Coussé qui arrive le 25 juin 1658 à la Martinique où du Parquet était mort regretté de tous le 7 janvier. Sa veuve aussitôt reconnue comme gouvernante, avec Rools de Goursolas comme lieutenant général, exerçait un pouvoir de plus en plus

24. Voir lettre de du Tertre : annexe IB.
25. Esclaves fugitifs.

discuté. Cependant lorsque du Bu émet la prétention de s'établir à la Grenade avec ses compagnons sans en prendre possession, c'est-à-dire sans déclencher le processus de règlement financier, la générale s'y oppose. Elle obtient rapidement raison et la cérémonie de prise de possession pour le compte du nouveau seigneur a lieu le 8 juillet 1658 [26].

Quelques jours après une sédition éclate à la Martinique, la générale est emprisonnée, puis relâchée en acceptant quelques concessions. Le chevalier de Maubray qui s'est fixé à la Martinique, où il a une sœur mariée à un habitant, joue dans cette affaire un rôle équivoque. À la Grenade aussi l'atmosphère est tendue, du Bu met en place des hommes à lui et parle de complot pour pouvoir bannir ceux qui ne lui plaisent pas.

À la faveur de la révolte de la Martinique un groupe d'extrémistes cherche à en finir avec les Caraïbes qui occupent la Capesterre. Ils attirent le capitaine Nicolas à Saint-Pierre et le tuent froidement, pour venger l'assassinat d'un habitant, disent-ils. L'Assemblée des notables de la Martinique décide le 21 octobre 1658 d'occuper la Capesterre, d'y construire un fort, d'y établir des habitants ce qui est réalisé dans les jours qui suivent [27]*. L'Anonyme de Grenade qui mentionne l'assassinat du capitaine Nicolas, qualifié de pure perfidie, ne parle pas de cette expédition dont on sait qu'elle a été réalisée avant le départ de madame du Parquet en août 1659. L'incursion du capitaine Warnard de la Dominique, avec 100 hommes, à la Grenade, en juin 1659, en est pourtant vraisemblablement la conséquence directe. Il pille le quartier du Beauséjour, attaque le Grand Masle, est repoussé au Morne Boucard. À la suite de quoi les Caraïbes de la Grenade font des ouvertures de paix, rejetant tout sur le compte de ceux de Saint-Vincent et de la Martinique. Mais d'autres préoccupations retiennent alors les colons de la Grenade. Le 28 octobre 1659 pendant la messe un groupe d'habitants s'empare du fort, d'autres se saisissent du gouverneur du Bu, lui mettent les fers aux pieds... Le manuscrit s'interrompt brusquement à cet endroit du récit.*

---

26. *Voir annexe II : « État des armes et ustensiles trouvés à la Grenade ».*

27. *Dessales, t. III, p. 67.*

Il faut en chercher l'épilogue dans du Tertre qui lui consacre quelques lignes : « Je ne sais pas de quelle manière (du Bu) s'est comporté dans les îles ni les crimes dont il fut accusé, mais les habitants lui firent son procès et il fut tiré par les armes[28]*. » Une pièce des archives de la famille de Faudoas*[29] *apporte quelques précisions. Elle est datée du 6 décembre 1660 et intitulée « Sentence de la chambre criminelle de la Grenade, au lieu du Fort de l'Annonciation, à la requête de Jean de Faudoas... en crime de félonie, séditions, révoltes et rébellions au service du Roi et à son autorité, d'attentat à sa personne et perturbation du repos public contre Jean Blanchard, Dominique de la Bedade notaire et greffier de cette île... » Ils furent tous deux condamnés à mort.*

Sérillac vint, sans doute à cette occasion, en 1660 à la Grenade, et non en 1658 comme l'écrit du Tertre, accompagné de deux de ses fils et de son gentilhomme nommé d'Esturais. Le 29 juillet 1662 il dicte son testament à Pierre de l'Isle, nouveau notaire et greffier de la Grenade. Il rentre en France peu après laissant son fils Jean comme gouverneur avec d'Esturais comme second. Quant aux engagements financiers conclus en 1657, quatre ans plus tard ils n'étaient toujours pas réglés, pas plus que les frais d'entretien de du Bu et de sa troupe couverts par du Parquet. À la suite d'un procès au Grand Conseil qui n'avait pas mobilisé moins de cinq avocats une solution amiable était en vue en juillet 1661[30].

Colbert en mettant sur pied la Compagnie des Indes occidentales mit définitivement fin au temps des seigneurs des îles. Prouville de Tracy, représentant de la Compagnie, se rendit en novembre 1664 pour y introniser Vincent le nouveau gouverneur, à la Grenade, d'où les habitants, dans une situation misérable, lui avaient envoyé un long réquisitoire contre Sérillac et son fils. Par contrat du 27 août 1665 la Grenade et les Grenadines furent achetées 100 000 livres tournois payables en un an. C'est seulement le 21 janvier 1672 que Sérillac pu donner quittance de cette somme.

---

28. *Du Tertre, t. I, p. 514.*

29. *A. Ledru et E. Vallée,* la Maison de Faudoas, *pièce n° 1160.*

30. *Archives nationales, T. 103-1, Papiers Dyel de Miromesnil.*

Pour porter un jugement sur ce copieux manuscrit, copieux quoique inachevé, nous nous référons à ceux qui les premiers l'ont analysé. Dampierre, dans le passage qu'il lui consacre dans son Essai sur les sources de l'histoire des Antilles françaises [31] *écrit : « Ces Annales particulières de la Grenade... fort détaillées, pourraient présenter un très grand intérêt en nous faisant plus que toute autre source, entrer dans la vie quotidienne d'une colonie à cette époque. Malheureusement leur auteur était un raisonneur insipide et se lance à chaque page dans des digressions interminables ou, à propos d'un fait minuscule, il fait intervenir la bible, les Pères de l'Église, l'histoire universelle, que sais-je encore ? De telle sorte que pour utiliser son ouvrage il faudrait en retrancher plus d'un tiers. Mais le reste n'est pas pour cela négligeable. L'auteur a certainement été le témoin de tout ce qu'il raconte, un témoin passionné, agressif, sujet à caution, mais intéressant par là même et plus personnel que les chroniqueurs circonspects et universellement laudatifs, que nous avons rencontré jusqu'ici... Avec l'Anonyme de la Grenade, nous pénétrons dans cette vie de labeur ingrat, d'insécurité constante et de brutalité cynique qui n'est que trop souvent l'envers de la colonisation. »*

Le jugement de l'abbé Rennard dans son Essai bibliographique sur l'histoire religieuse des Antilles françaises *ne diffère guère : « Dépouillé d'une foule de digressions oiseuses, de considérations assommantes, de détails trop crus, voire même répugnants, de réminiscences bibliques où Gédéon, Caïn, David, Moïse, etc. interviennent tour à tour, où l'Ancien et le Nouveau Testament trouvent d'inutiles reflets, ce manuscrit serait l'image la plus vraie la plus ressemblante de la colonisation d'une île. Histoire douloureuse où s'étalent la jalousie des grands, la tyrannie des chefs, la dureté des maîtres, les agissements de « gens déterminés qui jouent à dépêche compagnons sans crainte de Dieu ni des hommes », les guerres avec les Caraïbes, les massacres, les pillages, les incendies et les dévastations ; enfin histoire filmée dans ses menus détails et dans sa triste réalité, allant de 1649 à 1659 : tel est ce curieux manuscrit. »*

Nous avons cru devoir déférer aux souhaits du chartiste et aux conseils de l'abbé. Nous avons supprimé les digressions

31. P. 146.

bibliques étrangères au sujet laissant seulement subsister celles de la préface à titre d'échantillon. L'indication des pages du manuscrit permet de se rendre compte de l'importance des coupures qui à aucun moment n'affectent le récit lui-même.

Reste une question que ces deux analystes n'ont pas manqué de se poser : quel est l'auteur de ce manuscrit ?

Tous deux pensent que les innombrables allusions bibliques désignent un religieux. Cet argument n'est pas absolument convaincant. La relation, par exemple, du Voyage que Monsieur de Brétigny fit à l'Amérique occidentale publié en 1654 par le laïc Paul Boyer sieur du Petit Puy est, elle aussi, truffée de citations bibliques. Des digressions de ce genre ne sont pas non plus absentes de l'Histoire et voyage des Indes occidentales due en 1645 à un autre laïc, Guillaume Coppier. Un tel procédé à cette époque révèle seulement le bon élève d'un collège religieux. Toutefois, un protestant étant exclu à cause des évocations de la sainte messe, le nombre d'habitants de la Grenade capables d'étaler une telle érudition biblique n'était sûrement pas très élevé. On peut penser au notaire greffier Dominique de la Bédade. Mais un auteur qui par profession aurait été rompu à ces exercices de virtuosité paraît faute d'autres indices plus probable.

Examinons donc la possibilité d'attribuer le manuscrit à un religieux. Trois seulement ont résidé dans l'île entre 1649 et 1659. L'abbé Desmières, ou des Mers, est arrivé en juin 1651, reparti en juillet 1656 à la suite de démêlés avec Valmenières. L'abbé Alleaume, rescapé de l'expédition de Guyane, débarqué en mai 1653 n'est resté que cinq à six mois. Ni l'un ni l'autre n'ont connu les événements qui remplissent une bonne partie du manuscrit. Reste le dominicain, le père Bénigne Bresson. Dampierre pense pouvoir lui attribuer la paternité du manuscrit ; l'abbé Rennard n'hésite pas à le faire. Tous deux signalent une objection : son silence total au sujet de l'intervention au moment de l'achat de la Grenade du père du Tertre, autre dominicain, et de sa venue dans l'île en octobre 1656 attestée par la lettre à Sérillac publiée dans l'Histoire des Antilles [32]. L'explication de cette pudique omission par

32. Annexe IA.

l'abbé Rennard paraît acceptable : il y voit le souci de ne pas compromettre un frère en Saint-Dominique avec les accusations portées contre les émissaires du comte d'avoir manqué de sérieux, d'avoir fait preuve de précipitation et d'avoir accepté un pot-de-vin pour une mauvaise action.

L'abbé Rennard assoit sa conviction, quant à l'identité de l'auteur, sur la profusion des précisions qui accompagnent le récit de l'arrivée du « religieux de Dijon ». Rien n'y manque : la date de sa commission, le 22 mars 1656, celle de son acceptation sur permission écrite du R.P. Procureur le même jour, la durée de son attente à Dieppe, sept semaines, le jour de son départ, le 19 mai, et même l'heure « 4 heures de l'après-midi », le nom de son vaisseau, La Princesse *de Dieppe, de son commandant, Doublet, le lieu de l'atterrage à la Martinique, en face du Carbet, le 27 juin « sur les sept heures du soir », le détail de ses discussions avec du Parquet, l'arrivée à la Grenade « le 17e de juillet sur les six heures du soir » ! Seul l'acteur lui-même pouvait être aussi bien renseigné. Toutefois il a pu communiquer ses informations à un historien soucieux de précisions. Le père Raymond Breton confirme la date de départ de Dieppe et d'arrivée à la Grenade du père Bresson, nous savons en outre par lui qu'il était religieux profès du couvent de Fontenay-le-Comte et docteur en théologie [33]. Le père du Tertre par un juste retour des choses conserve une prudente discrétion à son égard, il écrit [34] qu'il sortit de la Grenade « pour n'avoir pu approuver la conduite de ce comte [Sérillac] » et ailleurs [35] qu'il « y a servi le peuple jusqu'à son arrivée [de Sérillac] mais n'ayant pu s'accommoder avec lui il s'en retourna à la Guadeloupe ». On retrouve sa trace en Guadeloupe [35 bis].*

L'arrivée du dominicain à la Grenade permet à notre auteur d'entonner un véritable péan [36]. « Le voilà donc au lieu où il

---

33. Bibliothèque nationale, « Nouvelles acquisitions françaises 9323 », p. 6.

34. Du Tertre, t. III, p. 88.

35. T. II, p. 403.

35bis. Archives de Propagenda Fide, Americana, vol. I, f° 199, 21 juillet 1660.

36. P. 71, verso.

était [sic] *toujours désiré dans le temps même qu'il reçut l'habit de son ordre... Le voilà comme dans un ciel pour y briller comme un astre et éclairer le monde qui s'y trouve ; comme sur un chandelier pour y répandre des lumières comme un flambeau et dissiper les ténèbres de l'ignorance... » il est ainsi tour à tour comparé à Hercule, à Phinée, à Mattathias, à saint Jean-Baptiste et pour finir à saint Dominique ! Comme on n'est jamais si bien servi que par soi-même on peut sans grand risque d'erreur identifier le panégiriste et son objet.*

Relevons au passage la comparaison avec Mattathias qui est instructive. Celui-ci était un prêtre juif qui vers 160 avant Jésus-Christ, fidèle à la foi des ancêtres, donna le signal de la révolte contre le souverain séleucide Antiochus IV Épiphane, coupable d'avoir converti le temple de Jérusalem en sanctuaire consacré à Zeus. Il avait poussé le cri d'appel à la résistance : « Quiconque a le zèle de la loi et maintient l'alliance, qu'il me suive. » L'auteur sous-entend donc que le religieux dominicain a joué un rôle de premier plan dans le déclenchement de la révolte contre du Bu chargé de tous les péchés d'Israël. Si les deux personnages n'en font qu'un, l'œuvre prend le caractère d'un plaidoyer pro domo.

Le manuscrit est rédigé à la troisième personne. Toutefois en quelques occasions une formule personnelle échappe à l'auteur. Par exemple vers juin 1659 [37] *« Il* [*du Bu*] *vint me trouver » pour se renseigner sur l'enlèvement de deux esclaves appartenant aux Caraïbes en faveur de Valmenières. « Je lui racontai fidèlement comme témoin oculaire, ainsi que je l'ai couché au lieu susdit. » L'incident, en avril 1658 avait eu de nombreux témoins mais l'auteur y a donné un rôle important au religieux : « Le R.P. missionnaire ... pressentant que ce serait une occasion de guerre lui* [*Valmenières*] *dit nettement qu'il ne faisait pas bien... » Il est naturel que du Bu s'adresse au père Bresson en raison de son attitude d'alors.*

À propos des démonstrations d'amitié du chef métis Warnard l'auteur écrit [38] *: « Je m'en défiais toujours et en dis mon sentiment au sieur du Bu. » La suite prouvera qu'il avait raison.*

---

37. P. 89, verso.

38. P. 90, verso.

Lorsque l'auteur accuse du Bu d'avoir, un peu avant juillet 1659, consulté un « magicien » pour se donner au démon corps et âme il précise [39] : « il n'osa faire ouverture du dessein se contentant... à ce qu'il m'a dit... de voir la cérémonie... il me répondit qu'il y avait un trop grand monde » et qu'il retournerait une autre fois chez le magicien. Il est bien dans le caractère de du Bu, tel que nous le connaissons d'avoir fait cette confidence au religieux par bravade, mais il est bien possible aussi que ce dernier cherche par cette révélation à donner plus de poids à une accusation controversée mais particulièrement grave aux yeux de l'orthodoxie catholique.

Dans les dernières pages du manuscrit, l'auteur, emporté par sa passion emploie plusieurs fois la première personne. Ayant assisté à des repas offerts par du Bu [40] au cours desquels il « accablait de caresses » ses invités et dès qu'ils avaient le dos tourné « fulminait contre eux avec des paroles insolentes de l'avoir pris au mot. Ce que ne pouvant souffrir un jour je lui dis avec ma franchise ordinaire qu'il s'en devait prendre à lui même... »

Chaque fois qu'un cri personnel échappe à l'auteur il se trouve dans un rôle de sage avisé, de Cassandre, de défenseur de la morale et de la religion qui convient particulièrement bien à un prêtre que du Bu n'ose pas attaquer de front à cause de son caractère sacré et parce qu'il le sent soutenu par la population.

Un faisceau de présomptions nous incite à penser que l'auteur n'est autre que le père Bénigne Bresson. Entrons plus avant dans cette hypothèse et cherchons dans quelle mesure elle nous permet d'expliquer la genèse de l'œuvre.

À peine arrivé, en juillet 1656, le père Bresson connaît « la maladie de fièvres, de douleur et de souffrance qu'il porta presque sans relâche deux ans durant. » Il n'a donc pu commencer à rédiger sérieusement qu'en juillet 1658. C'est l'époque où du Bu arrive à la Grenade. Il est accompagné d'un aumônier [41], « un prêtre à son honneur [42] ». Le père Bresson loin de

39. P. 94, recto.
40. P. 98, recto.
41. P. 96, recto.
42. P. 94, verso.

lui céder la place retrouve ses forces et n'hésite pas à le qualifier de « prêtre sans mission, sans autorisation, sans juridiction [43] ». *Il garde cependant une certaine discrétion à l'égard de ce confrère en ne l'évoquant que trois fois au cours du récit et en taisant son nom : solidarité ecclésiastique sans doute.*

L'analyse du texte nous révèle que la rédaction est postérieure aux événements de 1659. En effet dès la page 54 du manuscrit, l'auteur relatant un fait qui s'est passé en 1650 nomme « le morne de la Monnaie, ainsi appelé parce que le sieur du Bu y en faisait de la fausse en sa case, ainsi que je le dirai en l'an 1659». On peut même préciser que cette rédaction est postérieure à la mort de du Bu car en racontant la prise de possession de l'île le 8 juillet 1658, au nom de Sérillac, il sait déjà que l'attitude de du Bu « lui coûtera la vie pour la trop risquer [44] ». *Bien que le récit s'arrête brusquement au moment où du Bu abreuvé d'injures est mis aux fers il lui échappe. « Il ne demandait rien à Dieu... que pouvoir se venger... jusqu'à la mort, tout attaché qu'il était à l'infâme poteau de son supplice sans que la considération d'un Dieu ni de sa conscience ait retenu sa langue de jeter le plus pernicieux venin...* [45] »

Du Bu a été en 1659 victime d'une révolte dont le père Bresson a peut-être été l'incitateur mais pas le meneur effectif. Il s'est en effet ménagé un alibi. Lorsque le gouverneur sort de la chapelle « talonné de près du chef de l'entreprise » lui est en train de célébrer la messe.

La condamnation à mort de Blanchard et de la Bedade laisse penser que l'un d'eux a été ce « chef de l'entreprise ».

De Blanchard l'auteur ne fait guère mention. Il vit en 1659 sur son habitation du Beauséjour [46]. *Il n'est pas question de lui dans les premiers temps de la colonie. C'est seulement en mai 1657 qu'il fait allusion à son habitation fortifiée du Beauséjour où il résiste aux attaques des Caraïbes* [47]. *Il n'était pas des amis du gouverneur de Valmenières et le père Bresson*

---

43. P. 100, verso.
44. P. 87, recto.
45. P. 100, recto.
46. P. 43, verso.
47. P. 76, verso.

s'estimant persécuté se réfugie chez lui en 1658. Il figure parmi les notables qui en août 1658 signent l'acte de prise de possession. Il épouse une fille de du Mouchet, chevalier de Saint-Marc gentilhomme arrivé avec du Bu. À cette occasion le gouverneur, qui n'en avait aucun droit l'anoblit [48] *ce qui ne l'empêche pas peu de temps après de faire un procès à Saint-Marc et de l'exiler, il voudra même étendre la mesure à ses deux gendres de la Jussaye et Blanchard, finalement y renoncera mais s'attirera une solide inimitié de la part de Blanchard* [49]. *La personnalité de Blanchard apparaît à travers le récit bien effacée pour qu'il ait pu être le chef de la révolte.*

Dominique de la Bedade, natif de Saint-Martin-des-Courses, baronnie de La Bohaire au duché d'Albret, fit partie de la première expédition partie de Martinique en mars 1649. Du Parquet lui confia les charges de notaire et greffier de la Grenade, et lui fit « prêter serment de s'en bien acquitter [50] ». *En 1652 il signa en cette qualité l'acte reconnaissant les droits personnels de du Parquet sur l'île et de même en 1658 la prise de possession au nom de Sérillac, par du Bu. Celui-ci, raconte l'auteur, voulut le forcer à « contrefaire une défense de la part du Roi » pour instituer le contrôle des correspondances privées « mais cet homme craignant Dieu et sachant trop bien les devoirs de sa conscience aussi bien que de sa charge n'y voulut jamais entendre quelques belles promesses et quelques menaces étonnantes qu'il lui fit ce qui lui procura son aversion pour ne vouloir commettre aucune fausseté* [51] ». *Voilà campé un personnage qui pourrait fort bien être celui qui s'érigera en justicier. La lecture du manuscrit ne permet pas d'en découvrir un autre, opposé à du Bu, qui ait pu bénéficier à la fois du prestige de ses charges et de la solidarité acquise par dix années vécues en commun pour cristalliser autour de lui le mécontentement des habitants. Ce notaire greffier, par profession habile à manier la plume, serait-il aussi l'auteur du manuscrit ? Si tel était le cas, il est probable qu'il aurait, fût-ce indirectement, plus souvent parlé de lui et beaucoup moins du missionnaire.*

---

48. P. 95, recto.
49. P. 97, verso.
50. P. 45, recto.
51. P. 98, recto.

On peut cependant penser qu'il a été l'informateur du R.P. Bresson pour la période des sept premières années vécues par lui avant l'arrivée du religieux.

Au moment où se déroule le drame, le R.P. Bresson n'a encore écrit que ces livres I et II, dont il fait mention[52]*, sur la flore, la faune, les Caraïbes. Il prend la plume après l'exécution du lieutenant général, encore sous le coup de l'émotion. Son œuvre est avant tout un plaidoyer chaleureux dont l'autre face est un réquisitoire implacable. Il est bien évident qu'il a été au courant de toute la conjuration, qu'il en a été le complice et que son dessein tend à la couvrir de la robe blanche de saint Dominique.*

Cependant il est manifestement gêné par l'issue dramatique de la révolte. Son image ultime est celle du bouc émissaire que l'on bannit, mais que l'on n'immole pas. Il arrête ainsi brutalement sa rédaction et recule devant le récit de l'exécution qui l'aurait obligé à préciser les rôles de chacun. Il s'abstient toujours de nommer le « chef de l'entreprise » dont il fait pourtant un long éloge. Lorsqu'il expose, après le coup, les intentions des conjurés à l'égard de du Bu, « se saisir de sa personne et le bannir de la Grenade[53] *», il n'est nullement question de l'exécuter. Au moment où il écrit la justice du Roi n'a pas encore passé. Il tente de montrer la révolte comme un acte collectif de justice qui a dégénéré.*

Notre docteur en théologie, apparemment aussi habile à manier la plume qu'à bâtir un sermon sent bien qu'il est trop engagé dans cette affaire pour s'en constituer l'avocat avec quelque espoir d'entraîner la conviction. Il se réfugie donc dans un prudent anonymat qui lui permet en passant de se rendre à lui-même les hommages qu'il estime mériter, et il décide d'étendre son œuvre jusqu'aux dimensions d'une histoire de la Grenade ce qui sous le couvert de l'objectivité lui confère infiniment plus de poids. Pour toute la période qu'il n'a pas vécue, n'ayant pas le loisir de se livrer à une enquête il doit avoir recours à un tiers qui se révèle une source d'information d'excellente qualité.

---

52. P. 43, verso.
53. P. 101, recto.

On pourrait se demander si cette première partie très précise dans ses détails n'est pas due à un autre rédacteur. Il ne semble pas car au début comme à la fin on trouve le même style. Style noble, emphatique, très cadencé, sur un rythme d'alexandrins

Semblable au soleil / qui ne laisse de luire
Et ne perd nul espace / de ses courses mesurées
Quoique la terre expire / de puantes exhalaisons
Contre lui, et les vaux / de fâcheuses vapeurs...[54]

Style qui utilise toutes les ressources de la rhétorique et particulièrement le balancement des oppositions avec une affection particulière pour le rythme ternaire :

> ... ne voilà pas un bon chrestien ou un vrai cannibal ? un homme comme il fallait pour planter la foi en ces terres infidèles... ou un Calligula, un Héliogabale, un Domitien...[55]

> Est-ce là un père du peuple ou un bourreau ? un protecteur de l'isle ou un destructeur ? un bon commandant ou un tyran [56] ?

C'est, plus qu'un style écrit un style parlé, ou même déclamé, celui d'un Père de l'Église habitué aux sermons. Les phrases coulent sans se préoccuper des fautes, des impropriétés. Il n'y a pas de retouches, pas de ratures dans ce manuscrit que son auteur a manifestement été très pressé d'achever.

À partir de la page 56 recto du manuscrit dont nous disposons, on a l'impression qu'un copiste peu scrupuleux a mélangé les feuilles de l'original sans chercher à corriger ses erreurs. En effet, alors que l'écoulement des années est soigneusement marqué par des titres, la phrase « Arrivé sur ces entrefaites... » qui se situe le 14 avril 1655, la mention de M. de Valmenières gouverneur depuis 1654, font suite sans transition, à des événements de 1651. Un peu plus loin, page 59 recto on bute sur une phrase étrange : « Le capitaine la Berlotte est bien de son sentiment et toujours prêt à bien faire passer par les armes, il n'y a point d'apparence... » Suit le récit de l'assassinat par ses engagés d'un certain Savary, qui se passe en octobre 1651.

---

54. P. 99, recto.
55. P. 100, recto.
56. P. 97, verso.

La rédaction devient incompréhensible. À partir de la page 60 recto les faits couvrent 1652 puis 1653. À la page 69 verso, on est alors en 1655, on retrouve brusquement la phrase : « Le capitaine la Berlotte est bien de son sentiment et toujours prêt à bien faire. On fait donc dessein... » On s'aperçoit qu'en mettant juste avant le passage que nous venons de citer la partie qui page 56 recto se passait en 1655 et en rétablissant l'ordre du discours page 60 recto on retrouve la cohérence de l'exposé. C'est bien entendu ce que nous avons fait dans cette édition tout en précisant la référence des pages du manuscrit.

Ces textes, où certaines phrases doivent être scindées et faire l'objet d'un puzzle pour devenir compréhensibles ne donnent à aucun moment l'impression d'une création littéraire originale. Il y a eu copie et copie particulièrement hâtive.

Cependant il faut remarquer que de telles négligences ne se produisent que dans les passages signalés. L'erreur de la page 56 recto consiste en définitive en un raccourci brusque qui mène de mars 1651 à avril 1655. Tout se passe comme si l'auteur, ou, le copiste, avait hâte de franchir les années pour arriver très vite à ce qui est l'essentiel de son exposé. Puis page 59 il a un remords, il revient en arrière en octobre 1651, il le fait en se trompant, en mélangeant les phrases relatives à l'assassinat de Savary qu'il considère comme un événement mineur, pourtant utile pour donner l'occasion d'un sermon contre les mauvais maîtres. Le récit reprend son cours et arrivé page 69, à l'endroit où devraient s'intercaler le passage des pages 56 recto à 59 recto relatif à 1655, le copiste continue sans se préoccuper de rien, remettant à des jours meilleurs le soin d'opérer les rectifications nécessaires.

Dans le cadre de l'hypothèse formulée concernant l'auteur et son informateur des années 1649 à 1656 il est possible d'expliquer les inconhérences que nous venons de signaler. On peut penser que le notaire la Bédade a tenu depuis son arrivée un « livre de raison », comme cela se pratiquait couramment à cette époque, relatant les événements vécus, succinctement mais de façon précise, et que c'est à partir de ce document que le père Bresson a écrit très rapidement, d'un seul jet ces phrases pompeuses qui enrobent les faits et ces évocations bibliques qui en rehaussent la banalité. Pressé par le temps il semble, à un moment renoncer à son projet initial dont l'ampleur l'accable, il franchit allègrement les années de 1651 à 1655 [57]*. Arrivé au terme de l'année 1655 il revient à son premier projet, sans transition, sans correction il exécute un saut en arrière* [58]*. Il s'embrouille* [59]*. Il reprend le fil chronologique à partir de 1651. Arrivé aux événements de 1655 déjà relatés, il ne se préoccupe pas des trois pages qu'il faudrait interpoler. Il poursuit son récit pour arriver enfin au règne de du Bu. Il consacre à cette seule période qui a duré un an et demi 61 pages, pages dactylographiées de contenu sensiblement constant, et 124 pages aux années qui ont précédé.*

L'auteur du manuscrit ouvre son premier feuillet par deux petits signes en forme de croix ; il n'a pas voulu clore sa rédaction par une signature ! L'édition que nous proposons aujourd'hui respecte cette volonté d'anonymat même si, sans beaucoup de risques d'erreur, suivant sur ce point l'opinion de Dampierre et de l'abbé Rennard au début de ce siècle, l'on peut penser que l'œuvre peut être attribuée au père Bénigne Bresson de l'ordre de Saint-Dominique. Celui-ci a rédigé en toute hâte un texte manifestement destiné à justifier ceux qui se trouvaient accusés d'avoir assassiné du Bu, représentant local du nouveau seigneur de la Grenade, qui s'était révélé un véritable tyran. Il ne s'est cependant pas contenté d'un plaidoyer de circonstance. Se servant du témoignage d'anciens habitants, ses amis, il nous a livré une chronique riche et précise concernant les débuts peu connus d'une des petites Antilles françaises : elle mérite bien le nom qu'il a tenu à lui donner l'Histoire de l'isle de Grenade en Amérique.

JACQUES PETITJEAN ROGET

Fort-de-France
juillet 1972

---

57. Page 56 recto.
58. Page 59 recto.
59. Page 69 verso.

CARTE DE L'ISLE DE LA GRENADE,
Pour servir à l'Histoire Générale des Voyages Par M. B. Ing.r de la M.e 1758.
Echelle de 3 Lieues communes de France.
Cap de la Grenade
Paroisse des Sauteurs
Bourg et Paroisse du Grand Pauvre
Paroisse du Grand Pauvre
Bourg et Paroisse de l'Ance Goyave
Paroisse de l'Ance Goyave
Paroisse du Grand Marquis
Paroisse de la Basse Terre
Paroisse du Maigrin
Ville et Ft Royal
La Baye
Paroisse du Grand Marquis
Grand Bacolet
Bourg et Paroisse du Maigrin
Isle à Ramiers
Longitude Occidentale du Méridien de Paris
Tom XV in 4.o N.o 14
Tome 15 in 8.o Page 446

Fac-similé d'une page du manuscrit original

L'histoire de l'Isle de Grenade en Amerique

Preface

Le desir de la gloire de Dieu n'est pas une passion, qui soit propre a ces belles ames seulement que son amour a fait retirer du commerce des hommes dans les cloistres ou dans les solitudes pour n'en plus avoir que avec les Anges. Celles la mesme qui sont le plus avant engagées dans le grand monde par la Providence soit de leur naissance soit de leur estat, en ressentent aussy des mouvements, d'autant plus puissants que la grace qui les leur inspire, est plus forte et plus pressante. Nous voyons que le Sauveur de nos ames enseignant ce que nous luy devions demander en nos prieres, c'est a tout qu'il apprend a desirer et a demander a Dieu devant toutes choses la sanctification de son nom, c'est a dire que Dieu soit cogneu et adoré de tout le monde, que tous les hommes sçachent qu'il est [illegible] pour l'aimer et l'honnorer, car son nom que cet adorable Sauveur desire estre sanctifié c'est a proprement parler sa cognoissance et la manifestation de ce qu'il est. Il ne dit point, il y a deux sortes de prieres que je prescris a mes fidelles, l'une sera pour les hermites l'autre pour ceux du monde, en voyla une pour les contemplatifs, en voyla une autre pour les gens d'affaires, enfin les ames devotes apprendront celle cy, et les guerriers celle la. Non, il n'ordonne point cette façon de prieres pour un petit monde separé du grand, mais generallement pour tous, puisque tous n'ayant qu'un mesme Dieu ne doivent sur tout desirer que sa gloire, ainsy que les domestiques n'en ont point d'autre que celle de leurs maistres, et les subjets celle de leur prince. Ainsy nos roys tres chrestiens portés de ce glorieux desir traverserent autrefois les mers pour planter la croix et porter jusques en l'orient et y faire recognoistre ce nom adorable que la malice des Sultans y tenoit estouffé. Louys septieme dit le Jeune y employa quatre ans, estant le 15me [illegible] 1146, partit de son estat avec une puissante armée, et mesme la reyne Eleonore son espouse et de retour en 1149, apres beaucoup de fatigues et de pertes. Philippe premier, dit Dieudonné, Auguste, et conquerant unique heritier de ses grandes vertus aussy bien que de sa couronne, dans le mesme dessein y alla en 1190 mais les grandes indispositions, qui luy arriverent aussy tost, ne luy permirent pas de s'y arrester longtemps, estant contraint de quitter la son armée soubs la conduitte de Hugues 3e Duc de Bourgogne et la France qui l'avoit veu sortir avec regret [illegible]

L'Histoire de l'Isle de Grenade en Amérique

Préface

(Page 40 r.)[1] Le désir de la gloire de Dieu n'est pas une passion qui soit propre à ces belles âmes seulement que son amour a fait retirer du commerce des hommes dans les cloytres ou dans les solitudes pour n'en plus avoir qu'avec les anges, celles-là mesme qui sont plus angagées dans le grand monde par la condition soit de leur naissance soit de leur estat, en ressentent aussy des mouvements d'autant plus puissants que la grâce qui les leurs inspire, est plus forte et plus pressante. D'où vient que le Sauveur de nos âmes, enseignant ce que nous Luy devions demander en nos prières, c'est à tous qu'il apprend à désirer et à demander à Dieu devant toutes choses, la sanctification de son nom, c'est-à-dire que Dieu soit cogneu et adoré de tout le monde, que tous les hommes scachent ce qu'il est pour L'aimer et L'honnorer, car son nom que cet adorable

1. Ainsi qu'il a été expliqué précédemment, *l'Histoire de l'Isle de Grenade en Amérique* commence à la page 40 recto du livre dans lequel elle est insérée. À chaque changement de page nous indiquerons le nombre entre parenthèses suivi de « r » pour les pages recto et « v » pour les pages verso.

sauveur désire estre sanctifié c'est à premièrement parler sa cognoissance et la manifestation de ce qu'il est. Il ne dit point : « il y a deux sortes de prières que je prescris à mes fidèles, l'une sera pour les hermites, l'autre pour ceux du monde ; en voylà une pour les contemplatifs, en voylà une autre pour les gens d'affaires ; enfin les âmes dévotes apprendront celle-cy, et les guerrières celle-là ». Non, non, il n'ordonne point cette façon de prière pour un petit monde séparé du grand, mais générallement pour tous, puisque tous n'ayant q'un mesme Dieu ne doivent surtout désirer que sa gloire, ainsi que de bons enfants celle de leur père, de bons serviteurs celle de leurs maistres, et de bons subjets celle de leurs prince. Ainsy nos roys très chrestiens portéz de ce glorieux désir traversèrent autrefois les mers pour planter la croix et parties d'Orient et y faire recognoistre ce nom adorable que la malice des sultans y vouloit effacer (...)[2].

(41r) Il semble que les autres princes jaloux de la gloire de nos François, voyants leurs foudroyantes espées briller si glorieusement dans ces parties orientales pour y faire briller la gloire du Sauveur aient eu dessein sur les occidentales, affin de vérifier cet oracle du prophète roy qui dit que son nom est louable depuis le lever du soleil jusqu'à son couchant, il veut dire que comme tout l'univers ne subsiste que par ses bontés, les (41v) parties d'Orient et celles d'Occident doivent sainctement conspirer à publier ses louanges et ses grandeurs. Ainsy Ferdinand 3me roy d'Espagne, bruslant de ce désir d'y avancer cette gloire de Dieu, employa tous ses pouvoir pour y réussir. Christophe Coulomb, gentil de nation[3], luy porta puissamment par l'espérance des grandes conquestes, qu'il y pourroit faire et à Dieu et à son estat. Il est bien vray qu'il en avoit donné la pensée auparavant à la France ; mais les affaires pressantes que Charles 8me[4] avoit sur les bras, ne luy en per-

2. Deux pages environ consacrées à évoquer les actions des rois de France en Palestine, depuis Louis VII le Jeune jusqu'à Philippe Auguste.

3. Christophe Colomb est né en 1451 à Gênes d'une famille de tisserands.

4. Charles VIII, roi de France, né et mort à Amboise, 1470-1498. Fit une expédition en Italie en 1495. Barthélemy, frère de Christophe Colomb se rendit à la Cour de France vers 1490 où il fut protégé par la sœur du Roi, Anne de Beaujeu.

mirent l'entreprise, qu'il remit en un autre temps, où il seroit moins empressé et plus de loisir. Ce qui fit que comme il estoit homme bouillant qui eusse voulu veoir les choses faittes aussytost que pensées, prenant cette remise à mespris, il s'en alla droit à la cour d'Espagne, où il trouva des oreilles, des cœurs, et des mains favorables à ses desseins. Car Ferdinand les ayant bien pris et gousté, en fut ravy et luy promit toutes les assistances possibles pour en avoir un heureux succès. Coulomb bien aise de ce bonheur pressa son voyage ; et partit de la rade de Caliz le 1er de septembre 1492, ou comme d'aucuns veulent le 3me aoust [5] avec trois caravelles, et vit terre l'onziesme de novembre [6] suivant. Il se jetta dans l'Isle de Guanahani, qui est entre La Floride et Cuba et là il prit possession des Illes occidentales au nom de sa majesté Catholique. Estant de retour et rendant comte de son voyage il luy fit un rapport si avantageux de ces contrées, qu'il luy donna envie de s'en faire ratifier la possession et se l'asseurer par la plénitude de la puissance du Saint siège. Tellement qu'en ayant communiqué à Alexandre 6me, qui le tenoit pour lors, il l'obtient de sa saincteté par une bulle du 4me de may 1493 [7], le premier de son pontificat, de toutes les isles et terres fermes trouvées et à trouver, descouvertes et à descouvrir du costé d'Occident et du Midy, pour y faire annoncer la foy, avec deffence sous peine d'excommunication de sentence déjà portée, à quelque personne de quelque estat, dignité et condition qu'elles soient sans mesme réserves, ny empereur, ni roys, ny autres princes, de s'y transporter sous quelques prétextes que ce fut sans la permission dudit Ferdinand ou de ses successeurs roys d'Espagne. Cela expédié en Cour de Rome et receu avec joye en la cour d'Espagne. Coulomb fit voile aussytost pour la seconde fois, 17 navires bien (42r) équipées, et le 21me jour de son voyage il descouvrit une des Antilles qu'il appela « Dessende », autre-

5. Colomb est parti de Palos le vendredi 3 août 1492.

6. C'est le 12 octobre et non le 11 novembre à 2 heures du matin que la vigie de la *Pinta* vit terre. Il y avait eu plusieurs fausses alertes dans les jours précédents.

7. À la demande de Colomb la bulle *Inter coetera* établit une ligne de démarcation à 100 lieues à l'ouest des Açores délimitant au-delà la part des Espagnols, en deçà celle des Portugais.

ment désirée, puisqu'elles estoit la première qui s'estoit comme présentée à ses désirs, et corruption de langue Désirade [8]. Il revient quérir des rafraîchissement et des forces pour faire subsister les colonies qu'il y avoit conduittes et establies et s'en retourna pour la troisiesme fois en 1497 avec 12 caravelles et autant de brigantins, et descouvrit lors le pays de Paria [9]. Le voylà encore revenu à la Cour d'Espagne qu'il comble de joye, luy ayant fait montre de ses belles et grandes richesses qu'il avait trouvé abondamment en ce pays si bon et si fertile. Enfin il y fit un dernier voyage en 1502, avec trois caravelles seulement, et descouvrit Veragua, Uraba et autres lieux, que l'on peut dire « tout descoulant en laict et en miel pour les grandes commodités qu'on y rencontre [10] ». Cependant comme cette partie de la terre n'est pas de si petite estendue, qu'Abraham et Lot avec tout leur train n'y peut commodément demeurer ensemble, et qu'il n'y ait de l'employ suffisamment pour l'un et pour l'autre, la France qui n'a jamais cédé à aucune nation du monde en piété ny en courage, voyants tant de belles Isles à peupler, tant de bonnes terres à cultiver, tant de riches moissons à faire, mais plustost tant de pays à désauvager, tant d'âmes à conquester à Dieu et tant d'infidèles à estre esclairés de la lumière de la foy, elle y a envoyé de temps à autres de florissantes colonies pour survenir à la misère de ces pauvres Cannibales, que l'impuissance ou le mespris ne permit à l'Espagne de secourir. Les émissaires de celle-cy se sont contentés de leur donner des noms à leur mode, pour tesmoigner à la postérité que leur nation y avoit passé, puisqu'elles en portoient

---

8. Colomb partit le 25 septembre 1493 avec 17 navires. Le dimanche 3 octobre au petit matin il découvrit une île qu'il baptisa Dominique, puis une île plate qui reçut le nom de « Santa Maria la Galante » du nom du vaisseau amiral et enfin plusieurs îles : la Guadeloupe, la Désirade, les Saintes. La Désirade n'est pas la première découverte, son appelation est postérieure.

9. Le troisième voyage commença le 30 mai 1498. Le 31 juillet Colomb découvrit l'île de Trinidad, il entra ensuite dans le golfe de Paria entre la Terre Ferme et cette île.

10. Lors du 4e voyage la flotte comprenant 4 caravelles mit à la voile le 9 mai 1502, elle arriva le 15 juin à la Martinique et le 29 juin à Saint-Domingue. Colomb partit vers l'ouest à la recherche d'un détroit ce qui l'amena à suivre les côtes du Honduras et de Panama. Il ne put regagner Saint-Domingue qu'en août 1504.

de telles marques ; mais celle-là leurs a donné la foy, en y faisant prescher l'évangile et planter la Croix. Elles ont demeurés longtemps, dans leurs aveuglement, jusqu'à ce que la divine providence portant un gentilhomme de Normandie appellé Desnambuc, cadet de la maison de Vauderoq [11] à busquer [12] fortune sur la mer, elle le fit heureusement arriver l'an 1626 [13] en l'Isle de St.Christophe située sous le 17me degré de latitude septentrionale, trentes minutes où il trouva trente ou trente-cinq François qui y habitoient [14] (42v) par diverses errations [15] et à divers temps. Comme il les avoit resjouis de son arrivée, ils le supplièrent de prendre compassion d'eux et de les assister en leurs misères, luy protestant toutes sortes de services et d'obéissance s'il vouloit les obliger de ses soings et de sa conduitte. Ce que leurs ayant permis et s'estant informé des qualités de ce lieu, il retourna promptement en France, en ayant

---

11. Pierre Belain écuyer sieur d'Esnambuc fils de Nicolas Belain écuyer sieur de Quenouville et de Louise Peronne a été baptisé en l'église Saint-Quentin-d'Allouville (pays de Caux, Seine-Maritime) le 9 mars 1585. Il avait une sœur Adrienne née en 1574 qui épousa à Cailleville en Caux le 11 janvier 1589 Simon Pierre Dyel, écuyer, sieur du Parquet père de Jacques qui fut seigneur propriétaire de la Martinique. On trouva des orthographes diverses : Belain, Belin, Blain. Les armoiries des Belain « A 3 têtes de bélier... » évoquent l'ancien nom du mouton « bélin », que l'on rattache au germanique « bel » à cause de la cloche que portaient les moutons. L'auteur reproduit ici une erreur de *l'Histoire des Antilles* du R.P. du Tertre dont la première édition parut en 1654, en faisant de Pierre Belain d'Esnambuc « un cadet de la maison de Vandrocques Diel en Normandie ». Du Parquet était son neveu par sa mère. Voir *Belain d'Esnambuc et les Normands aux Antilles*, Paris, Achille Faure, plaquette non signée due à Margry.

12. Busquer : chercher, de l'espagnol *buscar*, même sens. On trouve plutôt « busquier » au XVIe siècle. Débusquer, chercher dans les bois, faire sortir des bois, a la même étymologie.

13. En 1626, selon les termes mêmes du contrat pour l'établissement des Français à Saint-Christophe, il y avait déjà 15 ans que d'Esnambuc et son associé Urbain du Roissey consentaient de grandes dépenses « en équipages et armures de navires et vaisseaux » pour les îles d'Amérique. C'est en 1625 qu'après un combat à la Jamaïque avec un navire espagnol de 400 tonneaux ils vinrent se radouber à l'île de Saint-Christophe (Saint Kitts) qui se trouve un peu en dessous de 17° 30′ et par 62° 45′ de longitude.

14. Le contrat du 31 octobre 1626 fait état de 80 hommes qui résident déjà dans l'île.

15. De errer dans le sens d'aller à l'aventure. Erratique est resté de nos jours avec le sens : qui n'a pas d'habitation fixe.

esté présenté à son Éminence de Richelieu, il luy déclara le subjet de sa venue sur le bon récit qu'il luy en fit, elle luy fist despêcher la commission d'y faire habiter, en dacte du 14e octobre 1626 [16]. L'ayant, il prit mer le dernier de ce mois avec environ 300 hommes et y arrive au commencement de may de l'année suyvante 1627 [17]. La gloire de Dieu s'y avance de jour en jour et comme ce généreux Argonaute recognoist de belles errations pour la faire esclatter les autres Isles circum voisines pour la conversion de tant d'Infidels qui les peuplent il destache de St Christophe une colonie de 100 hommes et la jette dans La Martinique autrement Matatino [18] sous le 14me degrés 30 minutes, le 6me juillet 1635 [19]. La Guadeloupe qui est soubs le 16me venoit d'estre emparée d'une colonie de 500 hommes, le 29me juin [20], venue de France sous la conduite de Messieurs de Lolive et Duplessis, avec 4 religieux de St Dominique. Dieu respand partout ses saintes bénédictions, et les multiplie à mesure qu'on accroist son service.

---

16. Le « privilège et pouvoir... pour aller peupler et habiter par les Français les îles de Saint-Christophe et la Barbade » a été concédé par Richelieu au nom du Roi le 2 octobre 1626, le contrat d'association date du 31 octobre. Le même jour Richelieu donna une commission de capitaines du Roi dans les mers du Ponant à d'Esnambuc et du Roissey.

17. Selon du Tertre édition de 1667, t. I, p. 14, d'Esnambuc recruta 322 hommes en Normandie, du Roissey 210 en Bretagne, ils partirent du Havre avec une petite flotte le 24 février 1627, ils n'arrivèrent que le 8 mai à Saint-Christophe.

18. Matatino. Les Arawaks de Saint-Domingue avaient parlé à Christophe Colomb de leurs farouches ennemis les Calinas (par différentes déformations devenu Caniba, cannibale, cariba, caribe, caraïbe) habitant à l'est l'île de Matinino ou Madinina (se rattache au sens d'enfants sans père, les Caraïbes venant enlever de force leurs femmes chez les Arawaks). La Martinique actuelle se vit attribuer le nom de Matinino vraisemblablement lors du 4e voyage de Colomb. Matinino fut diversement écrit, par analogie avec le nom de l'île voisine Dominique devint Matinique, et à la fin du XVIe siècle par attraction avec Martin prit la forme définitive « Martinique ».

19. D'après la lettre de d'Esnambuc à Richelieu « j'ai habité l'île Martinique du premier jour de septembre 1635 où j'ai planté la croix... » Mais l'acte de prise de possession de la Martinique porte la date du 15 septembre.

20. D'après le R.P. Raymond Breton, l'Olive et Duplessis débarquèrent d'abord à la Martinique le 29 juin 1635, le 25 juin d'après du Tertre, mais effarouchés par l'abondance des serpents, ils partirent pour la Guadeloupe où ils arrivèrent le 28 juin d'après ce dernier auteur.

Le Sieur Desnambuc s'estant réservé St Christophe, donna La Martinique au sieur du Parquet son nepveux [21], lequel porté du mesme désir que son oncle, ayant entendu faire quelque

---

21. Le premier gouverneur de la Martinique est Jean du Pont, mais comme au cours d'un voyage il fut fait prisonnier par les Espagnols, d'Esnambuc désigna en 1636 son neveu Jacques Dyel du Parquet comme gouverneur. Né en 1606 d'Esnambuc est mort fin 1636. En 1637 du Parquet fut confirmé par la Compagnie des Îles d'Amérique comme son lieutenant général à la Martinique. Son appellation courante a été depuis lors « le général ». En mai 1648 la Compagnie en difficulté commença à envisager de vendre les îles à leurs gouverneurs. Le 4 septembre 1649 Boisseret acheta la Guadeloupe. Le 27 septembre 1650 du Parquet acheta la Martinique, la Grenade, les Grenadines et Sainte-Lucie pour 41 500 livres. Du Tertre prétend que du Parquet se rendit à Paris à cette occasion : c'est une erreur, l'acte fut passé en son nom par son cousin de la Forge. Il prit possession de la Martinique le 13 mars 1651 et se rendit quelques jours après seulement, en France. La famille Dyel a enregistré ses titres de noblesse au Conseil souverain de la Martinique. Elle remonte à Robert Dyel vivant au pays de Caux en 1150. Ses armoiries, qui ont figuré sur le sceau de la Martinique, sont « D'argent au chevron de sable accosté de 3 trèfles d'azur ». Le grand-père de Jacques du Parquet, Adrien Dyel d'Enneval, mis en prison à la suite d'un duel en fut sorti par Roberval qu'il accompagna au Canada en 1541. Son père Simon Pierre Dyel de Vaudroque, époux d'Adrienne d'Esnambuc eut 4 enfants; Simon tué à Saint-Christophe en 1629; Pierre D. de Vaudroque qui resta en Normandie; Adrien D. de Vaudroque (1604-1662) qui fut appelé après la mort de du Parquet à la Martinique où il mourut, pour assurer la tutelle des enfants mineurs de son frère; Jacques D. du Parquet né en 1606 à Cailleville en Caux, mort à la Martinique en 1658. D'abord officier au régiment de Picardie il était venu rejoindre son oncle à Saint-Christophe en 1635. Il avait épousé d'abord secrètement le 21 novembre 1645, puis officiellement le 30 avril 1647, Marie Bonnard native de Paris après avoir fait annuler par un jésuite de l'île son mariage avec Chesneau de Saint-André commis général de la Martinique. Simon Pierre avait entre autres frères Nicolas Dyel de Clermont et Jacques D. de Graville. La descendance de ce dernier s'est fixée à la fin du XVIIe siècle à la Martinique.

bon rapport de l'Isle de la Grenade, située sous le 11me degré, une minute, d'autres disent d'environ trente, d'aucuns 40 [22] il eut envie d'y faire habiter [23].

---

22. La Grenade est située par environ 12° 10′ de latitude et 61° 36′ de longitude. Il faut remarquer qu'à cette époque faute d'avoir sur les bateaux des « garde-temps » qui n'apparaîtront qu'à la fin du XVIIIe siècle on n'avait pas de moyen de mesurer avec quelque précision la longitude.

23. La Grenade avait été découverte par Colomb lors de son troisième voyage le 15 août 1498. Les Anglais avaient tenté en vain de s'y établir en 1609. Longvilliers de Poincy à son tour essaya en 1638, sans y parvenir, de prendre possession de l'île pour le compte de la Compagnie des Îles d'Amérique. L'île était bien connue car elle servait couramment d'escale à ceux qui revenaient de la Terre Ferme. On la disait habitée par de nombreux Indiens caraïbes et galibis. Aubert, lors de ses différends avec Houel en Guadeloupe en 1643 envoya un sieur Postel reconnaître la Grenade mais l'entreprise n'eut pas de lendemain. Le 7 juillet 1645 la Compagnie avait délivré à Philibert de Nouailly une commission de gouverneur de la Grenade avec mission de la faire habiter, il délégua sa lieutenance au sieur de Beaumanoir. Par suite des troubles survenus en France son expédition n'était toujours pas partie lorsque le 8 mai 1648 il demanda des aménagements à son contrat avec promesse de partir à la Toussaint (référence Archives nationales Colonies, F2 A13). D'après le père du Tertre, t. I, p. 425, et cette affirmation a été reprise par la plupart des historiens, c'est en juin 1650 que du Parquet prit possession de la Grenade. Les précisions que donne l'auteur de *l'Histoire de la Grenade* ne permettent pas de douter que l'opération se situe en 1649. Il est d'ailleurs logique que du Parquet ait voulu se rendre compte des possibilités de la Grenade avant de la comprendre dans son acte d'achat passé à Paris le 27 septembre 1650.

I

1649

LA GRENADE	L'AN DE N.S.	LOUIS 14me	DU PARQUET
1	1649	5.6	1

Ce que fit autrefois Moyse pour entrer dans la terre promise, le sieur Duparquet le fit au sujet de La Grenade. Le grand capitaine du peuple de Dieu suivant ses ordres députa des hommes de chaque tribu pour considérer cette terre, leurs disant : « allez du costé du midy, et ayant gagné les montagnes prenez bien garde quelle terre c'est et quel peuple (43r) y habite, s'il est puissant et s'il est grand en nombre, si la terre est bonne, les villes ceintes de murailles et le pays fertil, si la campagne est aggréable et s'il y a des bois et des forests. Soyez hommes de cœur et apportés-nous en quelques fruits pour en juger par une telle montre. » La divine providence avoit jugé et destiné l'Isle de la Grenade pour estre un des lieux principaux au midy de la Martinique, où elle vouloit que son nom soit sanctifié par la piété et par les soings du sieur Duparquet, ainsy luy inspira-elle la pensée de la faire recognoistre par quelques personnes intelligentes et fidelles pour obliger les François à s'y porter plus volontiers sur le rapport qu'elles feroient de ses bontés et désavantages. Il en donna donc ordre à un nommé Larivière, capitaine de barque, qui avoit coustume d'y aller faire pesche et d'y dresser quelques ajoupa [1] seulement, proche

1. Ajoupa est un mot caraïbe qui désigne un abri sommaire, généralement constitué par une surface unique formée de feuillages assemblés descendant jusqu'à terre, face au vent. Une commune de la Martinique porte le nom d'Ajoupa-Bouillon, du nom d'un certain Gobert dit Bouillon.

le plus beau moüillage qu'il y descouvriroit, pour mettre les armes et les munitions à couvert en attendant qu'on y bastiroit un fort. Le prétexte qu'il donneroit aux Sauvages, qui le ne voudroient pas peut-estre permettre seroit de se mettre à couvert de la plage lorsqu'il viendroit faire ses pesches ordinaires [2]. Comme c'estoit un homme d'esprit, il ne manqua pas de suivre fidellement ses ordres, fit le tour de la Grenade, ne recogneut point de plus beau mouillage, que le grand cul-de-sac, devant lequel est maintenant le fort [3], et dressa à six pieds [4] de là ou à 12 ou environ du morne [5] des magazins, un ajoupa d'environ dix pieds ; les Sauvages s'en estant apperceüt le vinrent trouver et luy demandèrent pourquoy il avoit ainsy pris pied sur leur terre ; en y commençant sans leur permission une demeure. Luy adroit au possible sans s'estonner de leurs parolles ny de leurs façons hagardes, se tenant néantmoins toujours sur ses gardes, leur donna deffaitte [6] qu'on luy avoit conseillé. Ce qui les ayant appaisé et leurs ayant osté tout ombrage de discours a autre arrousé de bons coups d'eau-de-vie on vient à parler des Anglois, qui ne cherchoient qu'à leur faire la guerre, à les exterminer et à s'emparer de leur terre. Leurs foiblesses à résister à de si puissants ennemis leurs fit souhaitter du (43v) secours pour opposer à leurs mauvais desseins et se deffendre de leurs attaques. La Rivière frappe là-dessus son coup, et les asseure des bonnes affections du grand capitan de La Marti-

---

2. Le père du Tertre, t. 1, p. 425, écrit que les Caraïbes de la Grenade « prièrent (d'eux-mêmes du Parquet) de venir prendre place avec eux ». Sidney Daney dans son *Histoire de la Martinique* (1846) et Dessales dans son *Histoire des Antilles* (1847) reprennent cette thèse qui est ici infirmée avec un luxe de détails qui ne permettent pas de douter de la véracité de notre auteur.

3. Il s'agit d'une baie très échancrée au Sud-Ouest de la Grenade où a été construite la ville du Fort Royal, aujourd'hui Saint-Georges capitale de l'île. Cette baie a une entrée étroite entre deux môles naturels.

4. Il faut lire ici sans doute pas et non pied. Le pied valait 0,324 m. Le pas a eu des longueurs variables. Au début de l'occupation de la Martinique il valait 3 pieds soit environ 1 mètre. Plus tard vers 1670 il a valu en Martinique 3 pieds et demi.

5. Morne : désigne aux Antilles une colline. Ce mot vient probablement du portugais *morro* qui a le même sens.

6. Dans le sens peu usité aujourd'hui d'« excuse, échappatoire ». Beaumarchais dans le mariage de Figaro écrit « n'use pas ton éloquence en défaites, nous avons tout dit ».

nique, ainsy nomment-ils le Sieur Duparquet qui en est gouverneur, qui ne manquera de leurs donner main forte s'ils luy permettent d'habiter dans leur Isle. Ils en sont contents, et mesme promettent luy disposer un jardin pour luy et ses mariniers, ainsy nous appellent-ils pour estre venus vers eux sur la mer, en effet ils se mirent à deffricher un beau séjour du costé de la mer, le bas du morne où demeure à présent le Sieur Blanchard.

Cependant la pesche faicte, Larivière s'en retourna à la Martinique et rapporta à Monsieur le gouverneur ce qu'il avoit faict en la Grenade et tout ce qui s'estoit passé entre luy et les Sauvages, mesme la disposition où ils estoient de luy bien recevoir. Bien aise de voir une si belle ouverture pour avancer la gloire de Dieu dans cette terre infidèle il fit promptement accommoder à la Martinique tout le bois nécessaire à construire un pavillon et tout prest à estre dressé. Le voylà chargé dans un navire gardé par Jean Pelletier, dit Le Pas avec petites provisions et le 14 de mars qui estoit le 4e dimmanche de Caresme il [7] assembla 45 hommes [8] sur la place du fort St Pierre [9] pour venir habiter en La Grenade et ils s'embarquèrent sur les six heures de relevée [10] avec luy, comme soldat avec leurs capitaines. Jamais ceux de ce Jason de l'antiquité ne furent plus joyeux allants en la conqueste de la Toison d'or ; ny ceux de Godfroy de Bouillon à celle de la Terre Saincte, non plus que les enfants d'Israël soubs la conduicte de Moyse et de Josué à celle de la terre promise. Ils arrivèrent le 17me à la Grenade devant le fond du Grand pauvre [11], ainsy appelé pour avoir esté l'habitation d'un Sauvage qu'on appelloit « grand pauvre » de qui j'ay parlé au L. 2, chapitre 6 [12] et là moüillèrent l'anchre qu'ils levèrent le lendemain 18me dès le point du jour,

7. Il s'agit de du Parquet.

8. Du Tertre, p. 425 parle de 200 hommes mais il situe le premier voyage en juin 1650.

9. Saint-Pierre, Martinique : l'emplacement de cette ville n'a pas changé depuis cette époque.

10. Terme de procédure qui désignait l'après-midi.

11. Le Grand Pauvre. Au nord-ouest de l'île. Là s'est élevé le bourg du Grand Pauvre qui porte aujourd'hui le nom de Victoria.

12. L'auteur fait allusion à une première partie de son ouvrage comprenant deux livres qui a aujourd'hui disparu.

et firent voile. Comme le vent estoit favorable à leurs entreprises, ils tirèrent droit au premier cul-de-sac, où ils la jettoient sur les 8 heures du matin, qui est le plus beau mouillage de toute l'Isle, ainsi que j'ay dit en la description que j'en ay faicte L. 1, chapitre 4 et que le Sieur La Rivière avoit remarqué. A l'instant on fit mettre à terre au lieu (44r) où est à présent le fort et ledit Sieur Duparquet y dessendoit le premier l'honneur luy en estoit deü, aussy bien que la gloire d'une si belle entreprise. Or comme il ne respiroit que celle de Dieu, la première action qu'il fit, tous estant à terre, après avoir posé trois sentinelles du costé l'une de l'autre [13] l'autre du Sud, et la 3me d'Ouest, le reste estant en ordre fut de luy rendre grâces à deux genoux d'estre arrivé si heureusement [14], par le cantique dont l'Esglise se sert au sujet de quelques heureux succèz. C'est aussy ce que faisoient les anciens sitost qu'ils avoient pris terre, faisant sacrifices aux divinitéz qu'ils croyoient avoir favorisé leurs voyages, et luy qui n'alloit que sous la conduitte du vray Dieu comme il n'avoit en veüe que sa gloire, auroit-il eu, moins de sentiment du bien qu'il en avoit receu, et moins de piété pour ne l'en remercier et ne Luy immoler un sacrifice de louange pour parler avec le prophète royalle psal. 49, V.14, que ces idolâtres qui se sentants si fort obligéz à leurs Dieux, pour estre arrivés à bon port, leurs présentoient des victimes pour les en recognoistre cela sans doubte se devoit, car comme il n'y a rien qui desplaise tant à Dieu que l'ingratitude, aussy n'y a-il rien que Luy soit si aggréable que la recognoissance ; et le vray moyen d'obtenir de nouvelles grâces de sa bonté c'est d'avouer qu'on se sent entièrement obligé des premières qu'elle nous a déjà faittes. S'estant donc ainsy acquitté de ses actions de grâces avec un vray sentiment de recognoissance et de piété, il prit luy-mesme une serpe, ses gens le secondent, qui s'en saisit d'une, qui d'une hache et tous commencèrent à travailler et abattre du bois. Il me semble veoir Gédéon, ce brave capitaine d'Israël partager toutes ces troupes en trois, et donner des lampes allumées à des mains qui n'estoient que pour manier des espées et les

---

13. Erreur de transcription dans le manuscrit original. Lire « du Nord ».

14. Il n'est pas ici question de l'aumônier que le père du Tertre dit avoir accompagné du Parquet.

encourager par son exemple autant que par ses discours luy-mesme estant le premier en teste avec de telles armes pour combattre Madian ; ou bien son filz Abimolech successeur de sa valeur aussy bien que de sa charge, coup des branches d'arbres et obliger par son courage toute son armée à faire le mesme et à le suivre pour chastier par le feu et par la fumée, des rebelles qui s'estoient retranchéz dans la tour de Sichem ; ou bien Romulus creuser le premier et eslever luy-mesme les fondements de la ville de Rome ; si vous voulez un Vespasion jouir la terre en présence de tout le monde pour jetter ceux d'un (44v) temple d'Idole et prendre une hotte sur ses espaules impérialles pour en despêcher le travail par son exemple. Constantin en fit le mesme et porta 12 charges de terre en l'honneur de douzes apostres. Et s'estoit pour eslever une esglise à Dieu, et dresser un fort au roy, et faire un azile aux François ; de sorte qu'il ne devoit pas avoir moins d'affection ny pour Dieu, ny pour le roy, ny pour les François, qu'en avoient en Gédéon ny son filz pour le bien de leur peuple, Romulus pour sa ville de Rome, Vespason pour le service des démons ny Constantin pour l'honneur des apostres. L'on travailla environ 3 heures, et le reste du jour fut employé à descendre les provisions et les coffres. Le lendemain 19me on continua, et jusqu'à ce qu'il y eust de la place suffisamment découverte pour dresser un pavillon et faire un fort. L'ardeur fut si grande et la diligence si prompte au travail que l'un et l'autre furent sur pied et en estat de retraitte et de deffense le 25me du courant jour de l'Annonciation qui pour cette raison luy en donna le nom s'appellant le fort de L'Annonciation.

Le mesme jour estoit du règne de Louis 14me roy de France et de Navarre l'an 5me courant sur le 11me mois de 4 jours seulement — Et le 20 [15] fut faict acte de la prise de possession de la ditte isle pour le roy, et après furent chantéz le Te Deum, l'Exaudiat, et autres prières, et plantée la croix, tout le monde criant : « vive le roy, et Monsieur Duparquet ! » C'est juste-

15. La prise de possession solennelle est donc du 20 mars 1649. Le *Grenada Hand Book* publié par le gouvernement de Grenade en 1927 à Londres situe cet événement, à la suite de du Tertre en 1650 et y fait participer 200 hommes. On remarquera que l'expédition débarque le 17 mars à la Grenade, l'acte de prise de possession est du 20.

ment ce que firent les soldats de Gédéon pour mettre en desroute les Madianites, fesant retentir toute la campagne d'un « vive le Seigneur et Gédéon » ; et pour voir aussy l'infidélité sur le point de sa ruine, ces braves Argonautes s'escrient « vive le roy et Monsieur du Parquet » mais affin que leurs resjouissances eust plus d'esclat on tira 10 ou 12 coups de canon et on fit plusieurs descharges de mousqueterie ; ensuitte de quoy ledit Sieur Duparquet leurs fit prester le serment de bien et fidellement servir le roy sous son gouvernement en laditte isle, qui est suivis de coups de canons, de mousquetades et d'acclamations de « vive le roy et Monsieur du Parquet ». Comme ses affaires l'appellent à la Martinique ; pendant que les voylà tous soubs les armes, il donna la lieutenance et le commandement de l'isle à Messire Jean Le Comte [16], d'environ 35 ans natif de Saint-Valéry en Normandie, au pays de Caux, homme de bon sens (45r) de jugement et de conduite, aussy luy estoit-il parent, estant filz de la seur du père dudit Sieur Duparquet, ainsy cousin germain ; de sorte que le seng et le mérite l'en firent honorer de la charge. Il luy donne pour ayde et Lieutenant de sa compagnie Messire Jean Lespron, dit le Marquis de Rheims, en Champagne [17] ; la lieutenance de la seconde à Messire Claude Maublant, dit Dubuisson de la Comté de Bourgogne [18] ; ses halebardes [19] à Messire Philippe Basile Normand, et à Messire Thomas de la Cour de Roüen ; et les charges de notaires et greffiers à Messire Dominique de Labedade, de

16. Jean Le Comte et son frère étaient capitaines de milice à Saint-Christophe en 1645 où ils furent persécutés par le gouverneur Longvilliers de Poincy qui se refusait à accepter la nomination de Patrocle de Toisy comme lieutenant général des Îles d'Amérique. Poincy les traita de « beaux gentilshommes de neige » et leur aurait même donné des coups de bâton. Ils allèrent alors retrouver leur cousin du Parquet à la Martinique et montèrent avec lui une expédition sur Saint-Christophe. Ce fut une déroute d'où ils échappèrent de justesse mais du Parquet fut fait prisonnier en janvier 1646 et libéré seulement en février 1647.

17. On peut se demander si Le Marquis a donné son nom au bourg du « Grand Marquis » qui porte encore de nos jours le nom de « Marquis » mais nous verrons un peu plus loin qu'il existait aussi un chef caraïbe surnommé « Marquis ».

18. Le comté de Bourgogne est la Franche-Comté.

19. La hallebarde dont se servaient à cette époque les sergents pour ranger leurs soldats était le signe distinctif de leur grade.

St Martin des Courses, baronnie de La Bohaire [20], duché D'Albret, à qui il fit encor prester le serment de s'en bien acquitter, comme aux autres de celles dont il les avoit honnoré. Car comme il les faut considérer comme personnes particulières et personnes publiques, comme particulières ils le prestèrent à la sortie, et comme publiques ayant telles charges ils le prestèrent les ayant receües, et c'est la coustume fondée sur la loy aussy bien que sur la raison, de l'exiger de tous officiers pour se mieux assurer de leur devoir dont l'acquit les rend plus considérables mais le manquement plus criminels et plus punissables [21].

Le reste de la journée se passa en resjouissance. Plusieurs coups de canon furent tiréz, et bien de la poudre jettée au vent, pour en donner advis aux Sauvages qui estoient tout tremblottant de frayeur dans leurs carbets [22], n'ayants pas accoustumés d'entendre tels bruits ny tels tintamars. Le lendemain on continua le travail de la place dudit fort et tous les jours suyvants pour se descouvrir et faire des vivres. Sitost qu'il y eut quelque peu de terre nette, on se mit à planter des patates et du manioc, et ledit Sieur du Parquet voulut planter la première patate et le premier baston de manioc, non seulement pour avoir la gloire d'avoir tout commencé, mais pour porter son monde au travail par le sien ; qu'il continua tousjours comme le moindre d'eux, asfin que personne ne s'espargna en voyant leur chef arrouser de ses sueurs la terre qu'il alloit maniant de ses mains. Josué prenant comme une possession réelle de la terre de Chanaan et la plaine de Jéricho ; on gousta des fruits, du pain sans levain, et de la farine de l'année courante, et le Sieur Duparquet

---

20. Labouheyre, arrondissement de Mont-de-Marsan, département des Landes.

21. À Saint-Christophe comme à la Martinique ou à la Guadeloupe tous les hommes participaient à la défense de leur île et formaient une milice, organisée en Compagnie ayant chacune un capitaine, et au moins un lieutenant et un sergent. Chaque compagnie couvrait un quartier de l'île. On créa donc deux compagnies de milice à la Grenade qui devaient occuper deux quartiers différents. On remarquera que les cadres de ce premier détachement comprennent 3 Normands, un Champenois, un Franc-comtois, un Gascon.

22. Carbet : mot caraïbe désignant l'habitation commune où se réunissaient les hommes du village. Par extension on l'emploie souvent pour désigner les habitations des Caraïbes en général. Un bourg de la Martinique porte aujourd'hui le nom de « Le Carbet ».

prenant celle de la Grenade plante des nourritures de ses propres mains pour leurs montrer qu'il n'espargneroit jamais ses travaux ny ses fatigues à procurer leurs bien, non plus que l'avancement (45v) de la gloire de Dieu. Mais laissons-les un peu travailler et allons au-devant des Sauvages de cette isle tant Galibis que Careibes [23], — qui s'estants asseuréz de la peure qu'ils avoient eu au bruit de tant de canonades et de mousquetades, et ayants aperceu du haut des mornes et des arbres, que c'estoient des nouveaux venus, peut-estre ceux dont leurs avoient parlé il y a quelque temps La Rivière qui avoit commencé à s'establir dans leur isle et travailloit à se faire place, s'en vinrent droit eux par mer dans une pirogue, du costé du Nord, au nombre de quelques 40 ou 50 conduits par le capitaine Cairoüane le père, sauvage Galibis, tout freschement recoüéz [24], garnis de flesches et de boutous [25] leurs armes ordinaires, les cheveux proprement troussez par derrière, portants des plumes de perroquets de plusieurs couleurs en forme d'aigrettes, parés de caracolis au né [26], de rassade [27] blanche

---

23. Les Caraïbes s'appelaient en réalité Calina une déformation de ce nom a donné Galibi nom qui reste attaché de nos jours à une population indienne de la Guyane d'origine caraïbe. Le terme Galibi s'appliquait généralement aux Caraïbes de la Terre Ferme. Le R.P. Pelleprat dans sa *Relation des missions des Pères de la Compagnie de Jésus dans les Isles et dans la Terre Ferme de l'Amérique méridionale* publiée en 1655 écrit que l'île de Tobago est occupée par les seuls Galibis « nation de Terre Ferme » et la Grenade, où il a été, par les Galibis et les Caraïbes ensemble.

24. Il faudrait lire rocoué ou roucoué, c'est-à-dire couvert de roucou. On extrait des graines du rocouyer (*Bixus orellana, B. purpurea*) deux principes colorants l'orelline, jaune, soluble dans l'eau et la bixine rouge soluble dans les huiles végétales et les graisses. Les Indiens se teignaient le corps avec cette peinture rouge. La peinture du corps est la grande occupation des Caraïbes dit le père Breton.

25. Mot caraïbe désignant une sorte de massue en bois, plate, épaisse de 2 pouces, large de trois doigts, longue de 2 pieds et demi à 3 pieds.

26. « Lorsque l'enfant atteint 15 jours ou 3 semaines nous dit le père Breton son parrain lui perce les oreilles, la cloison nasale et la lèvre inférieure et plus tard on y suspend de petits couacolis c'est-à-dire des petites plaques de coquillages ou même d'or. » Ce mot a généralement été transcrit : caracoli, par attraction avec un mot espagnol.

27. Rassade : mot tombé en désuétude que l'on trouve encore à la fin du XVIIIe siècle pour désigner la verroterie, les perles, les graines de couleur que l'on utilisait pour la traite. Dauzat rattache ce mot à l'italien *razzate*, rayonnant, brillant.

au col, de bagues aux doigts, et *in puris naturalibus,* hommes et femmes, grands et petits. La Rivière qui scavoit parfaittement leur langue, les ayant veu de loing sur mer se présenta à eux pour se faire recognoistre, et les convia à prendre terre avec protestations d'amitié et de service. Là-dessus nostre maistre ouvrier et ses compagnons quittèrent la besongne pour les venir recevoir et leurs tesmoigner tout le bon visage que faire se pouvoit.

D'abord après leurs « mapoüy banaré », les Galibis disent maboüy [28], « bonjour », ou « bienvenue compères », ils demandèrent comme ils avoient déjà fait à La Rivière, pourquoy ils s'establissoient de la sorte en leur terre sans leur permission, veu qu'eux-mesme n'alloient pas en la leur, ny ne voudroient y prendre le moindre pied qu'ils ne le voulussent : « Nous n'allons point chez vous, et pourquoy venez-vous chez nous ? Nous ne voulons point de votre terre et pourquoy prenez-vous la nostre ? Nous nous contentons du nostre, que ne vous contentez-vous du vostre ? » C'estoit le bien prendre et bien raisonner en leur lumière naturelle et sur le droit des gens. On leurs respondit par interprète, qui estoit ledit La Rivière, qu'ayants appris la descente des Anglois dans leur isle pour s'en rendre maistres et les en chasser, ils estoient venus leurs faire offre de service pour les en empescher et rompre leurs mauvais desseins avec leurs mapoys France [29], « diable françois » ainsy appelent-ils le canon pour son grand bruit et ses terribles effets ; et en les attendants de pied ferme ils avoient basty un carbet, il faut parler à leur mode pour se (46r) faire entendre appellants le fort du nom de Carbet, et plantoient des vivres pour y pouvoir

28. D'après le dictionnaire Français-Caraïbe de Breton, p. 184, « salut ! » se dit *mabouïc.* Le R.P. Pelleprat dans son *Introduction à la langue des Galibis,* 1655, p. 26 traduit *maboüi* par « Tu es venu ! » et ajoute « qui est leur salut quand quelqu'un arrive ». *Banaré* veut dire compère.

29. Pour les Caraïbes il existait un esprit du bien « Ichieri » et son opposé l'esprit du mal « Mabouia » ou « Mapoya ». C'est Mabouya qui provoque les éclipses, fait mourir les astres, leur fait boire le sang des enfants, et s'il n'a pas de culte il faut cependant conjurer ses mauvaises influences. La plupart des chroniqueurs ont traduit son nom par « diable ». « Mapoys france » pour diable français : cette tournure est restée en créole où l'on dit « figue france », venue de France par opposition à « figue du pays » pris dans le sens de banane.

subsister en les conservants des invasions de si puissants ennemis et les deffendants de tous leurs efforts ; qu'au reste la terre estoit assez grande pour contenir les uns et les autres, les mariniers françois y désirants vivre avec eux en bonne paix, bons amis et bons compères. Les Sauvages dirent qu'on devoit donc se contenter du lieu qu'ils avoient disposé, sans se loger ailleurs, comme assez bon pour se retirer. A quoy on répliqua qu'il n'estoit pas si commode non seulement pour la pesche qu'ils y vouloient faire, mais encor pour empescher la descente de leurs ennemis, qui ne manqueroient pas de se camper icy comme au lieu plus favorable à leurs desseins ; si bien que les mariniers françois y estant les premiers les repousseroient plus facilement et donneroient la chasse à ceux qui les vouloient chasser de leur terre. Les voylà contents mais pour les mieux asseurer de toutes ces belles paroles, il en fallut venir aux effets, et les faisant boire autant qu'ils voulurent, et leurs ouvrant un coffre plein de ferrement comme de serpes et de haches qu'ils emportèrent mesme ou fit présent au capitaine Cairoüane d'un bel habit rouge, passementé d'argent et d'un chapeau gris paré d'un bouquet de plumes blanches et rouges, et ils laissèrent quelques cochons, lézards et tortües qu'ils avoient apportés avec eux pour traitter aussytost le mesme jour. Ils s'en retournèrent en Capesterre [30] par où ils estoient venus, bien lotis et bien potes [31]. Quelques jours après le Sieur Duparquet s'en retourna à la Martinique dans la barque dudit Larivière, qui fut le 5me d'avril suyvant, lundi de Pasques ; et le Capitaine Lepas qui l'avoit

30. Le manuscrit porte en abrégé Capestre, nous avons rétabli le mot exact Capesterre ou Cabesterre. Ce mot est employé dans toutes les Antilles pour désigner la partie au vent d'une île, c'est-à-dire à l'est par suite de la direction constante des alizés, par opposition à la Basse Terre qui est à l'ouest. On dit aussi pour la première « Terre de Haut ». On explique parfois le mot par *Caput terra* première terre qui apparaît lorsqu'on arrive poussé par les alizés. On peut aussi le rattacher à « esterre » terme de marine donné dans l'Encyclopédie de 1777 avec le sens de « petit port ou endroit dans lequel la mer s'enfonçant dans les terres les petits bâtiments peuvent aborder et se mettre à l'abri. Un quartier de Saint-Dominique près de Léogane était appelé « L'esterre ». « Cap esterre » pourrait être le premier commandement entendu après une longue traversée en découvrant la terre.

31. Pote : mot tombé en désuétude, avait au XVIe siècle le sens de gonflé. Littré le cite encore dans l'expression « main pote » main enflée. A donné « empoté » maladroit, gauche.

amené, s'en alla avec le capitaine Lormier [32] vers les costes de St Domingue pour dire St Dominique, tenus par les Espagnols.

Nostre première colonie vivoit en grande union sous le gouvernement du Sieur Le Compte, avançoit la descouverte de la terre autour du fort, la remplissoit de vivres et l'entretenoit. Les Sauvages les visitoient souvent, leurs apportants figues, bananes [33], bonne pesche et bonne chasse. Et on leurs donnoit pour cela de la traitte qu'avoit laissé le Général du Parquet à son départ pour entretenir la paix avec (46v) eux par les présents qu'on leurs en feroit de temps à autre, comme on le jugeroit à propos. Ils sont de cette nature ainsy que j'ay remarqué en mon Livre 2, chapitre 3 qu'ils se gaignent et s'entretiennent par ces petits moyens et celuy-là est leurs grand Dieu qui plus leur donne, principallement ce qui leurs fait besoing et ce qu'ils désirent. On diroit à cela qu'ils seroient de sentiment de Pline, qui disoit autrefois que c'estoit estre Dieu d'obliger un autre par ses bienfaits ; et eux adorent ceux qui leurs font du bien, les mettent au rang de leurs mousche [34] bons à moy, qui est leurs façon de jargouner [35], iroupa banaré [36], en leur langue, et prennent ordinairement leurs nom par honneur et par affection. Le sieur Duparquet ayant connu de longtemps ce naturel, pour les avoir prattiquéz, et désirant leur amitié, la vouloit cultiver par cette addresse ; de sorte que comme il avoit le cœur généreux, il trouva mauvais qu'on leurs avoit donné en traitte ce qu'il avoit laissé pour purs dons. Ceux qui l'avoient entre leurs mains ayant faict un sujet d'avarice et de trafic ce qu'il avoit destiné pour estre celuy de ses libéralités et de ses largesses, jusque mesme à ce point que sans quelques petite considération qui

32. D'après du Tertre, t. I, p. 425, Le Pas et Lormier commandaient deux « barques » appartenant à du Parquet.

33. Il semble que les bananes aient été importées en Amérique, leur nom se rattache à une langue de Guinée par l'intermédiaire du portugais. Certaines espèces semblent pourtant avoir existé au Brésil avant l'arrivée des Européens.

34. *Mousche* : signifie beaucoup dans le « baragouin » des Caraïbes, sans doute par déformation du « moutcho » (*mucho*) espagnol.

35. Jargonner, pratiquer un jargon, langage corrompu. Se rattache à gargouiller.

36. *Banaré* est généralement traduit chez les chroniqueurs par « compère », camarade. *Iroupa* veut dire bon. Les Caraïbes prononçaient le R très peu guttural. Dans les transcriptions on confond souvent le R et le L.

s'opposa à sa colère, il eust démis le Sieur Le Comte de sa charge pour avoir si mal observé ses ordres et suivy ses intentions. Il leur manquoit un armurier et quelques six semaines après leurs establissement il envoya Monsieur Michel Nolleau de l'isle de Rhé, pays d'Aunix [37], à la levée du siège qu'il avoit fait mettre par le sieur La Perrière [38], Gascon, son Lieutenant à la Martinique devant l'isle de St Vincent [39], pour un peu réprimer l'insolence de ses Sauvages qui se joignoient à ceux de La Martinique pour y faire la guerre à nos François ce qui fut au commencement de l'an 6me du règne de Louis 14me roy de France et de Navarre qui commence le 14me de may. Ce siège ne dura que huit jours pendant lesquels les nostres ayant mis pied à terre bruslèrent tous les carbets et ruinèrent tous. Les Sauvages s'estoient sauvéz dans les bois sans qu'on put en attraper un seul. Néantmoins comme on fit feinte de se retirer, un d'eux s'avançant trop pour observer nostre retraitte, fut tué une descharge qu'on fit preste à tout hazard. On luy coupa la teste et on la mit au haut d'un arbre, c'est pour donner de la terreur aux autres. S'il y en eut de blessés ou (47r) de morts ils ne parurent point, car ordinairement ils s'en vont avec les coups et à moins que d'estre tuéz sur la place on en voit rien ; deux des nostres furent blessés, l'un mourut de sa blessure et l'austre fut guerry de la sienne.

Qui a des enfants et des soldats ne manquent pas de soing, s'il n'a renoncé à tout bon sentiment de nature et d'honneur, mais il en a d'autant plus qu'il les chérit davantage, qu'ils sont plus esloignéz de sa présence et en plus grands dangers ce que

---

37. Pays d'Aunis, ville principale : La Rochelle, à cheval sur les départements actuels de Charente-Maritime et Deux-Sèvres.

38. Jérome du Sarrat écuyer sieur de la Pierrière ou Perrière, gentilhomme gascon. Patrocle de Thoisy l'avait chargé d'assurer le commandement de la Martinique en l'absence de du Parquet prisonnier à Saint-Christophe. En juin 1646 il dut faire face à la révolte d'un certain Beaufort. Du Tertre, t. I, p. 330 l'accuse d'avoir fait preuve d'irrésolution à cette occasion mais au cours d'un simulacre d'accord avec les séditieux il tua leur chef de sa propre main. Le 15 janvier 1647 à la Martinique c'est lui qui s'empara de la personne du gouverneur général Patrocle de Thoisy et l'expédia à son ennemi Longvilliers de Poincy en échange de la libération de du Parquet.

39. L'île de Saint-Vincent se trouve entre Sainte-Lucie au nord, et les Grenadines au sud.

nous monstre l'expérience de tous les jours. Les pères donnants leurs plus fortes pensées à ceux qu'ils ont mis au monde, et les capitaines après combattent sous leurs estendarts. Monsieur Duparquet avoit touts les bontés d'un père et d'un capitaine pour ceux qu'il avoit estably dans La Grenade et quoyqu'il en ait souvent de nouvelles par les barques qui vont et viennent pour la chasse et pour la pesche, toutefois il y a plus de satisfaction de les avoir de ses propres yeux que de ceux d'autruy. Pour donc la voir directement il sortit sur la fin de septembre de La Martinique par le Capitaine Lormier, ayant avec soy des rafraîchissements et quelques 14 ou 15 personnes pour y habiter ; ce fut en ce voyage que vint la première femme qui ait mis le pied dans La Grenade, et donné la première créole comme l'on parle icy. Je crois qu'on veut dire créature, et par corruption de langue « créole [40] », c'est-à-dire, le premier enfant venant des François né en l'isle, avec son mary Pierre des Ours [41], dit l'Admiral. Estant arrivé il receut une joye extrême de voir tout son monde de bonne santé et en union de cœur. Il se fascha un peu de ce que le Sieur Le Comte commandant avoit disposé autrement qu'il ne luy avoit recommandé de la traitte qu'il luy avoit consignée entre les mains, ainsy que j'ay dit cy-dessus ; mais quelque respect du sang avec l'espérance d'une fidélité plus grande luy fit appaiser sa colère, qui n'eut point d'autres effets q'un peu de bruit entrecoupé de quelques « terrebleux », qui estoit tout son grand jurement. Cependant comme tout le monde estoit grandement à l'estroit et incommodé, on luy demanda permission de sortir hors du fort et de s'estendre, commançants à faire d'autres forts et d'autres habitations. Ce qu'ayant jugé raisonnable il en destacha quelques 20 ou 22 qui s'en allèrent sous la conduitte du sieur Marquis, Lieutenant de la première compagnie faire un fort au Beau Séjour [42], entre la

40. Créole : le portugais *criar* nourrir, a donné au Brésil *criaulo* désignant d'abord les esclaves nés dans la maison de leur maître, puis les blancs nés au Brésil, d'où l'espagnol *criollo,* le français « créole ». Jusqu'au XVIIIe siècle on dit encore « nègre créole » par opposition à africain.

41. La lecture du nom est difficile, Dumourel ? Desourel ? D'après la lecture de la page 69 (52v) on doit lire « Des Ours ».

42. Beauséjour est à environ 2 kms au nord du cul-de-sac où les Français s'étaient installés. Il ne s'agit donc pas ici du bourg du Marquis qui est sur la côte est.

rivière et l'ance du corps de garde qui porta le nom du Marquis, s'appellant le fort (47v) du Marquis, et le reste demeura au Grand fort. Ses soings ordinaires le rappella à la Martinique.

L'on vivoit en très bonne intelligence, les uns avec les autres et aussy avec les Sauvages de l'isle, qui les visitent souvent, leurs apportants mille petites commodités de pesche, de chasse, et de fruits pour traitter avec eux ; et le malheur voulut que la voicy tout à coup troublée, après quelques sept mois d'establissement paisible, il n'y a rien d'asseuré en ce monde ; tout suit la caprice du temps, qui pour estre changeant change tout, et met en amertume le peu de douceur que nous goustons sur terre en la jouissance de quelques petit bonheur. Le prince Jonatas ne fait que porter l'extrémité de sa baguette. Un peu de miel à la bouche et la mauvaise humeur de son père la luy veut faire payer au prix de son sang et de sa vie. O que cela est rude et fascheux ! Nos pauvres François jouissent quelque moment de temps de douceurs de la paix de ce rayon de miel, et les voylà attaqués d'estranges ennemis. Nous en pouvons bien dire le mesme que ce père de famille de l'Evangile Mathieu 13, v. 28, que sur le rapport que luy firent ses serviteurs que son champ estoit gatté d'yvrage, comme ils luy en demandèrent la cause, leurs respondit que c'estoit un trait de leurs ennemy qui s'estoit ainsy voulu venger de luy. Le démon envieux du repos de nos François, leurs suscite une sanglante guerre, et souslève les Sauvages de S^{t}. Vincent contre eux, pour ruiner par leurs armes les desseins qu'ils avoient d'y planter la foy et le cristianisme et d'y avancer le service et la gloire de Dieu. Il en a tousjours esté jaloux, et ne peut souffrir qu'on s'i porte sans qu'il en traverse les entreprises. Le Saint nom de Dieu en soit loué ; mais ce pernicieux ne remportera que de la honte de tous ses efforts et de la confusion, et nos braves François à la fin que de l'honneur et de la gloire, et principallement pour Dieu, encor faut-il un sujet pour ne l'entreprendre de gayeté de cœur ; et que s'en soucie-t-elle fort de gens ? Qu'on la rapporte à la malice et à la perfidie, à l'injustice et à d'autres fatalités, il ne leur importe non plus que s'il gresle en France ou s'il pleut en Italie il leurs suffit de contenter en cela la rage de leur cœur, quoyqu'il en trouvent deux sujets.

L'un est que La Grenade estant leur grand passage pour la terre ferme, ils ne pouvoient permettre qu'on s'en emparast, car par ce moyen ils n'auroient plus de lieu avec le temps pour se rafreschir allants et venants, ny ne ratifieroient jamais ce que le capitaine Caïroüane avoit faict, ne pouvant, quoyque naturel de l'isle [43] et grand capitaine, livrer pas un pied de terre et (48r) le donner à des estrangers. Ils luy en voulurent un si grand mal que pour faire jour à leur colère il fut contrainct de se retirer quelque temps ailleurs et se sauver ; autrement ils n'eussent manqué à le tuer, disants qu'il n'estoit pas bon d'avoir vendu à mariniers de France terre à luy, c'est leur langage qui veut dire que c'estoit un meschant homme qui ne méritoit pas de vivre pour avoir permis aux François de s'establir dans la Grenade qui estoit son pays natal, et d'en avoir pris de la rettraitte en payement. L'autre sujet est que ceux de la Martinique avoient tout ruiné dans leur isle de St Vincent, il y a quelques six mois, et ne s'en pouvants venger sur eux pour estre trop puissants et trop esloignéz, ils vouloient descharger leur colère sur ceux qui s'estoient nouvellement establis en la Grenade pendant qu'ils estoient foibles ; « c'estoit un mesme peuple et mesme nation qui ne leur estoit pas plus affectionnée, mariniers du mesme capitaine qui ne leurs estoit pas bon, mais mousche meschant », ce sont leurs termes. Encor de fresche datte, trois capitaine de barques de laditte Martinique, appelléz Baillardel [44], Jean Langlois et Matthieu Michel [45] faisants pesche aux Grenadins ont faict rencontre d'une pirogue, qu'ils ont entièrement desfaitte, et eu un grand butin. Voylà donc la guerre résolue dans un vin à St Vincent contre nos colonies françoises

---

43. On peut remarquer que sur les cartes du XVIIIe siècle la baie qui se trouve immédiatement à l'est de la pointe sud de l'île s'appelle « Anse Caouenne » probablement par déformation de Caïrouane.

44. Pierre Baillardel, capitaine du navire *Le Saint-Jacques de Dieppe* avait le 17 novembre 1635 transporté à l'île de la Dominique, entre la Martinique et la Guadeloupe un petit groupe d'habitants qui chercha en vain à s'y établir. Il se fixa par la suite à la Martinique où sa famille fut anoblie au XVIIIe siècle.

45. Du Tertre dit, t. 1, p. 338, qu'il participa activement à rétablir l'ordre à la Martinique lors de la révolte de 1646. C'est lui qui fut envoyé en Guadeloupe par La Pierrière pour informer Patrocle de Thoisy. Du Parquet lui confia la charge de pilote de la Martinique (du Tertre, t. II, p. 26).

de La Grenade ; et à cet effet ils équipèrent onze pirogues, qui font environ cinq-cent personnes. Le Capitaine du Quesne [46], Sauvage Careibe de cette isle, amy de nos François, en vint advertir secrettement et promptement ceux du fort de Marquis pour se tenir sur leurs gardes et faire vistement provision de pain, de viande, d'eau et d'autres munitions, d'autant qu'ils alloient estre assiégez par ceux de St Vincent.

A mesme temps d'autres Sauvages de La Grenade, qui estoient de la partie voulants résolument la guerre pour ruiner nos commendements, descendirent vers les sources, qui sont à costé de l'estang proche duquel est le grand fort à l'Est c'est-à-dire au Levant, pour attraper quelques-uns des nostres qui iroient à l'ordinaire quérir de l'eau. Ils ne se trompèrent pas dans leurs pensées ; car comme ils estoient tout proche parmy l'embarras des arbres et des halliers voyci venir des soldats, qui prennent de l'eau, et comme ils s'en retournent dans leur canot par l'estang, ces Sauvages cachéz commencèrent à faire une descharge de flesches sur eux ; dont il y en eut un qui en eut 9 plantées dans le dos comme dans une butte, un autre en eut le né traversé d'une, un 3me les costés de part et d'autres, les autres se sauvèrent à la nage dans les palétuviers pour en porter les (48v) tristes nouvelles aux autres qui attendoient leur retour et se mirent promptement sur les armes pour aller secourir ces pauvres fleschéz que la violence du poison retira bientost de la terre pour aller au Ciel et ce sont les trois premières victimes qui ont arrousé de leur sang le premier establissement de nostre christianisme dans la Grenade. Ce malheur fut secondé de la flotte de St Vincent, ayants mis à terre ils firent couvertement leurs approche vers ledit fort du Marquis et estants à couverts proche la rivière du beau Séjour sans qu'on les peut appercevoir, ils commencèrent par une ruse qui est de faire courir un cochon sur l'ance en belle veue, dans cette pensée que les nostres estant assez attirés à la chasse l'ayant recogneu ne manqueroient de le poursuivre. Ce qui arriva par un grand malheur, car trois soldats de ce fort l'ayant veu et y estants allés, quoyque Le Marquis n'en fut pas autrement consentant de peur de surprise, comme ils passèrent par des palétuviers les Sauvages cachéz

46. Du Quesne, Caraïbe de Grenade. Au nord-ouest de l'île existe une « anse du Quesne » qui lui doit son nom.

se jettèrent sur eux et les massacrèrent ; ainsy en cherchant la vie on trouve la mort. Aussytost voylà le fort investy, et il tombe continuellement une gresle de flesches qui en tue et en blesse. Ils s'advisent d'une malice de démon pour les faire tous périr : ce fut de se gabionner derrières des clayes qu'ils poussoient devant eux pour s'approcher de ce fort et essuyer les mousquetades en faisants leur approche ; puis ils mestoient le feu dans un piment sec, affin que le vent y portant la fumée les estouffa tous, car c'est la plus pernicieuse et la plus maligne qui soit ; donnant une fois aux yeux on ne scauroit durer et penestrant au cerveau elle le renverse, tant fort peut-il estre, ce qui faict que la première et la moindre bouffée, il faut promptement prendre la grandeur. Les Sauvages s'y attendoient ou que les assiégéz en estoufferoient, ou bien pour sauver leur vie sortiroient hors et évitant un danger se jetteroient dans un autre, car ils ne seroient pas sitost sortys pour prendre l'air, qu'ils seroient fleschéz. Mais admirez icy une protection particulière de Dieu, pour sauver les siens qui exposent leur vie et leur sang pour sa gloire. Il s'eslève du costé de la mer un grand vent qui renvoye la fumée par tourbillon sur le siège de ces Sauvages qui en ragent de voir que leur artifice trahit leur intention, estant leur propre ruine au lieu de celles de leurs ennemis. Ce qui me fait souvenir de ce qui se passa un jour (49r) en l'armée de Théodore Le Grand, chargeant celle du tyran Eugène, car le secour du Ciel luy fut si favorable, qu'il s'éleva un furieux tourbillon qui entreprit ses ennemis leurs jettant une grosse nuée de poussière devant les yeux et renvoyant tous les dards contre leur propre face.

Les assiégeans ne laissent de continuer leur siège dans espérance que le manquement d'eau aura tout l'effet qu'ils désirent, contraignant les assiégez à en aller quérir : ainsy attraperont-ils par la soif ceux qu'il n'auront peu attraper par la fumée. Mais comme ils sont infidels sans aucune cognoissance de Dieu, ils ne scavent pas que celuy qui a tant de pouvoir sur les vents n'en a point sur l'air pour soulager les fidels aussy bien, de la soif que de la fumée. Nos assiégéz en sont à la vérité grandement pressé et ne peuvent plus résister à sa violence, qui les oblige quelquefois à prendre leur propre urine pour s'humecter un peu la langue. Dieu le permit ainsy pour faire voir encor un traict de sa providence particulière envers à ceux qui prennent ses intérests, par une autre nouvelle aussy grande que la première, comme dont ils en sont le plus presséz, abandonnéz de tout secours humains et par terre et par mer, car ceux du Grand fort sont déjà trop foibles pour se deffendre eux-mesmes, aymants autant mourir tout d'un coup d'un revers de boutou que de languir plus longtemps d'une soif enragée, voicy que le Ciel se couvre comme pour les asseurer de sa protection, les nuées s'amassent promptement pour les assister et fondent toutes en pluyes qu'ils reçoivent avec actions de grâces. Voylà comme il secourut autrefois ceux qui eurent recours à sa divine bonté. (...)[47] (49v) Cependant plusieurs des nostres y furent tuéz. En un mot il n'en restat que huit dont deux estoient fort blesséz, qui se retirèrent au Grand fort, celuy du Marquis n'estoit plus tenable et si peu de soldats pour tant d'ennemys. Quelques dix jours après vinrent au mois de novembre par bonheur les barques de Baillardel et de Jean Langlois, à qui on raconta le malheur survenu de la guerre des Sauvages. Comme elles estoient mouillées au cul-de-sac parut une pirrogue à l'ance qui en porte le nom, sous l'habitation de S.t More s'appellant l'ance de La Pirogue, et aussytost on courut dessus, le vent favorable, ayant porté les nostres tout proche à la porté du fusil on l'arrestat sans pouvoir eschapper et pendant qu'on tiroit de part et d'autre voicy venir lesdittes barques au secours des nostres. Ce qu'ayant vu les Sauvages après un combat assez opiniastre qui dura environ deux heures et qu'ils ne pourroient sauver leur pirogue ils se jettèrent à la nage et gagnèrent au pied pour sauver au moins leur vie parmy les bois ne pouvant sauver leur pirogue et leur équipage. Il y en eut un seulement de tué, un autre de blessé qui ne cessa de s'enfuir avec sa blesseure. La pirogue prise on s'en retourna au fort où l'on fut d'advis de les aller voir dans leurs carbets et ne rien espargner. On ce mit donc à cet effet sur mer et l'on fit (50r) grand largue pour en estre mieux recogneu et couvrir le dessein qu'on avoit par une feinte retraitte. Ils s'imagineront disoit-on que

47. Une page environ qui correspond à des comparaisons bibliques a été supprimée pour alléger le texte. Dans la suite du volume toutes les suppressions sont signalées avec indication de la longueur du texte non reproduit.

nous nous retirons ; ainsi les pourrons-nous surprendre quand ils y penseront le moins. Ce qui fit qu'on tira droit à l'Isle ronde [48], où l'on demeure une nuit. Dès le point du jour on leva l'anchre et retourna sur la route pour descouvrir où estoient leurs carbets. En ayant recogneu quelques-uns, on fit quelque approche et alla fondre sur deux, dont l'un estoit au Capitaine (X), et l'autre au Capitaine Duquesne, Sauvages Carribes. On croyoit les y attraper avec tous leurs gens, mais on n'y trouva personne s'estant tous retirés dans le fond des bois sur la deffiance qu'ils avoient que les nostres faisoient une feinte et ne manqueroient de les aller attaquer. On brusla ces carbets et brisa tout ce qu'ils n'avoient peu emporter. Les nostres estants de retour au Grand fort, on voulut tanter fortune d'un autre costé, pour voir s'ils seroient plus heureux par terre que par mer. Ainsy le Sieur le Comte gouverneur lessant au fort le Sieur Marquis son lieutenant se résolut d'aller luy-mesme de propre personne au quartier d'un Sauvage Galibis, appelé Marquis accompagné d'environ 48 personnes bien armées ; mais ils ne trouvèrent que les carbets, où l'on mit le feu et tout fut ruiné. Vers la mi-nuit les nostres faisants un gros, les Sauvages s'approchèrent tout doucement parmis les halliers, et leurs envoyèrent une volée de flesches qui en blessa trois seulement, puis les voylà en fuitte. On fait incontinent à tout hazard une descharge du costé qu'elle estoit venüe ; on n'en vit pas l'effet. Il est à remarquer q'un des nostres proche un feu qu'ils avoient faict à la faveur de l'obscurité et ayant quelque ressentiment contre le Sieur Dubisson Lieutenant de la compagnie, pour quelque mauvais traittement qu'il en avoit receu, fit la sienne sur un autre qu'il tua, luy brisant tout le front. La ressemblance d'habit et de posture le trompa luy ayant faict prendre l'un pour l'autre, l'amy pour l'ennemy, l'innocent pour le coulpable. Quelle rage de nourrir des ressentiments et de garder de la réserve contre un homme à deux doigts de la mort ? Car je vous prie en quelle asseurance est-il de sa vie parmy tant de dangers ? Et s'il vient une fois à estre accablé de la mort par une flesche qui luy perce le cœur que deviendra-(50v) il avec tous ses ressentiments, ses inimitiés et ses rencunes ? La mesme mesure qu'il aura donnée aux

48. Île ronde : petite île qui se trouve environ à 5 milles marins au nord de la Grenade, au sud de Cariacou. C'est la première des Grenadines.

autres luy sera donnée « pardon à qui pardonnera, réserve à qui en aura » ; je veux croire que si Dieu ne bénit pas ses deux entreprises pour affermir nostre establissement dans La Grenade, cette mauvaise âme en fut la cause, cherchant plutost partout l'occasion de se vanger de son frère chrestien, que de combattre les ennemis de la gloire de Dieu ; (...) [49] Depuis ce temps-là, cette guerre qui fut la première et dura seulement environ un an, fut fort allumée et sanglante entre les uns et les autres, eux vaccants mesme à la portée du pistolet proche le Grand fort, arrachoient les vivres, et nous incommodoient beaucoup. Figurez-vous tout ce que des barbares sans foy, sans loy, sans roy peuvent faire de mal et de rage, et c'est ce qu'ils faisoient à nos pauvres colonies retranchées dans leur fort, sans oser en sortir qu'aux « bon pied bon œil et bonne deffense ».

49. Une demi-page environ.

II

1650

LOUIS 14me	L'AN DE N.S.	DU PARQUET	LA GRENADE
3	1650	2	2

Un esprit de vengeance est capable de toutes sortes de matières (...)[1]. (51r) Les petites nations estant aussy possédées de ce démon en vengeance se portent quelquefois à des rages qui n'ont pas de moindre effects. La Grenade nous en produit dès le commencement de cette année, un prodigieux exemple en la personne d'un Sauvage caraïbe, appelé Thomas, qui ayant recherché en mariage la fille du capitaine Duquesne, aussy Caraïbe. Comme le frère de cette fille empescha cette alliance, le tua en un venin pour se venger de son mespris : le coup fait il se sauva promptement dans un canot et alla droit à la Martinique vers le Sieur du Parquet gouverneur qui le receut avec sa bonté ordinaire. On luy demanda le subject de sa venüe, et luy cachant (51v) son meurtre dit seulement, que les autres Caraïbes vouloient matter [2] luy, parce qu'il estoit bon aux mariniers France et la conservation de sa vie estoit le sujet de sa fuitte. Au reste que s'il vouloit recevoir un mot d'advis qu'il avoit à luy donner il scavoit le moyen de les ruiner tous en peu d'heures pour s'establir après dans La Grenade fermement sans asseurer la possession, et y vivre en paix et en repos. C'estoit que comme ils ne manqueroient de faire tous un vin sur un tel morne d'icy à tant de jours, il n'avoit qu'à y envoyer de ses mariniers qu'il vouloit luy-mesme conduire et se mettre

1. Une page approximativement.
2. Matter : tuer, de l'espagnol *matar*.

à la teste. Il les y trenneroient infaillblement, les surprendroient, et lors devoient faire partout main basse. Ce qui arriva comme il l'avoit projetté.

Sans doulte les trahisons sont bonnes, quoyque les traîtres ne valent rien ; (...) [3]. Le Sieur Duparquet s'en voulut donc servir pour l'avancement de ses affaires, dans cette croyance que Dieu ne le luy avoit envoyé qu'à cet effet. Il le fit embarquer avec autant de personnes qu'il put lever en la Martinique pour ce dessein. Luy-mesme y vint et amena le R. père Mesland, Jésuiste [4] (52r) pour satisfaire aux dévotions de ses colonies qui depuis l'establissement en La Grenade n'avoient vu ny prestre ny sacremens ny messes. Ils y arrivèrent sur le soir 26me de may, jour de l'Ascension. Grande joie et grand resjouissance pareille à celle des enfants au retour de leurs pères après une longue absence, ou de ceux qui voyent l'estoile après avoir esté bastu des rudes tempestes, ou de ces peuples illuminés après avoir esté si longtemps accablés des ténèbres. Sept mois ou environ s'estoient escoulés où ils avoient esté en guerre et eu de fâcheux ennemis sur les bras. Quand le Sieur Duparquet vint à paroistre en rade ils pensoient voir un astre nouvellement

3. Trois quarts de page.

4. Le R.P. Denis Mesland. Les Jésuites étaient arrivés à la Martinique dès 1639. Le R.P. Maurile de Saint-Michel qui leur rend visite en 1646 admire leur « maison bâtie de pierre » et leur chapelle située dans le quartier du Fort à Saint-Pierre. Il semble qu'ils se soient retirés du pays lorsque du Parquet fut retenu prisonnier à Saint-Christophe. Au retour de celui-ci ils regagnèrent l'île. La présence du père Denis Mesland est attestée à la Martinique par sa signature au bas du certificat daté du 5 juillet 1648 concernant la nullité du mariage secret de du Parquet et de Marie Bonnard qui justifiait à posteriori le mariage solennel célébré le 30 avril 1647 (Dessales, *Annales du Conseil souverain,* t. I, p. 9). Les Jésuites s'installèrent également près de Rivière-Pilote pour évangéliser les Caraïbes (voir carte de Nicolas Fischer) et le père Denis Mesland fut chargé de cette mission. Selon la *Relation* du père Pelleprat (1655) le R.P. Mesland se rendit à la Grenade en 1651 pour mieux connaître les Galibis qui y étaient installés et il obtint d'eux d'être conduit chez leurs frères de Terre Ferme. Il fonda alors la mission de l'embouchure du fleuve Ouarabiche. Au bout d'un an il revint, malade, aux îles. Il retourna à sa mission avec le père Pelleprat en juin 1653. Le gouverneur espagnol de Saint-Thomas de Guyane ville située à l'apex du delta de l'Orénoque, lui ayant demandé de venir sur son territoire convertir les Indiens il s'y rendit en septembre 1653. Il s'y trouvait encore en 1656 (du Tertre, t. I, p. 481).

descendu du ciel qui alloit faire un grand calme dans cette isle, ou bien un soleil qui alloit dissiper les obscuritéz de leurs troubles et de leurs ennuys par les rayons de sa présence. Ce qui les fit esclatter en une infinité d'acclamations pour tesmoignage de leur resjouissance. Quoyqu'il eut déjà appris le malheur qui les avoit accueilly, ils le luy représentèrent encor avec beaucoup de ressentiments et de desplaisirs. Luy les consola et leurs fit espérer autant de biens qu'ils avoient soufferts de maux. Représentez-vous ces pauvres esprits qui estoient comme des nuées chargées d'orages et d'obscuritéz, qui se vuident et se blanchissent à l'aspect des rayons qui sortent des yeux du Sieur Duparquet, et qui se rasseurent aux paroles de sa bouche, qui reçoivent des infusions toutes célestes qui donnent de l'ordre aux choses confuses, de la vigueur aux languissantes, de la joye aux déplorées, et de l'espérance aux désespérées. Jamais jour ne sembla reluire plus délicieusement à un peuple affligé.

Cependant le sabmedy suivant, qui fut le 20me [5] vint au monde sur les 10 heures du matin le premier enfant de La Grenade, Marie des Ours [6], que le Révérend père Mesland baptiza simplement, le lendemain 29me jour de dimmanche, n'ayant apporté avec soy ce qu'il faut pour en faire toutes les cérémonies ordonnées par l'Esglise, qu'il suppléa néantmoins à un autre voyage. Il dit la messe dans le fort, n'y ayant point encor de chappelle et c'est la première qui a esté dicte, et quy le premier qui l'y a ditte, au moins que l'on puisse scavoir. Heureusement Grenade, qui es aujourd'huy sanctifiée par le plus vénérable et le plus auguste de nos sacrifices ! Heureuse d'estre consacrée par le corps et le sang de Jésus-Christ pour ne plus estre que le zèle de sa divinité ! Que tu es heureuse d'une terre infidelle d'estre (52v) une terre saincte. Aussy ne pensez pas que ce bonheur luy soit arrivé fortuitement en ses jours qu'on nous représente son admirable ascension dans le ciel ; d'autant que comme rien ne se faict icy-bas que par un ordre particulier de Dieu, ainsy que disoit un prince à l'illustre patient, c'estoit pour luy dire par la représentation de cet ineffable mytère, le baptesme du 1er de ses enfants et le premier

5. Le manuscrit porte 20, il faudrait lire 28e de mai.

6. Fille de Pierre Des Ours dit l'Amiral arrivé avec sa femme en septembre 1649 (voir page 59 (52v), note 41).

sacrifice offert à Dieu dans le premier de ses forts, que le temps estoit arrivé qu'elle devoit faire une sainte ascension de l'infidélité à la foy, et du péché à la grâce. Dès ce jour jusqu'après les festes de la Pentecoste tout le monde fit ses dévotions et s'acquitta de ses devoirs. Or comme le Sauvage Thomas pressa l'exécution du dessein de surprendre les Careibes et les Galibis, les uns s'en estant acquittéz, pendant que les autres s'en acquitteront, il fallut y promptement aller sans différer plus longtemps. Ainsy prit-on mer dès le 30me de may avec environ 60 hommes et ce Sauvage, sous la conduitte des Sieurs de Vertpré [7] lord Lieutenant, et La Fontaine Hérons [8] Sergent à la Martinique et l'on alla mouiller l'ancre au soir le morne, dit aux Sauteurs [9] pour la raison que j'en diray vis-à-vis le fond Duquesne [10] où

7. Jean Jaham sieur de Vertpré né en 1610 à Saint-Mars des Prés en Poitou (département de la Vendée) mort à la Martinique en 1685. Il s'était embarqué au Havre le 9 mai 1635 sur le *Don de Dieu Florissant* à destination de Saint-Christophe. Il fit partie de l'escorte personnelle de du Parquet qu'il suivit à la Martinique. En 1646 il était à la Martinique, en l'absence de du Parquet, un des animateurs du groupe qui lui était resté fidèle. Marié deux fois il eut 8 enfants. Deux de ses descendants furent anoblis au XVIIIe siècle. La famille est encore abondamment représentée à la Martinique.

8. Un Guillemin Héron dit La Fontaine né en 1605 s'est engagé pour trois ans, le 28 avril 1635, avec son associé Jean Coquerel auprès de la Compagnie pour habiter Saint-Christophe moyennant 125 livres de pétun par an et diverses taxes et corvées. Le « dit » qui accompagne les noms de famille se transforme très facilement en « de » à cette époque. Il y eut plusieurs sieurs de La Fontaine tant à la Guadeloupe qu'à Saint-Christophe qui ne doivent pas être confondus avec La Fontaine Héron. Lors des funérailles de Monsieur du Parquet en janvier 1658 « Monsieur de La Fontaine marchait immédiatement devant le corps à la tête de 12 Gardes » (du Tertre, t. I, p. 519). Le 1er juillet 1658 la procuration laissée à Rools de Loubières (écrit Rolle de Laubier) a pour témoin « Anthoine Hétault sieur de La Fontaine lieutenant de la Compagnie de Monsieur de Nambuc » (d'Esnambuc, fils mineur de du Parquet) (Archives nationales, t. 103, 1/16). Il s'agit sans doute dans le texte du manuscrit et dans les deux citations nommées ci-dessus du même personnage.

9. Là s'élève aujourd'hui le bourg appelé Sauteurs. L'église et le cimetière sont sur la falaise qui domine la mer d'une quarantaine de mètres. En remontant de 4 kms la rivière qui se jette près du bourg on trouve dans le lit des roches gravées par les Indiens qui doivent correspondre à un site cérémoniel.

10. L'anse du Quesne et le bourg de Sauteurs distants de 3 kms à vol d'oiseau sont séparés par la pointe David.

l'on fit descendre le monde, et de là à la faveur de la nuict on approcha le 1er. Mais devant que de passer plus avant, on envoya le Sauvage avec deux François pour recognoistre si les Sauvages y estoient, ce qu'ils faisoient, en un mot leur contenance et ils retournèrent promptement sur leurs pas comme sur les aisles du vent, ayants rapporté qu'on ne s'auroit jamais plus beau, qu'il falloit seulement se despêcher, et les environner tous à ce qu'aucun n'eschappast. Ils estoient à faire un vin et bonne vie, sans penser à rien moins qu'à ce qui leurs pouvoit bien arriver. Ce qu'on fit et comme ils estoient tous en leurs plus grande gayeté de cœur, et y pensoient moins on fit une descharge de mousquetade sur eux, qui troubla leur vin [11], et changa tout à coup leur joye en tristesse. Qui bransle est couché par terre, qui demeure n'a point un meilleur traitement, de quel costé qu'on se tourne on ne voit que feu et espée trenchante, un seul chemin leur est ouvert pour se sauver ; mais quoy, il est borné d'une haute falaise qui les arreste. Que feront-ils ? Il n'y a point de quartier, il faut mourir ; et plustost que ce soit par l'espée ou par les armes à feu, ils se jettent du haut (53r) en bas de ce morne fort escarpé dans la mer, où ils périssent par eau en évitant le fer et le feu. Ce qui luy a donné le nom de « Morne aux Sauteurs ». Néantmoins il n'y en eut que 8 ou 9 de tuéz sur la place tous les autres se précipitèrent sans qu'aucun eschappast. Point des nostres ne fut pas seulement blessé, car comme ils furent surpris leur trouble en fut si grand qu'ils ne s'avisèrent aucunement de courir à leurs armes, mais plustost de sauver leur vie par la fuitte comme tout esperdus. Après tout fut ravagé et grand feu partout quoyqu'on se réserva tout ce qui pouvoit estre à nostre usage. Il ne faut pas demander qu'elle estoit nostre joye, d'une si heureuse deffaite de ces infidèles qui ne nous donnoient aucun moment de repos ; on reprit la route du fort, où le Sieur du Parquet prenant part à leur bonheur triomphe de leur gloire.

Mais remarquez ici que ces braves courages combattent les ennemis de Dieu pendant que les autres avec ledit Sieur Duparquet leur chef sont en dévotions et en prières, et vous y verrez

11. Leur vin. On appelait alors ainsi les cérémonies au cours desquelles les Caraïbes réunis buvaient l'alcool de manioc qu'ils appelaient *ouicou*.

ce qui se passa autrefois entre Moyse et Josuë. (...)[12] Le Sieur Duparquet avec les siens est au pied de l'autel pour obtenir de Dieu quelque heureux succès de son entreprise qui n'est que pour sa gloire, et le Sieur de Vertpré avec ses gens chargent les infidèles, et cette divine bonté leurs accorde ce qui est le désir de leurs cœurs et le sujet de leurs travaux. Les affaires de La Martinique ne permirent pas au Sieur Duparquet de séjourner plus longtemps à la Grenade. Il s'y en retourna dès le mardy de La Pentecoste sur la relevée, le 7me de juin avec le R. Père Mesland et le Sauvage Thomas, qui de là s'en alla demeurer vers ses parents à la Dominique, d'où après quelque temps il luy prit envie d'aller vers les Sauvages qui faisoient guerre à ceux de Tabac [13]. Tresve fut faitte et luy donné pour un ostage aux Tabaiens, qui ayants recogneus que c'estoit un esprit brouillon, inquiest et remuant, s'en deffirent à la chasse d'un coup de fusil qui luy fit payer toutes ses trahisons et toutes les malices. Il ne faut pas (53v) trouver mauvais s'il s'en est servis pour cette deffaitte. Dieu dont la conduitte est la règle de la nostre se servit de la rage des Juifs pour mettre son filz en croix, et tous les jours se sert de celle du démon pour affliger les hommes. La justice mesme prend un bourreau pour le supplice d'un criminel. Sans m'arrester à la deffence d'un exploit qui trouve la justification dans l'escriture, son exemple dans la pratique des plus braves, et son approbation dans la bouche des plus sages, Dieu est [14] or comme le Sieur Duparquet avoit permis à l'instance de ses colonies de bastir un fort à la première rivière [15], distante environ d'un quart de lieu du Grand fort pour l'incommodité qu'elles recevoient d'y estre si estroitement resserrées on y alla en bâtir un qui pour avoir esté achevé le 24me de juin, jour de St Jean, et parce que le Sieur le Comte gouverneur en portoit le nom, fut appelé « le fort Saint-Jean », et on y mit environ 70 personnes sous la conduitte du Sieur le Fort, lors Caporal [16]. Néantmoins comme tant de monde

12. Cinq lignes.
13. L'île de Tabac, aujourd'hui Tobago, un peu au nord de l'île de la Trinidad.
14. Il y a là dans le manuscrit omission d'un membre de phrase.
15. La rivière qui est immédiatement au nord de Saint-Georges s'appelle la rivière de Saint-Jean.
16. Yves Le Cercueil dit Lefort (ou Le Cerqueux) est né en 1618

estoit encor incommodé dans l'un et l'autre fort, d'estre ainsy pressé et tant à l'estroit, ce qu'il falloit pourtant souffrir si on ne vouloit s'exposer en sortant hors à un évidant danger de perdre la vie par les attaques continuelles des Sauvages, que l'on trouvoit mieux soustenir estant ramasséz, qu'estants séparés les uns des autres, on fut d'avis pour se mestre en liberté et establir des habitations de rechercher la paix, vray moyen de se tirer de la misère et vivre en asseurance.

A cet effet le Sieur Le Comte commandant envoya par mer le Sieur le Marquis son Lieutenant d'autres bien armés vers ledit morne aux Sauteurs. Ils y trouvèrent tout proche par bonheur le Capitaine Anthoine avec un de ses enfants, qui les ayant veu voulut s'enfuyr pour ne recevoir ce qui luy pourroit couster la vie. Mais ils firent tant par leurs parolles, belles promesses et protestations d'amitié, qu'il l'arresta et vint à eux. Ils le mirent dans leur canot, le firent boire et l'amenèrent au Grand fort, où estant on luy réitéra les mesmes asseurances, qu'on ne vouloit aucun mal aux Careibes, qu'il falloit mestre sous les pieds tout ce qui s'estoit passé sur le morne aux Sauteurs dont ils estoient innocens, que c'estoit ceux de La Martinique qui avoient faict le massacre et non point ceux de La Grenade qui ne les en avoit peu empescher, et vouloient vivre avec eux (54r) en paix et en bons compères ; qu'il eut à en

---

à Crèvecœur proche Pont-l'Évêque (Crèvecœur-en-Auge, Calvados, arrondissement de Lisieux, 330 habitants en 1950) selon notre auteur. On peut identifier ce personnage avec Yves Le Cerqueux dit Lefort né en 1614 à Pont-l'Évêque (arr. de Lisieux) qui s'engage le 28 avril 1635 sur « la Petite Notre-Dame » pour servir Jean Buriel de Honfleur pendant 3 ans à Saint-Christophe (vicomte du Motet, *Guillaume d'Orange,* 1908, page 122). Cerqueux est la forme ancienne de Cercueil. Il existe en Normandie plusieurs localités de ce nom se rattachant à la découverte d'un sarcophage. Du Tertre le dit (t. I, p. 330) « ami de du Parquet et fort attaché pour lors à ses intérêts ». L'histoire de la Grenade le dit marié avec une nièce de Le Comte, lui-même neveu de du Parquet. C'est Lefort qui lors de la révolte survenue en juillet 1646 à la Martinique en l'absence de du Parquet accusa la Pierrière de mollesse et organisa un guet-apens au cours duquel il tua de sa propre main le chef des révoltés, Beaufort. Selon du Tertre, après le retour de du Parquet en 1648 (t. I, p. 416), il quitta la Martinique, alla en Guadeloupe où Houel lui donna le commandement de Marie-Galante. Après 18 mois il déserta et s'enfuit à la Martinique où du Parquet le reçut bien et l'envoya à la Grenade.

asseurer les autres, et à leurs dire de venir traitter librement comme auparavant avec mariniers-frances, et qu'il ne leurs seroit faict aucun tort, ce qu'il promit, et comme il s'en retournoit, voylà que parurent plus de 200 Sauvages sur le morne de La Monnoye, ainsi appelé parce que le Sieur Dubu y en faisoit de la fausse en sa case, ainsy que je diray en l'an 1659 et firent une effroyable face comme s'ils eussent voulu venir fondre dans le Grand fort qui n'en est distant qu'à la porté du fusil. On rappelle le capitaine Anthoine, qui estoit déjà avancé vers la pointe du cul-de-sac et il revint aussytost. Ayant esté à terre il alla vers ces nouveaux venus et leurs protesta que mariniers-frances ne vouloient point de guerre, mais la paix ; que ce n'estoit point eux qui avoient matté Careibes, mais ceux de la Martinique ; qu'ils leurs estoient mousche bons, et le feroient voir par effets ; qu'ils n'avoient qu'à venir sans crainte et que bien loing de leurs faire du mal on les feroit boire. Pour comble d'affection on leurs donneroit rassades et autres choses qu'ils pourroient désirer ; mesme le Sieur le Marquis se présente à eux, leurs présentant de l'eau-de-vie, mais il se mocquèrent des paroles de l'un et se deffièrent des offres de l'autre, comme si l'on n'eusse deu se fier si facilement aux François, et l'autre les eusse voulu empoisonner. Tant y a qu'aucun ne voulut descendre au fort mais dirent seulement se voyants descouverts que dans trois jours ils ne manqueroient pas de revenir. Ainsy firent-ils au mesme lieu de La Monnoye, d'où ils commencèrent à flescher, mais après un combat d'environ un heure, s'estants apperceu qu'on destachoit des soldats pour leurs dresser une ambuscade, ou bien pour les combattre en flanc, ou sur l'arrière-garde pendant qu'on donnoit sur l'avant, ils se retirent et disparurent comme des esclairs. Ils en tuèrent deux des nostres et quatre furent blesséz. Il ne parut point que nos coups eussent portés sur eux ; il n'est pas qu'ils n'en receussent quelques-uns, qu'ils emportèrent avec eux en Terre Ferme, où ils alloient chercher secours. Pendant qu'ils y en cherchèrent, voyons ce qui se passe en France pour le Sieur du Parquet au sujet de La Grenade.

Il se l'estoit acquit par le droit des armes l'année passée le 18me de mars. Comme s'avoit esté sans la permission des Messieurs de La Compagnie de l'Amérique, à qui le roy Louys 13me

d'heureuse mémoire a donné le fond et la propriété des isles qui s'y tiennent (54v) depuis le 10me jusqu'au 20me degré de la ligne équinoctiale ils la luy pourront instement disputer.

« [17] A par ses lettres patentes en forme d'édict du mois de mars 1642 ratifié, confirmé et validé les contracts du 12me febvrier 1636 [18] et 29me janvier 1642 [19] faits par deffunct nostre très cher et très aymé cousin le Cardinal duc de Richelieu grand chef, maistre et Surintendant général de la navigation et commerce de France avec le Sieur Beruyer [20] pour les associéz en la compagnie des Isles de L'Amérique, voulu qu'ils sortent leurs plein et entier effect et que les associéz en laditte compagnie, leurs hoires successeurs et ayans cause jouissent du contenu en iceux, a conformément aux dicts contracts ordonné que les associéz de laditte compagnie continueront à travailler à l'establissement des colonies et isles de l'Amérique scituées depuis le 10me degré jusqu'au 30me degré inclusivement au deçà de la lingne équinoctiale, comme il est contenu aux dittes lettres leurs ayant sa majesté par icelle accordé à perpétuité et à leurs hoires successeurs, et ayant causes la propriété desdittes isles scituées depuis le 10me jusqu'au 30me degré inclusivement au deçà de la ligne oequinoctialle et costes de l'Amérique toute justice et seigneurie, les terres, forts, rivières, ports, havres, fleuves, estangs, et mesme les mines et minières, pour jouir desdittes mines conformément aux ordonnances ; de toutes lesquelles choses Sa majesté s'est réservée seulement le ressort et la foy et hommage qui luy sera faitte et à ses successeurs roy de France par l'un desdits associéz au nom de tous et en chaque

---

17. Nous avons ici ajouté des guillemets qui ne sont pas dans le texte car il s'agit d'une citation des lettres patentes du Roi de mars 1642.

18. Le contrat du rétablissement de la Compagnie des Isles de l'Amérique par ampliation des privilèges de la Compagnie de Saint-Christophe est du 13 février 1635 et non 1636. Il est cité *in extenso* par du Tertre, t. I, p. 46.

19. Le nouveau contrat du 29 janvier 1642 entre le cardinal de Richelieu et la Compagnie étend le domaine de la Compagnie du 20e jusqu'à 30° degré de latitude et exempte de droits les marchandises à l'entrée. Il fut confirmé par l'édit du Roi de mars 1642 qui est cité ici. Ces différentes pièces sont reproduites par du Tertre (t. I, p. 212).

20. Jacques Berruyer, écuyer, sieur de Monselmont, capitaine des ports de Veulettes et Petites Dalles en Caux, était l'un des directeurs-associés de la Compagnie.

mutation du roy, et la permission des officiers de la justice souveraine qui luy seront nomméz et présentéz par lesdits associéz, lorsqu'il sera besoing d'y en establir, avec pouvoir aux dits associéz de faire fortifier des places et construire des places aux lieux qu'ils jugeront les plus commodes pour la conservation des colonies et seureté du commerce ; leur estant permis par icelles de faire fondre boulets et canons, forger toutes sortes d'armes offencives et défensives, faire poudre à canon et toutes autres munitions, de mestre par lesdits associéz tels capitaines et gens de guerre que bon leurs semblera dans lesdites isles et sur les vaisseaux qu'ils y envoyeront ; se réservant néantmoins Sa majesté de pourvoir d'un gouvernement général sur toutes lesdittes illes (55r). Lequel ne pourra de façon quelconque s'entremettre de commerce, distribution des terres ny de l'exercice de justice que lesdits associéz disposeront desdittes choses à eux accordées, de telle façon qu'ils aviseront pour le mieux, distribueront les terres entre eux et à ceux qui s'habitueront sur les lieux, avec réserves de tels droits et devoirs et à telles charges et conditions qu'ils jugeront plus à propos, mesme en fiel avec haute, moyenne et basse justice ; que pendant 20 années, à commencer de la datte desdittes lettres, aucun de nos subjets ne pourra aller trafiquer aux dittes isles, ports, havres et rivières d'icelle, que du consentement par éscrit desdits associéz, et sur congés qui leurs seront accordéz sur lesdits consentements, le tout à peine de confiscation des vaisseaux et marchandises de ceux qui iront sans lesdits consentement, applicable au profit de laditte compagnie ; et pour cet effect ne pourront estre délivréz aucuns congéz pour aller aux dittes isles par le surintendant général de la navigation et commerce de France et ses successeurs en laditte charge, que sur le consentement desdits associéz ; par lesdittes lettres accordée exemption de tous droits d'entrée pour toutes sortes de marchandises provenantes des dittes isles appartenantes aux dits associéz en laditte compagnie en quelque port de nostre royaume qu'elles puissent estre advenües, pendant lesdites 20 années seulement dont sera faicte mention expresse dans les baux à ferme de nos droicts qui se feront pendant ledit temps [21] » ; portant outre ledit édict et lettres patentes plusieurs autres (?) [22] et privilèges pour asseurer la possession et aller au-devant de tous les troubles qu'on luy pourroit faire conjurer, mesme la tempeste qui commence à gronder. Il [23] donna procuration à nostre Charles de La Forge Sieur de La Forge [24], mareschal des logis ordinaires de la maison et Monsieur le prince son beau-frère par-devant Montillet [25] notaire à la Martinique en datte du 18me may de traitter pour, en son nom avec lesdits Sieurs associéz, du fond et de la propriété de La Grenade, comme aussy de la Martinique qu'il possédoit desjà, et de Ste Alousie qu'il désiroit avoir et le contract en fut passé le 27me septembre de cette année 1660 [26] par-devant le Roux et le Vasseur notaire garde-notes au Chastclet de Paris moyennant la somme de 4 mille-cinq-cent livres tournois [27] dont en voicy la teneur par de les — [28] signé, nous verrons l'année qui vient 1661 [29] la ratification confirmation (55v) validation de ce con-

21. Nous avons ajouté des guillemets pour indiquer la fin de citation marquée dans le manuscrit seulement par un point et virgule. On revient ici aux démarches de du Parquet en 1650.

22. Un mot qu'il a été impossible de déchiffrer.

23. « Il » se rapporte à du Parquet.

24. Charles de la Forge se trouvait à la Martinique en 1646. C'est à lui et à la Pierrière que Patrocle de Thoisy donna commission pour commander à la Martinique en l'absence de du Parquet prisonnier. Il semble qu'il ait peu de temps après gagné la France car il n'est pas question de lui lors de la révolte de 1647. Il y fut maréchal des logis du prince de Condé. Il avait épousé Suzanne Dyel de Vaudroques née en 1595 à Cailleville. En 1650 il se trouvait à nouveau à la Martinique.

25. Antoine de Montillet a été greffier et notaire à la Martinique dès 1645, il y est mort en 1653.

26. C'est évidemment une erreur pour 1650.

27. Erreur aussi, il faut lire 41 500 livres tournois.

28. Il faut sans doute lire « par devant les notaires etc. signés ».

29. Erreur pour 1651. Dessales dans ses *Annales du Conseil souverain de la Martinique* (Bergerac 1786) confirme t. I, p. 7 que du Parquet avait acheté la Martinique, la Grenade, les Grenadines, Sainte-Lucie pour 41 500 livres par acte passé le 27 septembre 1650 chez Roux notaire à Paris. Du Tertre t. I, p. 444 cite l'acte du 27 septembre 1650 mais donne le prix de 60 000 livres. Adrien Dessales dans son *Histoire législative des Antilles* qui constitue le tome 3 de son *Histoire générale des Antilles* (Paris 1843) qui est en fait une réédition des Annales de son grand-père rectifie en note le chiffre donné par son grand-père et reprend celui de 60 000 en se référant à du Tertre. Selon lui l'acte a été passé en France par du Parquet lui-même. Sidney Daney dans son *Histoire de la*

trat par le roy en son grand conseil de Paris. Faisons maintenant voile en la Grenade pour y voir ce qui s'y passe.

Nos sauvages au sortir de leur dernière escarmouche s'en allèrent en Terre Ferme pour en tirer du secours soit des Galibis soit des Arouagues [30] soit des Oüaro [31], soit d'autres. Il y avoit pour lors en grande réputation parmy les Galibis un capitaine appelé Baco [32] : c'estoit leur Dieu Mars pour la guerre et leur Dieu Apollon pour la conduitte. Ils s'addressèrent à luy avec grandes plaintes que de nouvaux venus en la Grenade s'en rendoient maistres et les en chassoient, jusque mesme à ne point espargner leur vie pour avoir leur bien, quantité de Careibes ayant desjà (été) massacré. Si on ne s'oppose à de si fascheux commencement, ils se verront bientost sans retraitte, sans terre, et sans pays ; leur foiblesse ne pouvant les ruiner ils ont recours à de plus puissantes forces de quoy luy les obligeant ils luy seront obligéz mesme de leur vie. Il leur demande de quelle nation estoient ces nouveaux venus ; mais ne le pouvants ou ne le voulants dire, car sans doubte ils scavoient bien que c'estoient des François, seulement luy dirent-

---

Martinique (Fort Royal 1846) date l'acte du 20 septembre 1650, le fait signer par du Parquet venu en France, fixe le prix à 60 000 livres. En fait on a dans la collection Moreau de Saint-Mery (Archives nationales Colonies F 3 247, f° 249) une copie de cet acte du 27 septembre 1650 qui fut enregistré au Conseil souverain de la Martinique le 13 mars 1651. Il est signé par Charles de la Forge, le prix est de 41 500 livres. Notre auteur a donc ici raison contre du Tertre. Le 22 octobre 1651 le Roi nomma du Parquet son lieutenant général des Îles de la Martinique, de Sainte-Lucie, la Grenade, les Grenadines (F 3 247, f° 277).

30. Arouague ou Arawack. Selon la relation du père Pelleprat (1655) les Arouagues habitaient alors le bassin inférieur de l'Orénoque, ils étaient ennemis traditionnels des Caraïbes. Les populations que les Caraïbes avaient chassées en s'installant aux petites Antilles appartenaient au groupe Arawak. On les a aussi désignées sous le nom de Igneris ou de Taïnos.

31. Warao. Population qui habite le delta de l'Orénoque.

32. On peut sans doute rattacher Baco à Louquo qui selon Laborde était le héros légendaire des Caraïbes descendu du ciel, créateur de la terre, qui sortit les hommes de son nombril, apporta la culture du manioc. La racine euké en caraïbe se rattache au sens d'esprit, essence. On peut se demander si ce « baco » n'est pas en relation avec le nom caraïbe de l'homme-médecine, du sorcier : boyé ou boyécou. L'île de Bécouia, l'une des Grenadines figure sur une carte du début du XVIIIe siècle sous le nom de Béké. Le mot *béké* en créole désigne le blanc. On en ignore l'origine qui est peut-être caraïbe.

ils que c'estoient des chrétiens, bien ayse qu'ils en estoient luy-mesme l'estant, de *meliore nota,* pour avoir longtemps demeuré en Espagne, où il avoit esté très bien instruit en la religion chrestienne, ayants de très grands sentiments de Dieu et faisants toutes les actions d'un très bon Chrestien. Il leur promit toutes sortes d'assistances, et dès l'heure amassa le plus qu'il put de gens pour venir en La Grenade avec ces Sauvages recognoistre qui nous estions, et nous faire bonne guerre, en cette surprise.

D'aucuns de ces barbares s'en retournant à pieds du costé des fontaines rencontrèrent sur la place du fort derrière l'estang deux des nostres qu'ils tuèrent ; à l'un d'eux ils coupèrent les jambes, les bras et le col. Sans doute il faut qu'ils leurs eussent faict de la résistance et en eust blessé, luy faisant ainsy porter en cruelles marques de leur rage et de leur vengeance. Quelques jours après, ils allèrent au Beau Séjour pour faire quelque semblable ragage : ce qui fut le 21me de mars [33], jour des Rameaux, car deux hommes estants party de matin du fort du Sieur le Marquis pour aller chercher la vie, et cinq autres de celuy du Sieur le Fort pour la vare [34], les deux premiers en furent rencontréz (56r) sur l'ance de la rivière du Beau Séjour, et massacréz, dont l'un fut trenné à deux genous, les mains jointes et lié par le milieu du corps à un arbre, et la teste cassée d'un coup de boutou. Les cinq autres en ayants esté investis sur l'ance du Petit havre [35] après qu'ils y eurent halé leur canot, sans les avoir aperceu estants cachéz derrière un petit morne, deux se sauvèrent, et les trois autres furent assomméz et leur canot pris. C'est un malheur qui nous accompagne, qu'aussytost que nous avons tant soit peu de repos, nous en abusons, faut-il dire, nous ne nous pouvons tenir, comme s'il nous ennuyoit ; il faut courir et nous sommes attrapéz par de plus habilles jambes que les

33. La fondation du Fort Saint-Jean et l'occupation par Yves Lefort et ses hommes relatée plus haut étant du 24 juin 1650 il s'agit ici du 21 mars 1651. Pour cette année 1651 il n'y a pas comme pour les autres de tête de chapitre.

34. La vare ou varre est une sorte de harpon de 7 à 8 pieds de long, un pouce de diamètre, avec lequel on pêche la tortue. Le mot vient du latin *vara,* crochu, par emprunt, fait aux Antilles, à l'espagnol *vara,* perche et a donné « varrer » pêcher la tortue à la varre, d'où varre action de varrer les tortues.

35. L'anse du Petit Havre se trouve à environ 1 km au nord de la rivière Beauséjour.

nostres, et de plus rusées que nous ne sommes pas. Nous croyons que cela doit estre pour tousjours sans nous tenir sur nos gardes, scachants néantmoins que la mesfiance est la mer de seureté. (...) [36]

(59v) [37] Un malheur ne va pas seul, ordinairement il est suivy d'un autre, comme s'ils se tenoient par la main ou par la robbe. Celuy que nous venons de voir en entraisne un autre aussy déplorable, qui est que deux engagéz au service de Pierre Savari dit La Vallée, autrement Le Jardinier de Blancs et du port Louys en Bretagne, habitants de cette isle au Petit havre de Grace se plaignent de luy à quelques voisins pour en estre mal nourrys, et le plus souvent battus outrageusement jusqu'à dire que ce ne seroit pas grand dommage qu'il fut mort et que pour le faire mourir il luy faudroit donner un bouillon de deux ou trois balles de plomb pour récompense de ses bons traittements. Cependant un appellé Bernard Martin dit La Rose, ayant besoing de son canot pour quelques affaires qui le pressent, descend à la rivière dudit havre où il l'a mit et ne le trouve point. Il retourne et va en la case dudit La Vallée son voisin pour en scavoir des nouvelles. Il ne l'y trouve ny ses serviteurs, et voit tout en désordre, qui le fait entrer en soupçon de quelque malheur. Sur l'advis que luy donne un (60r) de ses voisins de le dénoncer au Sieur Le Compte gouverneur il le va trouver au Grand fort et luy raconte tout le beau mesnage qu'il a veu dans la case dudit La Vallée, y estant allé pour s'informer de son canot ; le Sieur le Comte pour le devoir de la charge faict chercher ledit la Vallée [38]. On se met après à le chercher mais en vain. Ce qui faict présumer que par vengeance ils l'ont assassinéz, jetté du haut de ladicte falaize en cet endroit, enlevé tout ce qu'ils ont pu de la case, et prit ledit canot pour se sauver. L'un s'appelloit le Flamand, et l'autre l'Anglois, nommé de Guère [39] et on trouve son corps au bord

36. Sept lignes.

37. Comme nous l'avons expliqué dans l'introduction nous avons dû pour rétablir l'ordre logique de l'exposé et les exigences de la chronologie passer ici de la page 56 recto à la page 59 verso du manuscrit et opérer par la suite un certain nombre de sauts que nous indiquerons ci-après au fur et à mesure.

38. Nous sautons dans le manuscrit à quelques lignes plus loin.

39. De 60r nous reprenons à (59v).

de la mer, dans des roches au-dessous du grand précipice, tout gasté et jettant un insuportable puanteur qui ne permet pas qu'on s'en approche. Il sembloit néantmoins au dire des déposants, tout meurtry. D'aucuns m'ont dit que comme il dormoit ils luy versèrent du plomb fondu dans la bouche ; puis l'allèrent jetter d'une haute falaize en bas [40]. Ce malheur arriva le 3me d'octobre [41], de la présente année. On commence le procèz dès le 4me et fut achevé, le dernier jour du mesme mois de la mesme année [42]. (On décida de les) [43] passer par les armes, il n'y a point d'apparence ; les crimes sont trop énormes pour estre expiéz par un chastiment qui n'est pas assez honteux pour de si grands criminels. On s'avise de leur faire tirer au sort qui pendroit son compagnon et auroit la vie. Il tombe sur ledit Coursille qui expédie son supplice et luy oste la vie avec un funeste fardeau. Puis se retirant comme un vagabond tantost d'un costé tantost d'un autre, on s'en (?) [44] de luy prester le (?) [45] en horreur de ses crimes et de l'office infâme qu'il a rendu à la justice. Ce qui le touchant vivement, au cœur il se résoult pour ne le plus se voir dans un si grand rebut, d'aller vers nos Sauvages qui le meinent à la Martinique, où estant, il est de nouveau appréhendé. On l'interroge qui il est, d'où il vient, et du sujet de sa fuitte ; ayant déclaré franchement tout ce qui s'estoit passé en la Grenade au fait desdits Sieurs Cognard et du Parc il est mis en prison ; mais par bonheur pour luy le prince Robert allant en guerre passe par la Martinique, et apprenant qu'on se veut deffendre de ce nouvau prisonnier il le demande de grâce. On luy donne et il le met dans ses trouppes [46]. De ces tragiques accidents on peut voir où le désespoir porte quelquefois les hommes, ne pouvants respirer l'air qu'ils ont de commun avec leurs maîtres en la personne de ces deux frères. Vous voyez comme Dieu ne laisse aucun crime impuny ils fuyent la justice des hommes et tombent entre les

40. Nous sautons quelques lignes.
41. Le 3 octobre 1651.
42. De 60r nous revenons à 59v (2 pages en arrière).
43. Phrase reconstituée.
44. Un mot incompréhensible.
45. Un mot incompréhensible.
46. De 59v nous allons une page plus loin (60r).

mains de celle de Dieu qui se sert de la rage de ses serviteurs comme des bourreaux pour chastier leurs mesfaicts joints à leur inhumanité par une mort si lamentable (...)[47]. (60v) Encor peut-on voir en leur personne et en celle de ce Jardinier quel gain remportent les mauvais maistres de traitter si rigoureusement leurs serviteurs. Holàs Maistres ! que faictes-vous, en vous despouillant de toute humanité et prenant des humeurs sauvages des lyons et des tigres, que faittes-vous quand vous les traittez avec tant d'inhumanité ? Voylà où vous les portez quelquesfois par vos rigueurs à vous arracher la vie, pour vous arracher cette âme de beste farouche que vous portez dans le corps d'un homme. Vous leurs devriez servir de pères et vous leurs servez de bourreaux ; ce ne sont ny serpents ny vipères, ny monstres, ny dragons : ils portent les mesmes traicts de la divinité que vous ; ce ne sont non plus la fange de vos souliers ny les excrémens de vos corps, ny les ballieures de vos maisons, ils sont les ouvrages des mains de Dieu aussy bien que vous, et sur une telle veüe ne devriez-vous pas les espargner ? vous honnoreriez l'ouvrier de ses ouvrages. Vostre condition est différente je le veux mais vostre naissance n'est-elle pas semblable, et l'honneur d'estre formé des mains de Dieu vous est commun avec eux. Ils sont régénéréz des mesmes eaux de baptesme, nourris des mesmes sacremens, et appelléz à une mesme gloire, et comment les traittez-vous ? Voudriez-vous, si la fortune changoit vostre estat, recevoir les mesmes traittemens ? Je ne le crois pas. Vous estes trop amoureux de vous-mesmes, cependant vous vous comportez envers eux contre tous sentimens de nature, avec des rigueurs de barbares et de loups garoux. Souvenez-vous que pour estre maistres vous ne laissez d'estre serviteurs, et que vous en rendrez un comte exact et rigoureux devant Dieu, quand il entrera en jugement avec vous. Ostez-moy toutes ces menaces, dit Saint Paul tous ces outrages de paroles et d'effects, scachants que vous avez un mesme maistre dans le Ciel qui ne considère point les conditions des hommes. Ordonnez leurs dit-il aux Colossiens, ce qui (est) juste et raisonnable et jamais rien ny contre Dieu ny contre la raison rien par-dessus leurs forces ny par passion ny par colère.

---

47. Une page.

Enfin vous voyez où la personne de ces serviteurs le crime puny pour estonner par leur chastiment ceux que l'impunité pourroit porter au rang. Mais quoy serviteurs ? Voyez aussy un peu vos devoirs. Le mesme apostre vous les apprend d'obéir à vos maistres avec crainte meslée de respect et avec simplicité de cœur comme à J.C. ne leurs rendants pas tant vos services pour leurs plaire et gagner leurs bonnes grâces, que pour faire la volonté de Dieu qui vous le commande et la récompense vous en est asseurée : que ce soit sans murmur, sans plaintes, sans contradictions (61r) (...)[48].

---

48. Cinq lignes.

III

1652

L'AN DE N.S.	LOUIS 14me	DUPARQUET	LA GRENADE
1652	9	4	4

Monsieur Duparquet Seigneur propriétaire de cette isle aussy bien que de La Martinique, et de Ste Alousie, en ayant receu ses lettres de général de la part du roy, et l'attaché de Monsieur le duc de Vandosme, vint en la Grenade pour s'y faire recognoistre en cette qualité [1]. Ce ne furent que resjouissance que coups de canon, que mousquetades, qu'acclamations, que « Vive le Roy et Monsieur Duparquet, vive le Roy et Monseigneur le Général ! » On en fit un acte signé par les principaux : le Compte, le Fort, le Marquis, la Mare, des Mère, Michel Nolleau, Henry Cupery, Charles Pallier, Michel Gaché, Mariage, Imbault, et Labédade greffier commis (...)[2]. Monsieur Duparquet est institué non par l'ordre d'un prophète ny d'un filz de prophète ; mais par celuy de Sa majesté son lieutenant

1. Du Parquet malade s'était rendu en France après qu'y fut signé l'acte de vente, par le navire hollandais le *Jardin nouveau.* Avant de partir, le 20 mars 1651 il avait nommé son fils âgé d'un an son lieutenant général sous la tutelle de son cousin Jacques Maupas de Saint-Aubin (du Mottet, *Guillaume d'Orange,* page 206) et il avait pris possession solennellement de la Martinique le 23 mars 1651 (F 3 147, f° 267). Le Roi l'avait nommé son « Lieutenant général des Îles de la Martinique, de Sainte-Lucie, la Grenade, les Grenadines » le 22 octobre 1651 (F 3 247, f° 277). Selon Guet (François de Collart, Vannes, 1893) il rentra à la Martinique en octobre 1652. Selon ce qui est dit un peu plus loin (visite peu après du capitaine Courpon 15 jours avant la Toussaint) la visite de du Parquet à la Grenade se situe au début d'octobre 1652.

2. Cinq lignes.

général desdittes isles, ensuitte de ce qu'il en est déjà le sénéchal et seigneur propriétaire, ainsy que nous avons veu les années passées. Le grand et généreux dessein est pour les dessauvager, y establir la foy, faire prescher l'évangile et avancer la gloire de Dieu en destruisant l'infidélité et le culte des démons. Les ordres de sa majesté sont retenus avec honneur, joye et applaudissement en faveur de Monsieur Duparquet, et tous crient : « vive le Roy et Monsieur Duparquet ! » A eux appartient la gloire du commandement et à nous la gloire de l'obéissance, c'est à nous à nous commander et à nous à leurs obéyr. « Vive le Roy et Monseigneur le général » ensuitte de quoy pour recognoistre les bons services qu'il avoit receüs de quelques particuliers, il fera major [3] Messire Yves le Cercueil dit le Fort natif de Crèvecœur proche Pont-L'Evesque en Normandie qui avoit espousé naguère la niepce du Sieur le Comte gouverneur, pour honnorer son mérite et son alliance ; le Sieur le Marquis capitaine au quartier du Beau Séjour ; le Sieur la Mare du pays de Caux, Lieutenant dudit Sieur le Comte ; et un Monsieur Charles Mariage, de la ville de Rouën 1.er sergent. Cela faict il s'en retourna à la Martinique, et arriva quelque peu de temps après. Quelques 15 jours devant la Toussainct le Capitaine Courpon [4], qui revenoit de Cayenne il y estoit allé pour

3. Le major au XVIe siècle était dans chaque ville l'officier chargé du commandement de la milice communale. À la Martinique ce grade n'apparaîtra que plus tard mais avec une activité purement administrative.

4. Le nom complet est Roy de Courpon de la Vernade. Ils étaient alors deux frères Pierre né à Dieppe qui avait épousé en 1640 Marie Bruchaud de Plainville et Claude époux de Louise de Lonvilliers de Poincy nièce du commandeur lieutenant général des Îles d'Amérique. C'est sans doute une de leurs sœurs Catherine de Courpon qui épousa Henry de Lonvilliers de Benevent, frère de Louise de Lonvilliers. Claude, est souvent cité par du Tertre comme un des principaux auxiliaires de Poincy qui l'envoie en 1639 auprès de Lagrange, en 1640 le charge d'une expédition sur la Guadeloupe, puis sur la Tortue, en 1646 le dépêche auprès de Thoisy à la Guadeloupe. Celui dont il est question ici est sans doute celui qui en 1650 à Dieppe arme *La Madeleine* pour Saint-Christophe (P. Barrey, *les Origines de la colonisation française aux Antilles,* Le Havre 1918, p. 220). Son aventure en Guyane nous est racontée par Biet dans son *Voyage de la France équinoxiale en l'Isle de Cayenne* (Paris, 1664). Une compagnie de négociants rouennais, Rosée-Robin, déjà intéressée au commerce du Sénégal et du Canada s'était fait octroyer en 1633 le monopole du commerce sur les côtes de Guyane. Comme elle n'en avait guère profité Richelieu avait passé un

la compagnie (61v) de Roüen avec un grand monde pour s'y habituer ; mais estant prévenu d'autant plus forts que luy qui avoient desjà mis à terre, on ne luy permit pas de l'y mettre ny âmes vivantes, ny marchandises ; de sorte qu'il fut contrainct après avoir demeuré quelques huit jours en rade sans rien avancer, de lever l'ancre et de se retirer. A son retour il passa par icy, où il laissa quelques soixante-et-dix personnes, autant de renfort pour l'isle et d'habitants pour la peupler, outre quelque 40 ou environ qu'on y avoit desjà mis en deux voyages qu'on y avoit desjà faict de la Martinique. Ainsy Dieu la va bénissant de plus en plus par la quantité de personnes que sa providence y envoye pour la rendre un jour par le nombre de

---

nouveau contrat avec Jacob Bontemps qui envoya une expédition sous le commandement de Charles Poncet de Bretigny. Ce fut une catastrophe : quelques survivants réussirent à gagner Saint-Christophe. Une nouvelle expédition montée par le Baron de Dormelle en 1648 n'atteignit même pas les côtes de Guyane. C'est alors qu'un gentilhomme du pays de Caux, Le Roux de Royville, forma en 1652 avec un savant astronome, l'abbé de l'Isle de Marivault une compagnie pour l'exploitation de la Guyane. Nous verrons des débris de cette expédition arriver à la Grenade. L'abbé de Marivault se noya dans la Seine à Paris le jour du départ, le 18 mai 1652. Mais la Compagnie de Rouen bien qu'elle n'eût plus guère d'activité en Guyane n'entendait pas se laisser enlever son privilège. Elle se dépêcha d'envoyer le bateau de notre capitaine de Courpon avec 50 hommes, lequel quitta le Havre dès janvier 1652 (Biet, p. 27), se faire équiper à Dieppe. Alors qu'il partait vers la Guyane le bateau fut pris en chasse par un corsaire d'Ostende et le 29 juin 1652 se réfugia au Havre parmi les vaisseaux de la Compagnie rivale. Des pressions furent exercées sur lui pour qu'il acceptât de se joindre aux autres. Il refusa et quitta le Havre le 3 juillet 1652 en même temps que la flotte de Royville. Au sortir de la Manche, Courpon se prépara à faire voile tout seul et vint au préalable saluer le vaisseau amiral de 3 coups de canon « ce qui, écrit Biet (p. 31), obligea Monsieur le Général qui avait envie de s'en saisir dès la Manche de lui garder la foi s'étant mis sous son pavillon pour ne pas violer le droit des gens ». Le malheureux général de Royville fut assassiné pendant la traversée. Lorsque Courpon arriva à Cayenne en octobre 1652 il trouva le fort déjà occupé par ses rivaux plus rapides, il demanda à voir le général de Royville, on le conduisit à son grand étonnement à un certain Vertaumon. Il lui fit voir en vain sa commission, on refusa d'intégrer dans la colonie ses 60 compagnons jugés « quasi inutiles, c'est-à-dire faibles et presque tous enfants » (Biet, p. 83). Quant à celui qu'il amenait pour commander le fort c'était selon Biet « un jeune éventé ». On accepta seulement de lui donner quelques morues en échange de bouteilles de vin fin et de l'eau. Il repartit alors pour la Grenade. Les chiffres donnés par l'auteur de notre manuscrit, les dates, cadrent avec le récit de Biet.

ses habitants la plus fleurissante de toutes les isles d'Amérique ; le fruit qui en porte le nom porte une couronne, et celle le portant par une raison secrette de cette mesme providence, ce luy est un heureux présage qu'elle en sera la plus illustre, ainsy que la couronne rend celuy qui la porte plus relevé sur les peuples et plus considérable. On peint ordinairement la paix avec une corne d'abondance en l'une de ses mains, et en l'autre une branche d'olivier, d'autant que de la paix sous le généralat de Monseigneur Duparquet et le gouvernement du Sieur le Comte, en voylà de beaux effets qui la mettent en estime, les personnes y abondants de toutes parts pour goutter de ses honneurs après qui tout le monde souspire.

Comme parut à quelques trois lieües un navire, l'appréhension qu'on eust que ce fut quelque ennemy qui venoit muguetter nos costes et troubler nostre paix, fit qu'on envoya le recognoistre dans une frégatte qui moüilloit au cul-de-sac par le Sieur le Marquis avec 10 personnes et l'équipage de laditte frégatte commandée par Jacque Anet. Ils vont, ils avancent et font si bien qu'ils en approchent à la porté d'un fusil. Ils recognoissent que c'est un Anglois qui n'a que 22 hommes en tout, de la Barboude [5] a passé par Tabac pour y faire de la viande et va à St Christophe avec bien peu de provisions. S'en fut assez pour donner dessus, car il n'y a pas longtemps que des leurs ont enlevé de mauvaise guerre proche Ste Alousie [6] un brigantin [7] appartenant à Monseigneur le général, et par droit de représailles il faut avoir ce bastiment que le bonheur nous présente. Voylà donc que l'on fait tout à coup une descharge sur eux, qui tout estonnéz sans se mettre en deffense se rendent, prennent leur chalouppe à la 1re sommation qu'on leurs en fit, et le capitaine, le pilote et les chirurgiens avec 9 ou 10 autres se mettent dedans et viennent dans nostre frégatte, où estants le Sieur le Marquis avec ses 10 soldats prend cette chaloupe, s'en va dans le navire, et s'en saisit [8]. Il fait retourner aussytost

5. L'île anglaise de la Barbade à l'est de la Grenade; Tabac ou Tobago est située au sud-est.

6. Sainte-Lucie au nord de Grenade. L'île est alors occupée partiellement par des Français de la Martinique.

7. Petit navire à 2 mâts et un seul pont.

8. La France est alors en guerre avec l'Espagne et depuis la mort de Charles I et de Cromwel elle a pris parti pour les royalistes, le 14 sep-

la frégatte avec ces Anglois au fort et luy les pensant suivre au fort avec son navire. Le vent desjà furieux redouble ses efforts et luy (62r) ferme le passage, s'oppose à son retour, et après quatre jours de là et de bordée soubs La Grenade le jette dans Le Roque isle espagnolle, quoyque non habitée où il demeure avec les siens, et les autres Anglois 8 jours faisant chasse au fous [9], certains oyseaux, de la grosseur d'un ramier que la faim faict trouver bons, ils en prennent quantité qu'ils salent, car par bonheur, il y a du sel dans ce bastiment, qui est aussy tout ce qu'il y a de provision. De là ils passent par la Mousne [10], encore isle espagnolle inhabitée, où ils s'arrestent 2 jours, et tire droit à la Tortüe, isle françoise, où commande le chevalier de Fontenoy [11]. Mais comme ils approchent, ils sont rencontrés, par le capitaine Beau Lieu de Roüen qui les recognoissant n'avoir aucune commission les prend comme bandys et leur navire, le tout de bonne prise, quoyqu'ils disent qu'ils jurent, qu'ils protestent. Les voylà plantéz à la Tortüe ; voyants leur proye eschappée de leurs mains, ils détestent leur malheur, et après un mois de repos qu'ils y prirent, ils s'en reviennent à La Grenade par la Martinique. Ainsy furent-ils environ 8 mois en leur destour. Voyez comme Dieu se joüe des hommes : ils pensoient triompher de la foiblesse de ce navire et le malheur triomphe de leurs bravades ; les vents sont plus forts que tous leurs efforts qu'ils repoussent, et la mauvaise fortune plus puissante que leur courage qu'elle domte contre le cours ordinaire des choses. Ils ne sont infortunéz que pour avoir estés trop heureux, et n'ont que du malheur que pour n'avoir eu que de trop grands avantages. Leur prise est leur

---

tembre 1652 la flotte de Blake confisque une division navale française au large de Calais.

9. Fous : oiseaux de mer constituant la famille des Sulidés qui nichent sur les falaises des îles des petites Antilles. L'espèce la plus répandue est le « fou brun » (Sula l. leucogaster) (R.P. Pinchon, *Faune des Antilles françaises. Les Oiseaux,* Fort-de-France 1963).

10. L'île de la Mona est à l'extrême pointe sud-est de l'île de Saint-Domingue et l'île de la Tortue est à l'extrême pointe nord-ouest de la même île.

11. Le chevalier de Fontenay venait juste d'être envoyé à la Tortue par Longvilliers de Poincy pour y rétablir l'ordre après les troubles qui avaient abouti à l'assassinat de Le Vasseur qui gouvernait l'île en despote depuis 1640. Fontenay fut chassé de la Tortue par les Espagnols en 1654.

perte et leur victoire est leur honte. La Roque a veu leur desfaitte non par d'autres puissances que par celle de l'air, La Mousne leur misère, La Tortüe leur despoüilles, la Martinique s'est rie de leur désastres, et La Grenade où ils devoient entrer tout triomphans les a receu tout honteux, tout tristes et extrêmement mescontents de la fortune, qui ne leurs avoit faict au commencement les doux yeux que pour les trahir. Il faut bien dire qu'il y avoit quelque secrette intelligence qui conduisoit toute cette affaire, et pour quelque raison que nous ne scavons pas, ne favorisant point nos armes, cette surprise fut suivie d'un si mauvais événement diroy-je que c'estoit pour nous donner un exemple de l'inconstance des prospéritéz de ce monde, qui semblables à cet élément qui servoit de théâtre à toute cette tragédie, changent facilement à la moindre rencontre en adversitéz, comme luy son calme ou un fascheux orage. (...)[12] (62v).

12. Sept lignes.

IV

1653

L'AN DE N.S.	LOUIS 14me	DUPARQUET	LA GRENADE
1653	10	5	5

Cette année nous faict voir un grand bien provenir d'un grand mal, un bon fruict d'un mauvais arbre. Il n'appartient qu'à Dieu de tirer la lumière des ténèbres, de l'huille d'un rocher, et du miel d'un cailloux, ce qu'il fit en tirant de la disgrâce qu'encourut Monsieur Desmières [1] du Sieur le Comte gouverneur, l'avancement de sa gloire. Quelque mésintelligence s'estant mise entre eux, le Sieur le Comte arreste de sa colèrc et dans l'aversion qu'il en a conceu, le faict retirer du Grand fort, et ne veut plus le voir ny en entendre parler. C'estoit une chose honteuse de veoir un gouverneur se bouder contre un prestre, n'ayant autre raison que la rage de sa passion, qui ne peut souffrir qu'on luy disc un petit mot de vérité à l'oreille : au lieu d'en profiter, il se mit aux champs pour en tirer vengeance, et d'une personne que le charactère et la charge luy rendoient vénérable en faire un sujet de misère. Il n'y a plus ny messe ny service ny exhortations ny prières. Il faut que pour contenter sa mauvaise humeur, Dieu soit privé de l'honneur qui luy est deü, et le public des satisfactions que des ouailles

1. Monsieur Desmières. L'auteur précise quelques lignes plus loin que c'est un prêtre. À la page suivante le nom est écrit Desmères, un peu plus loin des Mers. Est-ce le même Desmères qui figure parmi les signataires de l'acte reconnaissant du Parquet comme seigneur mais sans aucune allusion à son caractère sacerdotal ? Est-ce André Demarre, curé du Carbet selon le recensement de la Martinique de 1664 (arch. Colonies G' 470. Compagnie du Carbet, Case 65) ?

peuvent recevoir de leur pasteur. Le tout esclatte en scandal ; mais quelque esclat qu'il se fasse il en est aussy peu touché que nos rochers pour y apporter du remord tant s'en faut c'est qu'il verse de l'huille dans le feu et l'irrite davantage, jusqu'à deffendre qu'on le retire et qu'on luy donne quoy que ce soit pour l'entretient de sa vie. Mais comme il vaut mieux obéir à Dieu qu'aux hommes qui commandent choses injustes et desraisonnables, le Sieur de Caqueray [2] le retira secrettement chez soy. Cependant les messieurs du Beau séjour commencent à gronder et sont résolus de ne plus souffrir une telle persécution qui les privent de toutes consolations, en les privant de prestre et de messes, de sacrement et de tout. Tellement que se souciant pas beaucoup des colères et boutades du Sieur le Comte, l'attirent à eux et le prennent sous leur protection, quoyqu'il en puisse dire ou faire, il en enrage, mais ils n'en font non plus d'estat, que des eaux d'une mer irritée. L'ayant donc avec eux, ils font promptement bastir une chapelle vers l'ance du corps de garde, que le pauvre persécuté pour la vérité bénit avec (un cimetière)[3] tout joignant. Il y dit la messe et continüe les fonctions de son ministère à la gloire de Dieu, et à la satisfaction du public qui y venoit faire ses dévotions et s'acquitter de ses devoirs. Cette désunion fut occasion, de ce bien qui ne fut pas autrement arrivé, et qui n'est arrivé que par son moyen (...)[4]. (63r) Cette chapelle ayant esté contuitte pour le soulagement et la consolation du Beau séjour, qui sont distants d'une lieüe de celle du Grand fort, on peut dire qu'il falloit en quelque façon que Monsieur Desmères et le Sieur le Comte gouverneur fussent en désunion pour en tirer un si bel avantage. (...)[5]

2. De Cacqueray. Aux dires du père Labat, Louis de Cacqueray de Valmenière serait venu à la Martinique vers 1651 où du Parquet lui donna toutes les terres qu'il voulut, près du Fort Royal. Il ne semble pas qu'il s'agisse ici de lui que l'auteur appelle toujours Valmenière mais d'un de ses cousins Louis de Cacqueray, fils de Jacques de Cacqueray de la Salle né le 24 septembre 1623. Dans une attestation de noblesse de 1671 il est dit qu'il réside à la Martinique depuis 1649 (Gaston de Cacqueray, *Évocation du passé familial*).

3. Mots effacés.

4. Sept lignes.

5. Dix lignes.

A mesme temps arriva une barque de Cayenne avec quelque monde commandé par le Sieur de Vertamon Parisien, qui y estoit allé par ordre des messieurs de la compagnie de Paris [6]. Il y demeura quelques sept mois ou environ, et comme il avoit affaire à gens déterminéz qui jouent à despêche-compagnon sans crainte de Dieu ny des hommes, il fut contrainct de se sauver promptement avec d'aucuns qui ne demandoient pas mieux que de se retirer. Ils enlevèrent tous ensemble ce basti-

6. Vertamon ou Verthamon était second directeur-associé de la Compagnie formée en 1652 pour l'exploitation de la Guyane et son aventure est racontée par Biet (*Voyage de la France équinoxiale,* Paris 1664). Il s'embarqua avec l'expédition le 2 juillet 1652 au Havre. Le général de l'expédition de Royville tomba malade pendant la traversée au début de septembre, il fut assassiné le 18 septembre. De Bragelonne, ancien conseiller au Parlement de Bretagne, conseiller d'État, intendant d'Orléans prit le commandement. L'expédition arriva à Cayenne le 28 septembre 1652. Verthamon fut élu par les 12 associés présents gouverneur du petit Fort Cépérou à Cayenne, construit par les quelques 60 hommes de la Compagnie de Rouen qui habitaient encore là, et eut comme lieutenant de Flavigny, major et capitaine d'une compagnie dont du Breuil de Moncourt était lieutenant et Papelard enseigne, la garnison comptait plus de 70 hommes. Rapidement il tenta de se tailler un petit royaume autour de son fort, indépendant des autres associés installés sur leurs habitations à l'est de l'île, au lieu appelé Rémire. Selon Biet (p. 127) il n'avait rien à voir avec la famille des conseillers au Parlement du nom de Verthamon qui est originaire du Limousin, lui, « de basse naissance d'un village de Champagne il vint à Paris où il se mit au service d'un Partisan (négociant) qui reconnaissant qu'il avait de l'esprit, lui donna ses Lettres de change pour les faire accepter, de quoi s'étant bien acquitté, il fut mis à la porte de Saint-Antoine (le quartier), pour faire la recette de l'entrée du vin où il a gagné en peu de temps de quoi se faire un des seigneurs du Cap de Nord en l'Amérique ». Il était « tout enflé et bouffi d'orgueil » ne se déplaçant jamais sans sa garde personnelle. Il entra bientôt en guerre ouverte contre les autres associés. En février 1653 une sorte de traité de paix fut signé entre les 2 parties (p. 140). Le 14 février Verthamon organisa une expédition contre les Indiens de l'île de Cayenne que l'on soupçonnait de vouloir attaquer le Fort (p. 160). Après de sanglantes escarmouches les Indiens vinrent au Fort demander la paix mais les tractations furent rompues parce que le lieutenant de Verthamon refusait de rendre une Sauvagesse enlevée dont il avait fait sa femme (p. 186). Mais la disette sévissait dans l'île de Cayenne. Verthamon se fit donner une grande barque sous prétexte d'une pêche au Lamentin, y chargea des vivres en raflant toutes les provisions de manioc et de farine, écarta ses ennemis du Fort sous divers prétextes et partit clandestinement le 10 avril 1653, jeudi Saint, avec son lieutenant de Flavigny, du Breuil aide-major du Fort, son chapelain l'abbé Alleaume et huit soldats « vrais coupe-jarrets » dit Biet.

ment qui arriva icy au commencement de may. Quelques 18 personnes s'y arrestèrent avec un ausmonier appellé Aleaume de Normandie [7], qui environ 5 ou 6 mois durant dit la Sainte messe en la chappelle du Grand fort, pendant que Monsieur des Mers estoit eau Beau séjour ; mais voyant que l'air ne luy estoit pas favorable, il prit la route de France pour recouvrer sa santé qui estoit beaucoup altérée des fatigues d'un si long voyage. La joye que nous recevions de posséder ces nouveaux venus fut troublée d'un funeste accident, qui obligea la justice à punir les attentats, q'un d'eux, desjà accoustumé au sang fit meschamment sur la vie de son compagnon qui y pensoit moins. Il s'appelloit Thomas (63v) Vilain, dit Latour Parisien, qui s'estant associé à un nommé Michel Picard pour s'habituer sur une place qu'ils acheptèrent par ensemble, ne put jamais vivre en repos avec luy ; ce n'estoit que bruit et disputes, que querelles tous les jours, le plus souvent à se battre et à se plaindre l'un de l'autre. Le mescontentement dudit Latour estoit si grand, que la bouche parlante de l'abondance du cœur, il dit souvente fois en se plaignant, qu'il tueroit ledit Sieur Michel, quoyqu'il en pust arriver, ne s'en souciant pas autrement, pourveu qu'il n'y vint point de témoing pour déposer contre luy de son meurtre. Arrive donc que deux tortues ayant estés prises sur les ances des Salines [8] par luy et d'autres habitants, ils firent venir ledit Sieur Michel pour les aider à les emporter en leur cases. Ce qu'il fit en ayant emporté la première charge le dernier de juillet [9]. Comme il fallut y retourner le lendemain premier jour d'aoust, pour le reste il y alla de bon matin avec ledit Latour, qui ayant veu dans le bois par où ils passoient, bien escartéz du monde, l'occasion desclare le mauvais dessein qu'il couvoit dans son cœur de le

7. Aleaume ou Alleaume. L'un des prêtres séculiers parti du Havre vers juillet 1652 avec l'expédition de Royville où se trouvait Verthamon. Lorsque Verthamon prit le commandement du Fort à Cayenne, Biet lui donna « le sieur Aleaume, très homme de bien et très docte en qualité de chapelain pour assister dans le Fort sa garnison » (p. 129). Toujours selon le même auteur (p. 191) au moment de sa « fuite honteuse » Verthamon « débaucha Monsieur Aleaume chapelain du Fort à qui il fit emporter les ornements nécessaires pour célébrer la sainte messe. »

8. Anse des Salines. Extrême pointe sud-ouest de l'île.

9. Ici nous sautons à 4 lignes plus loin.

tuer, luy plonga son espée dans le ventre, et l'enterra au pied d'un morne, ce qu'il confesa estant appliqué à la question et signa de sa propre main, le 27e d'octobre, l'ayant auparavant constamment nié. Il fut condamné à passer par les armes, à faute de bourreau qui en voulut faire une autre exécution. Et [10] comme il fut attaché au poteau pour y recevoir la peine de son crime, il confessa qu'elle estoit bien juste, l'ayant desjà méritée par trois autres homicides qu'il avoit commis et dont il avoit tousjours évité le chastiment ; l'un fut en la personne d'un [11] homme marchand de vin qui avoit couru sur son marché et renchéry sur luy, l'autre en celle de son compagnon pour avoir sa bourse ; l'un et l'autre commis à Paris. Le 3e en celle du Sieur de Roiville en la traversée pour Cayenne, y estant sollicité par d'autres sous promesse de récompense [12]. Sans doubte il faut payer tost ou tard ce que nous devons à la justice de Dieu par nos offenses. L'impunité avoit faict de ce jeune homme une beste de carnage qui se gorgeoit de sang à toute rencontre. Il croyoit qu'il s'eschaperoit tousjours par ses subtilitéz et artifices mais ne voyoit pas aveugle qu'il estoit, que Dieu le suivoit à la trace, et quand il se fut sauvé sous les aisles des vents et extrémitéz de la mer esloigné or la veüe des hommes, sa divine justice luy eust aussy facilement trouvé, que s'il eust esté au lieu le plus apparent, et le plus fréquenté du monde. Sa bonté avoit permis qu'il n'estoit pas encor tombé entre les mains de la justice des hommes, et avoit subtilement esquivé les poursuittes, pour luy donner temps (64r) de se recognoistre et de punir en soy-mesme par une prière volontaire les meurtres que sa conscience luy reprochoit mais le malheureux qu'il estoit, au lieu de se servir de ce temps favorable et de laver par ses larmes les tasches de tant de sang qu'il avoit

10. Par une erreur apparemment de copiste les 4 lignes du manuscrit qui suivent ce « Et » ont été interpolées 10 lignes plus haut. Nous avons rétabli l'ordre logique.

11. Fin de l'interpolation.

12. Biet raconte (p. 51) les circonstances de l'assassinat de Monsieur de Royville, général de l'expédition de la Compagnie de Paris à Cayenne perpétré le 18 septembre 1652 en pleine mer par 2° 5′ de latitude. Bien qu'il prétende avoir tout ignoré il en fait supporter la responsabilité à Bragelonne sous le prétexte que Royville parlait d'établir une république à Cayenne.

respandu, il se porta à d'autres massacres pour mestre le comble à ses iniquitéz. Le sang toucha le sang, pour parler avec le propheste ; comme il en avoit desjà respandu, il continua à le respandre, et son dernier assassin fut en la personne de celuy qui luy devoit estre aussy cher que la vie. Mais s'il a évité la mort pour les autres, cesluy-cy les luy fit tous payer pour esteindre tout d'un coup l'ardente soif qu'il avoit du sang humain par le sien propre. (...)[13]

13. Douze lignes.

V

1654

L'AN DE N.S.	LOUYS 14me	DU PARQUET	LA GRENADE
1654	11	6	6

Si le calme rend d'un costé belle et aggréable la surface des eaux, il leurs faict d'un autre engendrer de grandes corruptions, qui s'évaporants en plain air font nos défluxions, nos cathédrale et nos maladies, il est de mesme de la paix qui rend les monarchies, les royaumes, l'Europe, les provinces, et les villes fleurissantes à merveille ; aussy les remplit-elle de grands désordres, qui en font les horreurs du Ciel et les exécrations de la terre (...)[1]. Ceux de La Grenade au lieu de profiter de la paix à la gloire de Dieu et au salut de leurs âmes ne l'employants (64v) qu'à une vie trop licentieuse Dieu permit qu'elle leurs fut ravye par une seconde guerre bien plus sanglante et de plus longue durée que la première. Le sujet fut que des barques de La Martinique retournant des costes de Terre Ferme firent rencontre d'un pirogue de Sauvages de St Vincent qu'elles poursuivirent, mais sans effects, car ces Sauvages nageants[2] de toutes leurs forces s'avancèrent si bien, qu'ils se mirent hors de la portée de tous leurs coups et gagnèrent La Capesterre de la Grenade, où ils semirent partout l'alarme, et de là à St Vincent. Ils tinrent aussytost carbet et firent un vin, où ils prirent résolution, puisqu'ils ne pouvoient se vanger de ceux qui les avoient si rudement chargéz et si vivement poursuivis, de descharger leur colère sur nous, comme ceux qui font porter

1. Sept lignes.
2. Nager est pris ici dans le sens de ramer, plus précisément, dans le cas, de pagayer.

à leurs domestiques la peine des pertes qu'ils ont faict au dé. Voylà donc la paix rompue entre nous et les Sauvages de St Vincent, en suite de nos beaux Messieurs de La Martinique. Tout malheur vient du costé d'Aquilon dit l'Escriture ; ils nous sont aquilonnaires, et causent de grands maux pour donc commencer la guerre, en vinrent d'aucuns d'icelle Capesterre comme avant-coureurs. Le Sieur Imbaul Parisien [3] y estant pour lors, quelques-uns de nos Sauvages grenadins ses compères et, bons amis lui en donnèrent advis, et le pressèrent de se retirer, d'autant que ceux de St Vincent estoient en grande colère contre mariniers France, et alloient venir avec beaucoup de pirogues pour leurs faire la guerre. Il les creut se mit aussytost en chemin avec Romon qui luy tenoit compagnie, et comme ils estoient au fond du Grand pauvre, ainsy appellé du nom du Sauvage, distant de quatre bonnes lieues de son habitation, de ces Sauvages nouvellement venus ayants pris garde à son retour coururent après, l'attrapèrent et l'assommèrent à coups de boutoux ; son compagnon s'estant désenvolée de leurs mains se sauva avec ses blesseures de flesches au Beau séjour, où il eust temps de se confesser et puis mourut ce qui arriva le 14e apvril, mardy d'après Quasimodo, Pasques estant escheu le 5me. Le lendemain voicy onzes pirogues, qui faisoient plus de 500 hommes, et mirent à terre devant la case du Sieur le Roy Lieutenant du Sieur Le Marquis capitaine. Luy les ayant veu se retira vistement avec les siens chez le Sieur la Mare, Lieutenant du Sieur le Comte gouverneur, son voisin, dont la case estoit mieux en deffense que la sienne. Ils y furent assiégéz, et comme la couverture n'estoit que de roseaux secs, faciles à prendre feu, les assiégants y tirent des flèches toutes ardantes [4] qui la mirent toute en flamme. Nos pauvres assiégéz ne les ayants peu esteindre, et le feu ayant pris partout, outre une gresle de flesches qui tomboit continuellement sur eux, ils se résolurent de faire une retraitte à travers cette (65r) fascheuse gresle ; aussy bien leur mort est inévitable s'ils demeurent en ce lieu qui n'est plus tenable par le malheur du feu contre tant d'ennemis qui ne font que flescher ; voylà donc qu'ils sortirent chargés de leurs armes et munitions. Mais comme ils passoient

3. Il figure parmi les principaux habitants en 1652.
4. Le père Breton signale que les Caraïbes mettaient parfois un coton

par la rivière de l'ance Noire [5], ainsy appellée parce que le sable en est noir [6] pour venir au Beau séjour, des Sauvages cachéz se jettèrent sur eux et les massacrèrent. Il y en eust 12 à cette fois, qui furent les premières victimes de cette seconde guerre. Il y eut un peu de leur faute, car comme ils en furent advertis dès le jour précédent ils devoient autrement se fortifier, ou se retirer tout à faict, et leur témérité ne leurs eust pas cousté la vie ; car qu'elle apparence que 12 habitants seulement dans une meschante case de roseaux avec peu de munitions tiennent contre 500 personnes et plus, bien armées à leur mode et bien résolues ? Nous voulons faire les courageux, et nous faisons les téméraires, comme si la témérité estoit grand courage, et s'il y avoit de l'honneur à estre présomptueux. Sans doute il y eu aussy peu qu'à estre lasches.

Incontinent tous les habitans des autres cases, au bruit qui en vient se sauvèrent promptement au-deçà ès lieux les plus forts et les plus asseuréz dans le Beau séjour, tout espouvantéz, sans avoir eu le loisir d'emporter quoy que ce soit avec eux. Les Sauvages estants survenus et n'ayants trouvés personnes trouvés [7] pillèrent tout ce qu'ils trouvèrent à leur usage, et bruslèrent le reste avec les cases, malheur qui ravagea environ deux lieües du pays desjà bien habité. Cette désolation faitte ils se retirèrent chargéz de butin, leur rage estant assouvie pour cette fois, jusqu'au mois de juin qu'ils recommencèrent à nous venir revoir dans la fureur de leur colère, et le propre jour de St Barnabé, qui en est le onziesme ils descendirent au Beau séjour, où ils ravagèrent et bruslèrent tout, jusqu'à la chappelle qui espreuva environ 14 ou 15 mois après qu'elle fut bruslée, la rigueur du fort qu'avoient esprouvéz les cases des pauvres habitants, qui s'enfuyoient pour sauver leur vie, le reste de

---

imbibé d'huile qu'ils enflammaient au bout de leurs flèches pour mettre le feu au toit des cases qu'ils assiégeaient.

5. En remontant la côte vers le nord on trouve successivement au-dessus du Beauséjour, le Petit Havre, la pointe de l'Anse Noire, l'Anse Noire, le Marigot, le Grand Roy. Cette dernière appellation est peut-être due à le Roy.

6. Le sable de certaines plages des Antilles, d'origine volcanique, très riche en minerai de fer, est très noir.

7. Répétition, erreur de copiste.

tous leurs biens. Hélas ! quelle désastre ? Les voylà tout nuds, sans lieu, sans demeure, sans pain, sans aucune commodité. Qui les retirera ? Qui les nourrira ? Qui leurs donnera quelques petits accomodements ? Les autres qui n'ont esté enveloppés dans ce malheur pour en avoir esté trop esloignéz ne sont pas des plus fortunéz du monde pour soulager de quelques choses les misérables. Chacun est assez empesché de sa personne ; ainsy qui souffre, prenne patience. Cependant comme Dieu se souvient tousjours de ses créatures au plus fort de ses indignations, prenant pitié des misérables, au mesme temps que cet accident affligoit ainsy le Beau Séjour, parut un grand navire à la pointe des Salines, appellé *La charité,* qui venoit de Cainne [8], après y avoir esté 15 jours. Le mauvais (65v) traittement, que les Sauvages de ce quartier-là avoient déjà faicte à quelques-uns de la colonie avoient espouvantéz les autres ; outre qu'ils n'avoient pas grandes provisions pour y subsister beaucoup de jours, et se voyoient hors d'espérance d'en recevoir de longtemps de La France, comme ils avoient veus de loing ce grand feu du Beau séjour, ils s'informèrent estant à terre de ce que c'estoit ; et on leurs dit ainsy qu'on avoit commandé soubs grande peine, que c'estoient de meschants calumets et bois pourrys qu'on brusloit, pour couvrir nostre malheur par ce mensonge officieux ; car scachants une fois la vérité du faict, ils n'eussent jamais eu garde de s'y arrester pour ne tomber de gayeté de cœur, dans un danger évident pensants en éviter un autre ; et c'eust esté une grande perte pour l'isle où se mirent environ 300 personnes pour s'y habituer avec quantité de rafraichissements et de munitions. Cette venue nous consola un peu de nos pertes, et nous asseura en quelque

---

8. Cayenne. Les débris de la Compagnie de Paris, de l'expédition de Royville et les derniers survivants de la Compagnie de Rouen avaient abandonné l'île de Cayenne fin décembre 1653 pour se réfugier à Surinam alors occupé par les Anglais puis à la Barbade. Le vaisseau *La Charité* de 400 tonneaux avait été acheté par Royville pour la Compagnie de Paris et avait fait le 1er voyage en 1652. Il était le vaisseau amiral, capitaine d'Alençon, il avait 300 personnes à bord. C'est à son bord que Royville fut assassiné. En avril 1654 un capitaine anglais avait signalé aux rescapés à Barbade le passage de *La Charité* à Madère ayant à son bord des gens importants et des « Damoiselles » se dirigeant sur Cayenne (Biet, p. 280). C'est dans l'espoir d'y retrouver ce vaisseau et son renfort que Biet fut envoyé en mai à la Martinique.

façons de nos frayeurs. (...)[9] Quelques soldats de fortune se retirans des armées des Hollandois, qui les tenoit à gage dans le Brésil et pour cette raison appelléz Brésiliens, vinrent incontinent après quelques 8 jours devant la St-Jean en La Grenade, au nombre de 64 dont le capitaine estoit le Sieur de Neufville, l'enseigne le Sieur de Vandrague et le Sergent le Sieur de St-Jean. Ils nous firent offre de leurs services. On l'arresta pour un an, et à bons gages une pistole [10] à chacun par mois, et on les mit dans un fort appellé Desnembuc, du nom de l'aisné de Monseigneur le Général, sur le morne aux Sauteurs pour nous servir d'avant-garde. Il y a environ 6 lieues du Grand fort. Cependant on donna advis à Monseigneur le Général du ravages de ceux de St Vincent et du renfort qui nous estoit heureusement survenu. Il escrivit sur l'heure en ses propres termes :

« Monsieur,

Ce mot est pour nostre conjouir avec vous du bonheur qui vous est arrivé en si bonnes compagnies. Je trouve bonnes les dispositions que vous (66r) en avez faittes pour le bien de l'isle. Je n'ay peu que je n'en aye modéré ma joye de l'advis que vous m'ordonnez du ravage de ceux de St Vincent qui continuent à vous faire la guerre. Je suis d'advis, veües les forces que vous avez maintenant, qu'on aille en Capesterre sans faire semblant de rien, faire mains basses sur tous ceux de St Vincent qu'on y rencontrera, ne faisant toutefois point de mal à ceux de l'isle qui ne nous veuillent point de guerre, comme vous scavez. Qu'on prenne autant de monde que vous jugerez nécessaire, sans desgarnir trop les quartiers, de crainte de surprise. Je laisse le tout à vostre conseil et à vostre prudence mais surtout qu'on prenne garde à espargner ceux de l'isle tant que faire se pourra ; recommandez-le bien à ceux que vous y envoyerez, il est bons et nous de nous entretenir en paix et en amitié avec eux. Je me recommande à vos bonnes grâces et à celles de Messieurs les officiers et de nos bons habitants, estant au reste vostre. »

Il despêcha dès le lendemain une barque avec des rafraîchissements et des munitions et cette lettre qui pressoit pour prévenir un plus grand malheur qui nous menaçoit. Estant en veüe on la

---

9. Douze lignes.

10. Pistole : pièce d'or espagnole qui, en 1652, valait 10 livres.

leur (communiqua) et aussytost on tint conseil pour délibérer ce qu'on avoit affaire sur l'advis de Monseigneur le général ce qui fascha beaucoup, fut qu'il vouloit qu'on espargnast ceux de l'isle, et qu'on fit main basse seulement sur ceux de St Vincent, et comme la faire sur les uns sans la faire sur les autres, estants tous mesléz ensemble, de mesmes couleurs, de mesme façon et de mesme langage ; comme les trier et les choisir ? Et à quoy les recognoistre ? Outre que l'on mit en avant, que ceux de l'isle nous trahissoient et aller rapporter aux autres tout ce qu'ils avoient peu écouter par la communication, et fréquentation trop libre et familiaire qu'ils avoient avec nous, allants et venans pour traitter les uns avec les autres. Ils disoient leurs estre fort affectionnéz et leur ennemys ; mais ils avoient beau à faire et à dire, ils avoient plus d'inclination pour eux que pour nous ; que tout ce qu'ils faisoient et disoient n'estoit que feinte pour sonder ce que nous avons sur le cœur et voir nos desseins et les leurs communiquer. Néanmoins tant de mauvaises volontéz pour eux que ne se joignent-ils à nous pour leurs faire tous ensemble la guerre ? Et les exterminer ? Ils auroient leurs satisfactions, et nous du repos. Ils leurs sont ennemys ou amys, ou neutres, disoient d'aucuns. Si ennemis que ne se déclarent-ils, pouvants avec nostre assistance les ruiner ? Si amis, ils nous trahissent, si neutres pourquoy leurs donner passage, les retirer et les aider de tous leurs pouvoirs ? Sans doute s'ils viennent à nous, ce n'est que pas nécessité, et leurs faiblesses ne leurs permet de rien entreprendre contre nous, ce qu'ils feroient, s'ils trouvoient une fois leur avantage. Voylà ce qui fut proposé ; et sur toutes ces raisons qui estoient assez considérables, on se résolut d'aller en Capesterre, comme pour leurs donner une amiable visite, et on donneroit indifféremment sur tous, sur les uns comme ennemys et sur les autres comme traîtres et perfides ; on prit à cet effet jour, qui iroit par un costé, qui par un autre affin de les envelopper et que personne n'eschappast. Aussy bien la lettre de Monseigneur le général portoit qu'on (66v) « espargna ceux de l'isle autant que faire se pourra » et cela ne se pouvoit faire ; outre qu'il ne scavoit pas les trahisons et perfidies de ces Sauvages qui sous les apparences d'amitié et compérage venoient nous pratiquer, scrutoient nos pensées, rapportoient à nos ennemis ce qu'ils en scavoient, et sous mains leurs donnoient du secours ; car en estant informé son jugement eust corrigé sa plume, et n'eust jamais eu cette bonté pour eux comme préjudiciable à ses subjets. Ainsy la raison empescha la déférence qu'on eust donné en toute autre rencontre à ses sentiment et à ses advis.

Le Sieur le Comte gouverneur y alla donc par le Beau séjour, seulement avec 14 hommes et le Sieur le Marquis capitaine avec 50 par le fond du Marquis [11] comme pour donner sur l'avant et sur le derrier. Comme ils y furent arrivéz, ceux de l'isle ne se doubtant de rien et ne s'attendant à aucune guerre, tant s'en faut, les recevants comme bons amys et bons compères, le Sieur le Comte vit d'abord la plus belle occasion qui se put présenter à luy pour faire un bon coup, la prit au poil sans attendre le jour arresté et fit passer par le fil de l'espée indifféremment tous ceux qu'il rencontra de son costé. Un Sauvage s'estant enfuy sur le haut d'un morne, se mit à crier à pleine teste aux autres qui n'y pensoicnt point et ne nous croyoient pas si proches d'eux que mariniers-frances mattoient Carribes. Ce qu'ayant entendu le Sieur le Marquis qui n'en estoit pas loing, et se voyant descouvert et prévenu d'un jour, pour ne manquer à l'occasion il fit un sanglant carnage de tous ceux qu'il put attraper en son quartier soit du fusil soit de l'espée. Il y eut quelques 80 Sauvages massacréz sur la place, d'aucuns se sauvèrent dans le fond des bois avec leurs blessures. Il y en eut deux des nostres blesséz l'un nommé La Chaussée et Pian caporal qui mourut de sa blessure. Le butin fut grand. Les carbets et les cases passèrent par le feu ; tout le reste qu'on ne put emporter fut brisé et ravagé. Ils ont bien faicts d'y procéder de la sorte, je m'en rapporte ; les uns l'approuvent les autres le condamnent. Pour moy je suspend mon jugement cependant la joye de cette deffaitte fut bientost changée en tristesse et en desplaisirs. Choses estrangères que celles de ce monde, elles sont semblables à nos fleurs dont un mesme jour voit l'esclat et la flestrissure tel paroist en honneur au lever du soleil que son couchant lesse dans une fascheuse disgrâce. N'est-ce pas ce que dit un sage Ecclésiastique quand nous n'en aurions pas l'expérience de touts les jours que le

11. Le fond du Marquis, sud-est de l'île.

temps se change facilement au matin, au soir le changement leurs est si bien passéz en nature, que quelque esfort qu'on puisse faire elles ne scauroient demeurer longtemps en un mesme estat. Le Sieur le Comte gouverneur retournoit triomphant de La Capesterre. Comme il passa par le fort Denambuc [12] pour donner visite au Sieur de Neufville et à sa compagnie brésilienne, on voulut l'arrester la mer estant trop fascheuse pour son retour, mais lui qui avoit domté les Sauvages, croyoit en faire autant des vents et des orages, pour estre maître de la mer aussy bien que de la terre. Ainsy quelques prières qu'on luy fisse de rexter en attendant le calme, il se mit le 1.er dans son vaisseau, et les autres l'ayants veust si résolu ne voulurent le quitter et s'embarquèrent tous (67r) ensemble. Qu'arriva-t-il ? Ils ne furent pas en deux lieües de mer, que la tempeste se redouble, les vents sont plus violents, une pluye vint fondre impétueusement comme si toute les bondes du ciel eussent esté levées, qui au lieu d'abbatre leur furie semblent l'irriter. Le vaisseau pour comble de malheur va donner contre une roche qui l'entrouve et luy fait faire eau partout. Se sauve qui peut à la nage. Le Sieur le Comte estoit desjà sauvé q'un de sa compagnie [13] qu'il honnoroit particulièrement s'escria : « Ah ! Monsieur le gouverneur je n'en puis plus, sauvez moy ! ». Luy touché de compassion, se sentant fort retourne promptement et comme il l'eust pris par la main pour le secourir, un flot survint qui les enveloppa tous deux et les fit couler à fond, pour n'estre séparéz à la mort, ainsi qu'ils ne l'estoient en vie. Il y en eust neuf de noyéz et entre autres le Sieur le Comte gouverneur, le Sieur Duplessis Parisien, le Sieur Masse de Noyon en Picardie, le Sieur Fontaine Navarrin Sergent et le Sieur Pigre chirurgien. Voylà les palmes de leurs victoires et les lauriers de leur triomphe malheureusement changéz en des tristes cyprés. Leur butin fut tout perdu, et leurs despouilles furent la proye des abysmes. La mer ne rejeta point leur corps pour cacher leur honte de s'estre trop fiéz à un élément qui faict gloire d'estre perfide, mesme au point qu'il est plus caressant et qu'il paroist plus doux et plus aggréable, tellement qu'ils n'eurent point d'autres sépultures que le ventre des poissons, affin qu'il ne

12. Établi à Sauteur : pointe nord de l'île.
13. D'après le père du Tertre il s'agit de Duplessis.

nous en restast que le reste de les avoir perdus. O gloire des hommes, que tu es de peu de durée ! Un mesme jour on voit le plus souvent le commencement et la fin, n'ayant presque tousjours que l'aage de nos tulipes et de nos roses. Ils pensoient desjà touscher le Ciel du bout des doigts tant s'eslèveroient-ils haut pour le bonheur qui avoit conduit leur dessein, et les voylà engloutys dans le fond des abysmes par le malheur de leur conduitte. Ce qui arriva vers la fin du mois de juillet ; et par cette mort du Sieur le Compte gouverneur et le Sieur le Fort major prit le commandement de l'isle en attendant les ordres de Monseigneur le général. Les Sauvages bien faschéz d'un si grand eschec ramassèrent le plus de forces qu'ils purent des autres illes pour en avoir leur revanche, et en équipèrent 24 pirogues qui fesoient environ 212 hommes. Les nostres les ayants veus venir du costé des Salines pour fondre sur La Grande ance, tout effrayéz abandonnèrent leurs cases sans rien sauver, tant leurs fraycurs furent grandes, les croyants desjà à leurs costéz le boutou en main pour les en assommer, et se retirèrent plus vitte que le pas au fort du Sieur Mariage, affin d'estre plus fort et se resserrans tous ensemble. Alors les Sauvages ayants mis pieds à terre sans aucune résistance s'espandirent partout l'ance et ruinèrent tout, depuis l'ance du Four jusqu'au dit fort et aux environs, qui fut environ une bonne demye lieüe du pays qui l'habitoit fort bien. Il y eut seulement cinq ou 6 hommes de tuéz, la femme d'un appellé Jardinier, de l'aage de quelques 35 ans enlevée, comme elle ne se pressoit pas beaucoup de sa fuitte ; tout ce qui estoit à leur usage et leur pouvoir servir, emporté, les maniocs arrachéz ; tout le reste bruslé, ce qui arriva le jour de St Barthélémy, 24me d'aoust. Ils retournèrent après tout ce beau massacre en Capesterre, pour se resjouir en un vin qu'ils firent aussytost de ce que la fortune avoit favorisé leurs desseins et leurs avoit donné un si heureux commencement à se venger de nos derniers massacres. Ils y prirent encor (67v) résolution de venir nous livrer au plus tost une seconde attaque pour exterminer tout à faict ceux qui ne cherchoient que leur mort. Et comme ils s'avisèrent que le fort du Sieur Mariage estoit comme un esperon qui les faschoit et travailloit beaucoup, estant un lieu où se retiroit grand monde et de grandes forces, qui rompoient toutes leur entreprises, ils se résolurent à l'attaquer, car l'ayant une fois emporté ils se rendoient facilement maistres de tout le quartier et auroient de bonnes provisions qu'on y mettoit à réserve pour les subsistences des nostres. Mais comme l'emporter, c'est là où est l' (?)[14] et la difficulté, nos désirs n'estant pas efficaces, ils laissent le monde comme il est ; les desseins ne prennent pas les places, mais la valeur des soldats qui en viennent aux mains ; non plus que les yeux n'ont pas la force de les ruiner mais bien ces furieuses pièces de campagne qui portent la fureur et l'effroy parmy mesme les insensibles. Les paroles ne sont que vents et pour dire beaucoup, souvent on n'en fait rien. Néantmoins ils ne laissèrent de revenir à cet effet, le jour de St Mathieu, 21me de septembre, rien n'estant impossible à leur courage. Comme on vit leur descente, on courut dans ce fort pour estre en seureté, et le deffendre en deffendant sa vie. Le malheur voulut que le Sieur Mariage s'estant un peu avancé pour les recognoistre et retournant voylà une flesche qui le frappe sur l'omoplatte et le venin en est si subtil et si violent, que quoyqu'on y fasse il luy gagne en trois jours le cœur et en meurt. Ils font leurs approches, fleschent continuellement, jettent les yeux et flammes pour les consommer dans ce retranchement, employent touts leurs efforts ; mais les voyants tous inutils, et nos gens trop bien retranchéz, et les forts imprenables ils se despitent et vont prendre d'autres résolutions en Capesterre.

Pendant la misère de ce temps Monseigneur le général receut les tristes nouvelles de la mort du Sieur Le Comte gouverneur et mit en place Monsieur Louys de Caqueray, Sieur de Valmainnier[15] d'un bourg appelé St Jean, au pays de Caux, de l'aage de trente ans, ou environ dont voicy la commission en sa propre forme et teneur :

14. Un mot qu'il a été impossible de déchiffrer.

15. Louis de Cacqueray de Valmenier, fils d'André de Cacqueray de La Salle et de Marthe du Bosc du Fieftoubert est né à Saint-Martin le Blanc (près de Saint-Saens, Seine-Maritime) le 24 décembre 1628. Il appartenait à une famille de gentilshommes verriers. Il fut le premier à porter le nom de Valménier fief proche de Saint-Saens. Vers 1651 amenant avec lui un groupe d'engagés, il était venu rejoindre du Parquet qui lui attribua une vaste concession proche du Carbet. Il se mariera à Saint-Saens le 20 février 1664 à Catherine de Saint-Ouen dont la mère était remariée à un Dyel de Perduville, il avait alors 3 habitations à la Martinique lui rapportant 30 000 livres tournois par an.

« Nous Jacques d'Iel, escuyer Seigneur du Parquet de des Isles Martiniques, Ste Alousie, Grenade et Grenadine, Lieutenant général pour Sa majesté aux dittes isles, à tous qu'il appartiendra, scavoir faisons qu'ayant eu advis de la mort du Sieur Le Comte que nous avions estably notre Lieutenant général, en notre isle de La Grenade et désirant remplir sa place d'une personne digne de cet employ et d'autant plus que maintenant il y a guerre ouverte, entre nos habitants de laditte ille et les Sauvages : nous avons pour cet effect faict choix de la personne du Sieur de Valmainnier, pour commander en nostre ditte isle de La Grenade, comme notre Lieutenant général en icelle informéz que nous sommes de ses capacités, prudence et bonnes mœurs et expérience au faict de la milice et du zèle qu'il a pour le service du Roy et le bien de ses sujets. Enjoignons aux dits Sieurs Le Fort major, Le Marquis et La Neufville Capitaines en nostre ditte isle, et à nos habitans d'icelle de recevoir ledit Sieur de Valmainnier en laditte qualité de nostre Lieutenant général en nostre ditte isle de La Grenade, recevoir ses ordres et luy obéir en tout ce qui luy sera commandé par ledit Sieur tout ainsy que si nous y estions en personne pour commander. En tesmoing de quoy nous avons signéz ces présentes et à icelles faict apposer le cachet de nos armes, à la Martinique le 23 septembre 1654. » Signés du Parquet et scellées de cire rouge.

Il [16] prit aussytost la route de La Grenade et y arriva le premier d'octobre. Il présenta dèz le lendemain sa permission au sieur le Fort major qui la receu avec joye en apparence et dans le fond avec desplaisir car il se flattoit dans cette pensée que Monseigneur le général le considéreroit et l'en pourroit honnorer. (...)[17] Ce qui fit qu'il se retira avec mescontentement sur son habitation du Beau Séjour pour faire place à celuy qu'il n'en jugoit pas digne. Ce luy fut une fascheuse pillule à avaler que cette préférence ; mais aussy la évittera-il s'il peut et fera tout son possible pour s'en descharger le cœur. Elle le luy faict desjà trop bondir, et il l'en faut soulager. Pendant qu'il trouve quelque sédition et attire du monde à son party, le Sieur Le Marquis et autres du Beau Séjour, les Sauvages viennent avec

16. Il : Valménier.
17. Cinq lignes.

23 pirogues, qui font plus d'onze-cent hommes, et posent le siège devant le fort Dénambuc, ou estoit la compagnie brésilienne. Bien attaquéz, bien deffendus, comme ils sont fort bouillants ils n'ont point de patience, ils sortirent à la 1.ere difficulté qui se présente et comme ils voudroient que les choses fussent aussytost faittes que pensées, à voir la fin aussytost que le commencement. Le succèz qu'ils s'en promettent aussy en viennent à l'exécution, voyants que ce siège tiroit à la longue, et qu'il n'y avoit aucune apparence d'attraper un assiégéz qui en tuoient toujours quelques-uns des leurs. Les voylà descampéz aprèz huit jours de siège vers la my octobre. Nos Brésiliens estant trop esloignéz des autres forts et habitants pour en estre secourus, et n'ayants ny munitions ny vivres, le Sieur de Valmainnier gouverneur les fit venir au Grand fort pour y faire la garde, où ils demeurèrent tousjours du depuis jusqu'à leur départ qui fut l'année suyvante, vers la fin du mois de septembre après quelques 14 mois de service.

Dèz le commencement de cette seconde guerre [18] arriva un cas estrange qui fut que le Sieur Vandangeur [19], commis de la

18. Les événements qui sont racontés ici se placent « dès le commencement de cette seconde guerre » c'est-à-dire vers avril 1654 (massacre de Imbault, puis Le Roy et Lamarre) en juin 1654 (pillage de la Chapelle et des cases du Beauséjour). Il est dit un peu plus loin « au commencement de mai » sans indication de l'année, il s'agit donc de mai 1654.

19. Vandangeur ou Le Vendangeur. La Compagnie de Rouen avait envoyé en 1645 un renfort d'une quarantaine d'hommes à Poncet de Bretigny déjà en Guyane depuis 1643. Parmi ceux-ci Le Vendangeur (Biet, p. 210). Or Bretigny avait été tué par les Indiens et il ne restait à leur arrivée à Cayenne que quelque 25 hommes. La plupart quittèrent la Guyane pour les îles mais Le Vendangeur demeura à l'embouchure du Mahury avec 15 compagnons. Ils furent tous massacrés par les Indiens à l'exception du Vendangeur et d'un enfant de 15 ans qui purent fuir dans la forêt. Ils y furent repris par les Indiens qui engraissèrent le Vendangeur pour le manger. Il parvint cependant à s'enfuir 3 jours avant la cérémonie et à se réfugier chez 2 capucins qui vivaient à Kourou; de là il put gagner Surinam, les Antilles, puis au bout de deux ans la France. La Compagnie de Rouen décida à nouveau de l'envoyer en Guyane pour y être leur commis. C'est lui que l'expédition de la Compagnie de Paris trouva à Cayenne au Fort Cépérou. Il fut obligé de se soumettre et se retira avec 25 de ses compagnons à proximité de Cayenne (Biet, p. 93). Il participa à plusieurs expéditions chez les Indiens car il connaissait admirablement leur langue et leurs mœurs. Lorsqu'on envisagea de partir en guerre contre les Sauvages il s'y opposa

compagnie de Roüen pour Cayenne, estant à la Martinique et y entendant faire un si favorable récit de La Grenade de ses raretéz, et de ses merveilles, qu'il n'avoit pas eu loisir de remarquer lorsqu'il y passa avec le Sieur de Vertamon [20], eut envie d'y retourner, pour voir si la vérité estoit telle que la réputation qu'on luy en donnoit. A cet effet il se mit avec le Sieur Adenet [21] chirurgien dans une barque qui s'y en alloit au commencement de may sous le commandement du Sieur la Fontaine Héroux. On fit heureusement voile jusqu'à L'Union [22], qui est un grenadin de (68v) 4 ou 5 lieües de tour, distant de La Grenade d'environ 10 lieues où on relascha pour y faire pesche, chasse du bois, et de l'eau, ce qui leurs manquoit. Comme on fut respandu qui d'un costé qui de l'autre pour chercher la vie et les petites commoditéz qui leurs estoient nécessaires, voylà venir les Sauvages avec cinq pirogues à grand coup d'aviron pour enlever la barque, s'ils peuvent et leurs avoir le poil ainsy qu'on parle au pays. Le commandant les ayant apperceu appella son monde escarté, le fit promptement rembarquer, et laissa les moins hastéz pour sauver le principal. Il ne peut se presser si fort qu'il n'y en eust de blesséz et de tuéz deux sur la place, et un 3.me mourut deux ou trois jours après. C'eust esté grande témérité de rendre combat. Voyant sa foiblesse et la force de ses ennemis qui ne taschoient qu'à l'environner et luy couper

(Biet, p. 213) : on l'accusa de complicité. Après le départ de Verthamon les soldats restés au Fort se mutinèrent et lui proposèrent de prendre leur commandement. En juillet 1653 les Indiens attaquèrent son habitation : il réussit à les repousser mais ses voisins ne purent en faire autant. Les rescapés durent se réfugier dans le Fort. Fin décembre on abandonna Cayenne sous la direction de Bragelonne pour se réfugier à Surinam où Le Vendangeur arriva le 3 janvier 1654. La petite troupe fut très bien accueillie par le gouverneur anglais. Là Le Vendangeur prit à partie le général de Bragelonne et les gens de la Compagnie de Paris qu'il traita de scélérats les accusant d'avoir assassiné Royville et plusieurs de leurs confrères (Biet, p. 265), d'avoir soulevé les Indiens contre eux. Par la suite Biet ne parle plus du tout de lui. On verra que ses aventures n'étaient pas finies.

20. C'est une erreur, Le Vendangeur n'était pas venu avec Verthamon.

21. Il s'agit peut-être de Philippe Adenet natif de Tour-sur-Marne en Champagne qui habitait près de Basse-Pointe à la Martinique en 1670, y mourut en 1672 et eut une nombreuse descendance à la Martinique.

22. Union : petite île des Grenadines située immédiatement au nord de Carriacou par 12° 35′ de latitude nord.

chemin ; c'est pourquoy jugeant qu'il feroit mieux en faisant retraitte. Il fit grand largue en faisant tousjours grand feu. Les Sauvages fleschoient et eux tiroient dessus. Or pendant ce beau jeu les Sieurs Vandanger et Adenet, qui chassoient dans le bois arrivèrent, qui voyants la barque desjà bien loing, et les Sauvages après, destestèrent de bon cœur leur malheur, et ne sceurent de quelle bois faire flesche ny à quel saint se voüer. Les voylà plantéz sans poudre, sans plomb, sans pain, sans aucune commodité ny assistance, si elle ne vient par miracle du Ciel ; car pour la terre, ils sont hors d'espérance d'en recevoir dès longtemps, et cependant il faut vivre ou mourir. Un surcroist d'affliction fut que les Sauvages n'ayants peu attraper nostre barque revinrent à L'Union dans se doubte qu'ils eurent que quelques-uns escartéz ne s'estant rendus assez tost pour s'embarquer, y seroient restés pour les gages ; tellement qu'ayants mis à terre ils cherchèrent de tous costéz s'ils ne trouveroient personne sur qui descharger leurs rages et leur colère ; mais il est bien gardé que Dieu garde ; ces pauvres dégradéz sont si bien cachéz, qu'on ne les scauroit trouver. Estants partys ils ne peurent s'oster de la pensée qu'il n'y eust restés quelques-uns de cet équipage ; l'envie de les attraper les y faisoit revenir souvent ; ils furetoient partout, et quelquefois passoient tout proche sans les voir ny descouvrir : c'estoit que Dieu les aveugloit pour ne perdre ceux qu'il vouloit sauver. Ils recognoissoient des traces d'hommes tout freschement faittes, et voyoient du feu qu'on avoit faict sur une ance, il n'y avoit pas longtemps ; ce qui les asseure davantage et les confirme dans leur sentiment. Ils vont, ils viennent, ils courent, ils cherchent et tousjours sans effect ; voylà bien de la peine perdüe, qui leurs faict tout quitter, ne scachant que dire ny penser de ces pas et de ce feu. Nos affligéz sortent pour chercher leur vie. La faim les contrainct à manger des crables, des burgots [23], des lambics [24] rien que vilainies et qu'ordures. Ils peuvent bien dire ce que le Saint Job disoit de soy sur son fumier, que les viandes qui leurs donnoit de l'horreur, sont maintenant leurs délices et que n'ayants plus la liberté de choisir, la nécessité

23. Burgot : sorte de gros colimaçon de mer (*citarium pica*) que mangeaient couramment les Caraïbes.

24. Lambi (*Strombus Gigas*) gros coquillage, lui aussi apprécié des

les forces à manger indifféremment (69r) tout ce qu'ils trouvent. Quand ils descouvrent quelques bastiments qui passent, la route n'en est distante qu'environ de deux lieues, ils crient qu'on prenne pitié d'eux, qu'on les vienne prendre, qu'ils n'y a rien à craindre, qu'ils sont François ; mais ou on ne les voit ny entend pas, ou on ne s'y fie pas et on passe tousjours de peur de surprise et de crainte. Voylà qui est bien affligant et qui dure environ 7 mois. Celuy qui les avoit amené a bien envie de repasser à son tour, par L'Union pour les reprendre s'il les trouve en vie. Mais malheur sur malheur, ils tombent sous La Grenade à vau-le-vent, et nos abandonnéz qui s'attendoient bien qu'on ne manqueroit de les venir reprendre au retour si on n'avoit perdu du tout sentiment d'humanité, sont privéz de leur attente, qui estoit toute leur consolation après Dieu. Aprèz un long destour il arrive enfin à La Martinique où il raconte l'accident survenu aux Sieurs Vandangeur et Adenet. On s'en afflige mais on n'avise point pour cela aux moyens d'y remédier, soit qu'on creut que les Sauvages n'auroient manquéz de les attrapéz et les auroient assomméz, soit qu'on n'eut point d'affection pour eux, ne se souciant pas beaucoup de leur perte, soit autrement, tant y a que personne ne vint pour en scavoir quelques nouvelles et les retirer de leurs misères. Eux s'en ennuyants et ne pouvants plus subsister, comme le desplaisir est quelquefois ingénieux, ils font un pipery [25], et à sa faveur gagnent heureusement La Grenade. Ils mettent premièrement pied à terre au fond du Grand pauvre, de là ils montent aux carbets, où ils ne trouvent par bonheur aucuns Sauvages, s'en estant retiréz de crainte d'y estre surpris par les nostres. Ils y demeurent quelques 8 jours à vivre de patates, et après viennent au fond des Fontaines où entendant tirer ils avancent un chasseur qui eust plus de peur d'eux trois, je m'en rapporte. Le chasseur croyant que c'estoit des Sauvages se mit en défense et couche son arme en joüe ; eux le prient pour ne se point presser, que ce sont un des François esgaréz, qu'il n'y a rien à craindre. Luy arrestant son coup et rappellant ses esprits,

Caraïbes qui, en outre, en faisaient des sortes de trompettes; ils travaillaient les coquilles pour faire des haches.

25. Pipery : nom caraïbe d'un radeau fait de bois très légers.

se rasseure, et se représente que les Sauvages ne sont pas de la sorte. Ainsy s'entre approchent-ils, se parlent, et se recognoissent. Ils viennent de compagnie au Grand fort, tout hideux, tout défiguréz et tout inrecognoissables, ce qui fut vers Noël. Ils racontent leurs malheur et leurs misères, capables d'attendrir nos rochers ; quel effect je vous prie, de la protection amoureuse de Dieu, de les avoir ainsy conservé parmy tant de dangers, et amenéz à si bon port sans aucune mauvaise rencontre de nos ennemys, qui ne les eusse pas espargnéz, les immolants à leur cruauté et à leur furie, au plus fort de leur rage et au plus sanglant de leur guerre. Aussy n'abandonne-il jamais les siens. (...)[26] (69v).

26. Deux tiers de page.

VI

1655

L'AN DE N.S.	LOUIS 14me	DU PARQUET	LA GRENADE
1655	12	7	7

Le temps estant arrivé que les Sauvages commencèrent à battre ces campagnes mouvantes de la mer pour nous faire la guerre plus commodément et à leur plus grand avantage, tout temps ne leurs estants pas propre, comme j'ay remarqué en mon Livre second, chapitre huictiesme. Ils font à la my-mars avec cinq pirogues une descente en la Grande ance, qui parut en un instant couverte de ces rouges arméz de flesches et de boutous, jettants l'effroy par leurs huées et crieries dans les courages, mesme les plus résolus et les plus hardys. On est surpris, et lorsqu'on y pense moins, on les a sur les bras. Les plus à plas quittent là tout, et s'enfuyent au fort du Mariage, la vie leurs estant plus chère que toutes les commodités du monde. La femme d'un habitant, appellé Estienne, de quelques quarante ans estant allée le quérir dans son jardin pour desjeuner et en attendant qu'il eust achevé ce qu'il avoit commencé s'estant assise sur une pierre, mangeant un morceau de pain avec un brin de piment sans songer à rien en est saisie, ils l'enlèvent, la mettent dans une pirogue et la font mener à St Vincent, où elle leurs sert d'esclave. Il y en eust seulement trois de tuéz en cette surprise.

(55v) Arrive sur ces entrefaites [1] le capitaine Duples-

1. Le passage que nous avons rétabli à sa place avant le début de la page 70 recto du manuscrit se trouve au milieu de la page 56 recto du manuscrit. C'est une erreur de copiste. En effet les événements relatés

sis [2] des costes de Terre Ferme qui laisse passer les festes de Pasques et après parle de s'en retourner en la Martinique. A cet effet il veut aller faire de l'eau en la rivière de St Jean ; le Sieur de Valmainnier gouverneur l'en dissuade sur un petit bruit sourd, qu'il y a dessein sur sa barque, si on la trouve une fois à l'escart. Il s'en mocque et ne laisse d'y aller ; mais comme il est à terre des gens cachéz gagnent sa barque, sautent dedans et s'en emparent ; tirent au Beau Séjour, et s'arrestant à l'ance du corps de garde, la chargent promptement de ce qu'ils purent et font beau largue de ce vers les Testigues [3] qui sont distantes de La Grenade de 14 lieües au Sud-Ouest, le 14me milieu d'avril [4], au nombre de 18, le capitaine Duplessis, honteux de cet affront, accourt au Grand fort faire ses plaintes au Sieur de Valmainnier gouverneur qui se fasche fort et ferme contre luy de ce qu'il a mesprisé son advis. S'il l'eust suivis ce malheur ne fut arrivé, ne l'estant que pour n'avoir déféré tant soit peu à ses sentiments. Néantmoins il ne laisse de commander au

au début de la page 56 recto se situent en mars 1651. Ceux de la fin de la même page 56 recto et des suivantes jusqu'à la page 59 verso se réfèrent au gouverneur de Valménier, arrivé le 1er octobre 1654; un peu plus loin il est question du 14 avril et des mercenaires brésiliens qui sont partis en septembre 1655. Le récit se situe donc le 14 avril 1655. Par ailleurs l'intervention du capitaine La Berlotte, page 70 recto ne s'explique pas mais elle devient très claire si l'on remet le passage 56 recto juste avant la page 70 recto. Nous avons rétabli l'ordre logique. Le passage « D'aucuns de ces barbares s'en retourneront à pieds... de leurs rages et de leurs vengeance » qui se lit page 56 du manuscrit est répété page 68r. Il est difficile de préciser si les événements relatés, le massacre de 5 Français un 21 mars, se situent en 1651 ou en 1655. L'enchaînement du récit (les barbares « s'en retournent » de la Terre Ferme, l'assassinat de Pierre Savari qui, lui, a lieu sans contestation en 1651, fait immédiatement suite à un malheur « que nous venons de voir ») nous a conduit à opter pour 1651. Pour être tout à fait sûr il faudrait rechercher si le jour des Rameaux tombait un 21 mars en 1651.

2. Le capitaine Duplessis, parisien, s'appelle Julien Mourasin dit Duplessis (p. 70 recto). S'agit-il de Duplessis l'un des associés de la Compagnie de Paris qui joua un grand rôle lors de l'expédition de Cayenne selon le récit de Biet ? Celui-ci était à Barbade en 1654 avec Biet, et du Parquet refusa de le recevoir. C'est donc possible. Le nom ou surnom de Duplessis est très répandu : un Duplessis mourut noyé en même temps que Le Comte.

3. Les Testigues : groupe de petites îles situé au large des côtes du Venezuela.

4. Quatorze avril 1655 ainsi que nous l'avons montré plus haut.

capitaine Courpon qui estoit pour lors en rade, de courir après ; mais luy ne s'en souciant pas autrement, fait semblant d'y aller, et s'en retourne droit à la Martinique. Outre que ses matelots ne veuillent hazarder leur vie à poursuivre des fugitifs, qui sont en bonne résolution de deffendre leur liberté (56v) et n'en pourroient remporter que des coups et de la honte. Cependant il [5] envoye quérir le Sieur le Fort major, sur ce qu'il vint d'apprendre que ce sont de sa maison et de son party qui ont faict cet enlèvement pour en avoir raison et d'autres pratiques qu'il faisoit sous main à faire souslever le peuple. Comme il se sent coulpable et craint le chastiment il prie qu'on l'on excuse pour quelques affaires domestiques qui le pressent et quelques advis qu'il a reçu que les Sauvages paroissent au vent de Beau Séjour. Ce n'est q'une deffaitte qui n'estant q'un refus d'obéir, il donne ordre au Sieur de Vandrague et aux Brésiliens d'aller s'en [6] saisir. Ce qu'ils font après quelques légères résistances, et l'amènent au Grand fort, où il est mis aux fers avec le Sieur Le Marquis. Ce fut bien pour lors que sa conscience commença à le bourreler comme sur un eschaffaut ; mille remèdes, mille appréhensions, mille frayeurs le tempestent. Sa détestable conduitte et toute sa vie passée retourne continuellement dans son esprit, qui ne luy permettent un moment de repos. Ses trahisons, ses menées, ses révoltes, ses mauvais desseins, tant d'autres crimes le représentent en sa pensée, et ne s'en peu deffaire que par un damnable moyen. Il ne (peut) plus souffrir ces reproches intérieurs de sa conscience qui le condamne sans autre forme de procéz tant ils luy sont sensibles et piquants. Il cherche à les estouffer dans un poison, qu'il se fait secrettement apporter par sa négresse appellée Barbe, qui aussy ne scavoit pas ce que c'estoit et ne s'en deffioit pas, tellement qu'elle le luy donna innocemment comme il le luy avoit demandé secrettement, sans luy en rien dire. Ainsy Judas finit sa vie par les pressants remords de sa conscience, ne pouvant plus vivre après avoir trahi l'autheur de la vie ; ainsi Néron se fit violence ne pouvant trouver une main plus cruelle que la sienne, pour émousser les traicts qu'il portoit au cœur, et qui luy faisoient un mal insupportable. Ainsy le Sieur le Fort se trouvant trop

5. Il : Valménier.
6. S'en saisir : se saisir de Lefort.

foible pour soustenir les puissantes attaques que luy donne sans cesse sa mauvaise conscience se rend au désespoir, qui luy fait prévenir la main d'un bourreau par une mort autant lamentable qu'elle est violente [7]. Il estoit comme j'ay desjà dit en l'an 1652 nombre 1er natif de Crèvecœur en Normandie ; aagé d'environ 34 ans.

Estant à la Martinique enseigne de la compagnie [8] lorsque Monseigneur le général estoit entre les mains de Monseigneur le chevalier de Poincy, général de l'isle de St Christophe, il fut d'intelligence avec ses ennemis pour le despouiller de son isle de la Martinique [9] mais comme les affaires les plus fascheuses s'accommodent avec le temps le [10] voylà en liberté, et ayant appris à son retour la félonnie du (57r) Sieur le Fort, il le chasse aussytost sans le vouloir entendre. Luy s'en alla à la Gardelouppe où il fut bien receu par M. Houël [11] gouverneur qui pour honnorer l'alliance qu'il y avoit entre eux l'envoya commandant à Mari Galande ; y ayant demeuré quelque temps, et voyant que le Sieur Houël ne luy envoyoit aucun rafraîchis-

---

7. D'après du Tertre (t. I, p. 430) Lefort aurait « dit tout haut qu'il honorait la commission (de gouverneur donnée à Valménier) mais qu'il ne pouvait le reconnaître pour gouverneur et sans injustice cette charge ne pouvait être donnée à un autre qu'à lui » et mis Valménier au défit de « s'emparer de la forteresse ». C'est alors, selon du Tertre, pour asseoir l'autorité de Valménier que du Parquet lui envoya 100 soldats brésiliens « la plupart Wallons »; en fait ils étaient déjà là depuis juin 1654 et avaient été engagés par Le Comte. Du Tertre assure que Lefort et Le Marquis avaient fait prendre des armes à leurs compagnies et soutenu un combat contre le capitaine brésilien qui fit des morts et des blessés. Il paraît curieux que l'auteur de l'*Histoire de la Grenade* ne relate rien de semblable alors qu'il dresse un réquisitoire sévère contre Lefort. Du Tertre écrit que « le bruit courut que Lefort voyant sa mort inévitable » du Parquet ayant envoyé du Couldray pour le juger, « s'étant fait donner du poison par une Sauvage qui était à son service, il en mourut... Le Marquis fut condamné à être pendu » mais grâcié et banni par du Parquet.

8. Il s'agit de Lefort.

9. Selon du Tertre, au contraire, c'est lui qui fit échouer la révolte contre Madame du Parquet.

10. Le voilà : c'est-à-dire du Parquet.

11. Charles Houel seigneur du Petit Pré, l'un des directeurs de la Compagnie des Îles d'Amérique, fils d'un conseiller du Roi, contrôleur général des Salines de Brouage et Saintonge, vint à la Guadeloupe, s'en fit nommer Gouverneur en 1643, l'administra de façon tyrannique et plus tard acheta l'île.

sement, pour toutes ses demandes, prières et remontrances, il dit aux soldats qui en estoient extrêmement mescontents et grondoient haut et clair, « Sauve qui pourra », ce qu'ils firent, et luy resta avec six ou sept personnes. Il escheut par bonheur pour eux proche de leur isle un navire chargé de grandes richesses dont ils profitèrent de beaucoup, tellement qu'en ayant bien de la traitte, ils en donnèrent aux Sauvages qui les allèrent voir, à condition de les mener à la Martinique. Ce qui obligea le Sieur le Fort d'y retourner fut que pendant sa demeure à Mari Galande il avoit escrit par une barque qui passoit, à Monseigneur le général Duparquet, quand la passion qu'il avoit de luy rendre service, et le desplaisir qu'il avoit d'estre dans sa disgrâce l'obligèrent à le supplier très humblement de vouloir entendre ses justifications de ce qu'on luy opposoit en son endroist, et il en avoit receu response favorable, qu'il n'avoit qu'à y venir et y seroit le bienvenu. Voylà donc l'occasion qui se présente, les Sauvages les y mènent fidellement, et deslogent sans trompettes laissant l'isle à la garde de Dieu. On luy fait bon visage, on oublie tout le passé, on feint qu'on est détrompé, et on veut l'envoyer en La Grenade ; mais il s'en excuse sur un voyage, qu'il désire faire auparavant en Holande pour en tirer des engagéz et des nègres aussi bien que de la traitte pour s'y habituer. Il y va en effect, et en retourne l'année suyvante avec 9 ou 10 personnes, et Monseigneur le général Duparquet l'envoye icy avec espérance de quelque charge [12]. Madame [13] pressentant ce qui arriveroit pour cognoistre son humeur bouillonne et factieuse, disoit à dessein de l'en destourner : « il vous a faict desjà une frasque, il vous en fera encor une autre si vous n'y prenez garde ». Mais luy [14] que jugoit des autres par luy-mesme estant tout bon n'en voulut pas juger si mal, il croyoit qu'il avoit le cœur trop bon pour faire une telle lascheté. Y estant il le marie à la niepce du Sieur Le Comte gouverneur et pour honorrer l'alliance il est fait major. Ledit Sieur Le Comte

12. L'arrivée de Lefort à la Grenade doit être un peu antérieure à juin 1650, époque à laquelle Le Comte l'envoie avec 70 hommes établir le fort Saint-Jean.

13. Madame employé seul désignait alors sans ambiguïté Madame du Parquet. Son attitude ici est tout à fait contraire à ce que raconte du Tertre.

14. Lui : du Parquet.

est noyé en pensant sauver un de ses amis et luy comme major prend la conduitte de l'isle, il croit que pour comble d'honneur on luy doit laisser le gouvernement ; or quoy il en rage, et nonobstant qu'il l'ait [15] receu, quand bien c'eust esté un enfant d'un jour ou bien le dernier et le moindre de l'isle, dit-il tant il resportoit les ordres de Monseigneur le général Duparquet ; il remue ciel et terre pour l'en faire déposséder. Monseigneur le général en estant adverty envoye le capitaine Courpon avec ordre de l'attirer doucement dans son navire sous prétexte de l'y festiner, et aussytost de lever l'anchre, affin d'esteindre la guerre civil qui commençoit à s'allumer [16] par l'esloignement de sa cause. Mais comme il estoit aussy fin que ceux qui le vouloient attraper il trouvoit tousjours quelque excuse, se doutant du tour qu'on luy vouloit joüer, soit qu'il l'eust écouté soit pressenty. D'un autre costé le Sieur de Valmainnier gouverneur se voyant la guerre des Sauvages sur les bras l'envoyoit quelquefois quérir pour consulter et voir ce qu'on auroit à faire et prendre son advis ; mais il ne se pressoit aucunement d'y aller donnant quelques légères deffaittes que sa présence estoit continuellement nécessaire au quartier, de crainte de surprise qui pourroit arriver quand on s'en deffiroit moins. Cependant il formoit tousjours son party et le fortifiöit de plus en plus, si bien qu'il n'y avoit que ceux de la Grande ance, en bien petit nombre qui prenoient les intérests du Sieur de Valmainnier avec les Brésiliens.

Vient là-dessus le capitaine Duplessis, dont la barque est enlevée, on en accuse le Sieur le Fort, on le mande pour respondre, il en faict refus. On y envoye pour la seconde fois, il est appréhendé et mené prisonnier au fort du Roy. Le voylà aux fers et se faict mourir par un poison que luy donna innocemment une négresse. Et c'est là en peu de mots la conduite d'un fourbe, d'un ambitieux, et d'un colon ; c'est là aussy sa fin malheureuse qui a chargé sa mémoire d'exécration, comme il a chargé sa vie d'horreurs et son âme de crimes.

Arrive quelques jours après cette triste catastrophe, Monseigneur le général adverty par le capitaine Courpon des désor-

---

15. Qu'il l'ait receu : qu'il ait reçu Valménier.

16. « La guerre civile qui commençait à s'allumer » : d'après du Tertre elle brûlait déjà.

dres de La Grenade, et laissant le mort en terre et en repos, faict faire le procèz au survivant le Sieur le Marquis son complice, or qui néantmoins il faict grâce à la prière des habitans, et d'autant plus facilement qu'il s'estoit attaché au Sieur le Fort plus par complaisance que par malice ; au reste c'estoit un homme de cœur, et qui avoit rendu de bons services. Seulement se retira-il de l'isle, et ses biens furent confisquéz. Monseigneur le général ayant addoucy les esprits qui n'avoient pas autrement d'inclinations pour le Sieur de Vailminnier, et calmé tous les troubles qui s'opposoient à son gouvernement, s'en retourna à la Martinique.

Depuis le jour des Ramaux jusqu'au mois d'aoust les Sauvages nous laissèrent en repos, or quoy on en scavoit que penser, car un trop grand calme marque souvent une tempeste prochaine. Mais vers fin de ce mois cherchant à nous surprendre à leurs ordinaires, ils descendirent vers la rivière de St Jean et s'estants cachéz en attendants à faire quelque mauvois coup, voicy venir du fort trois des nostres y puiser de l'eau, deux portants sur leurs espaules une chaudière et (58r) un 3me une cruche. Ils eurent bien la patience de leurs laisser remplir leurs vaisseaux et de s'en charger qui sur leurs espaules, qui sur leur teste. Après ces pauvres gens sans se desfier de rien, s'estants mis en chemin pour leur retour, ils tirèrent sur eux et les blessèrent ; deux en moururent, et un 3me en eschappa. A quelques jours de là ils parurent au Beau Séjour. Comme on les eust descouvert, on donna advis au Sieur de Valmainnier gouverneur, qui sur l'heure fit partir le Capitaine La Berlotte [17] avec sa barque pour les poursuivre, et ordre de tirer quelques coups de pierriers [18] pour advertir s'il les attrapoit une fois, affin de luy envoyer du secours. C'estoit le soir qu'il les poursuivoit, et la nuict luy en ayant esté toute cognoissance, il ne laissa de pousser jusqu'à la Grande rivière [19], proche de laquelle ayant apperceu du feu, il mouilla devant, se doutant bien que c'estoit là

17. La Berlotte : la Bourlotte, commandait la barque appartenant à du Parquet (du Tertre, t. I, p. 485).

18. Pierrier : petit canon équipant les navires qui tirait des boulets de pierre.

19. La Grande Rivière se jette sur la côte est, à mi-hauteur de l'île près de la pointe de la Grande Rivière qui est la plus à l'est de l'île (actuellement Télescope pointe entre Grenville et l'aérodrome de Pearls).

où s'estoient retiréz les Sauvages qu'il poursuivoit. Il tira aussytost pour en donner advis, et pour porter du secours envoya son canot, qui fut rencontré par le Sieur de Valmainnier gouverneur qui avoit bien entendu le signal, et s'estoit mis incontinent sur mer, au Beau Séjour, où il s'estoit advancé ; il menoit environ 50 hommes, dont il tenoit l'avant-garde avec le Sieur de Vandrague, et le Sieur La Fontaine Héroult l'arrière. Estant arrivé à la barque avec un vent grandement favorable, on coura dans la Grande rivière, où l'on trouva deux pirogues, les Sauvages en fuitte, leur bagage espart de costé et d'autre. Là pour leurs avoir faict tout quitter pour sauver leur vie, soit ayant entendu le coup de pierrier, soit les nostres à la nage. On entra dans le bois mais on n'en put descouvrir aucun. Ainsy s'en retourna-on avec leur despouilles et leurs pirogues. Tousjours autant de pris sur leurs ennemys, qui n'ont jamais tant de desplaisir, que quand on faict sur eux de telles prises, car tels bastiments leurs coustent bien de la peine, de sorte que quand ils en perdent quelques-uns leur perte leurs est d'autant plus sensibles, qu'ils voyent plus de peine perdue.

Environ quelques 15 jours après, on se résoult à les aller voir en la Capesterre, puisqu'ils n'avoient pas voulu nous attendre à la Basse pour y recevoir nostre visite. A cet effect on alla mouiller le soir vis-à-vis de le Verard [20], un lieu ainsy appellé au nom d'un Sauvage. Le Sieur de Valmainnier gouverneur avec 18 Brésiliens, et seulement 4 habitans. Ce n'est pas tout il faut souper, il n'y a personne qui n'ait bon appêtit, car on n'a pas faict grande cher tout le jour. L'empressement qu'on se faisoit à se mettre en mer, et l'envie qu'on avoit à surprendre les Sauvages, fesoit oublier le boire et le manger, au moins ne donnoit pas le loisir de le prendre. On se mit à chasser et l'on prit quantité de ra mulots [21] qui fit un souper à la soldatesque à nos guerriers affamés. Ayant (58v) rendu actions de grâce à Dieu de ses biens on s'avisa de grimper sur le haut d'un arbre pour descouvrir les carbets, et avec une longue veüe on apper-

20. Le Verrard a été transcrit, sur les cartes anciennes, « le Vara » et se trouve à la pointe nord-est de l'île (entre Sauteurs et Bedfort Pointe). Signifie : celui qui varre les tortues.

21. Rats mulots (*orisonnis mégalomis*) : espèce de rats qui a aujourd'hui disparu et dont les Caraïbes se nourrissaient.

ceut cinq ou quatre Sauvages sur une ance de la Grande terre, ce qui fit juger qu'ils n'estoient pas loing des carbets. On prit donc résolution de s'y acheminer le lendemain dès la pointe du jour. Comme on avançoit on en rencontra trois qui faisoient comme un corps de garde avancé, ne laissoient néantmoins en faisants leurs faction de travailler à faire des ibichets [22] ; on tira dessus, en estant si près qu'on en estoit à brusle-pourpoint, sans qu'ils s'en apperceussent, tant ils estoient attentifs et attachéz à leurs besognes et à leur entretien. Ainsy en furent-ils tellement surpris qu'ils ne s'avisèrent pas seulement de mettre la main à leurs armes pour se mettre en deffence mais ils gagnèrent vistement aux pieds ; et quoyque nos coups eussent portés sur eux ils ne laissèrent toutefois de se sauver dans le fond des bois, pour y aller rendre leurs âmes, malheureusement leur sang, qui couloit de toutes parts à quelques trois-quarts de lieües chemin faisant, on trouva des flèches et des arcs, où sans doubte estoit un corps de garde, qui avoit pris l'espouvante et s'estoit enfuy au bruit que firent ces blesséz. Voilà bien le nid et des plumes, mais les oyseaux se sont envoléz ! On continua la marche, et par la route qu'on tenoit, on voyoit des crables pendües, aux arbrisseaux comme pour la marquer et ne se point esgarer. Ils l'avoient faict eux, et ces marques servirent bien pour nous. La providence de Dieu qui devoit conduire bientost nos armes par ce sentier, se servit de leur artifice pour nous faciliter le chemin de leurs carbets et nous y mieux addresser. A une lieüe loing on vit trois Sauvages, qui nous ayants aussy apperceu, sortirent de terre où ils s'estoient enfoncéz plus qu'à my corps, et coururent plus viste que les vents en advertir les autres. Ceux-cy aussytost tirèrent du costé de la mer pour y pousser leurs pirogues et se sauver et un d'eux nous fit teste tout seul pendant qu'on les poussoit sans qu'il fust jamais blessé d'un coup. C'estoit l'Achille des anciens ressuscité, invulnérable à tant de coups qui font ordinairement autant de blesseures, autant de morts ; et cependant il essuyoit et mort et blessures sans estre tué ny blessé. 4 ou 5 autres se retranchèrent dans un carbet où ils jettoient des cris espouvantables et frappoient

22. *Ibichet* : mot caraïbe qui désigne un tamis pour le manioc fait de vannerie.

leurs flesches contre leurs arcs de rage et comme nous disans que nous avions affaire à des personnes qui avec le temps en tireroient une rigoureuse vengeance.

Ce qui me fait souvenir de ce roy d'Hétiopie qui pour arrester un fils de Cyrus qui muguettait de ses armes son royaume et se préparoit (59r) à luy faire la guerre se contenta de luy envoyer son arc et ses flesches et de luy faire voire, c'est au maistre de cet arc et ces flesches que vous en voulez. Semblablement ces Sauvages croyoient que nous devions perdre courage à la veüe des leurs et de leurs boutous, à entendre leurs hurlements, et à voir leurs faces hideuses, mais nous plus résolus que ce prince, qui estonné à l'espée de l'armure de ce roy se déporta de ses dessins pour pourvoir à la seureté de sa personne ; nous ne fismes que tant seulement sur eux que trois coups de fusil et trois coups de flesches qu'ils nous envoyèrent et ils se mirent en fuitte d'une telle vistesse, que les orages les plus impétueux eussent eu de la peine à les devancer. On courut bien après eux mais leurs vistesse les desroba à nostre portée et à nostre veüe. En mesme temps on descouvrit une autre pirogue, que trois autres Sauvages poussoient en mer. On s'en approcha et on tira dessus plus de 30 coups sans qu'ils l'abandonnassent. On eut dit qu'il y avoit quelque charme, ou qui estoit la force à nos coups on on faisoient comme goutte de pluye ou qui endurcissoit leurs corps comme bronze, ou enfin qui les rendoient impassibles comme les esprits ; tant y a qu'on n'y voyoit ny playe ny sang. Il y eut un qui estant sorty des halliers sur l'ance se présenta tout seul courageusement teste levée, à quelques vingt pas de nous, comme s'il eust eu mille vies à risquer et à perdre, nous desfiant et nous bravant, affin de nous amuser pas ses deffys et ses bravades et donner loisir de sauver cette pirogue. On fit sur luy une descharge de plus de 15 à 16 coups de fusils sans qu'aucun le fisse tant soit peu branler ; et durant cet amusement la pirogue se sauva enfin avec les trois Sauvages, et luy avec eux qui en essuya encor autant, sans recevoir la moindre blesseure demeurant ferme comme un rocher inesbranlable parmy tant de frayeurs et tant d'affreuses images de mort. N'ayants ainsy rien faict ny prophité de tant de poudre jettée au vent, on alla ruiner tout tout ce qu'on put trouver. Ce qu'ayants veu les Sauvages sur la pointe d'un morne, ils se résolurent à nous donner combat comme nous retournions de nostre ravage. 40 ou 50 se partagèrent en deux dont les uns nous allèrent attendre sur le chemin, et les autres nous laissèrent passer, affin que nous estants ainsi enfermés ceux-là donnassent sur l'avant-garde et ceux-cy sur la derrière. Cela se fit vigoureusement, à la portée seulement du pistolet. Il y en eut 7 des nostres blesséz, dont un seul mourut. Pour les Sauvages on ne scait pas les effects de nos coups, car comme j'ay desjà dis ils s'enfuyent ordinairement tout blesséz et à demy morts.

Quelque peu de temps après cette secousse les Brésiliens ayant demeuréz icy quelque temps quelques 15 mois ou environ à une pistole à chacun par mois, et des 64 qu'ils estoient ne restants que 18. Se retirèrent et on en envoya seulement six de la Martinique en leurs places, ce qui fut au mois d'octobre. Comme le Sieur de Valmainnier gouverneur ne vouloit point lesser en repos les Sauvages, non plus qu'ils ne nous y laissoient, voyant que la barque n'estoit pas en meilleure condition que nous il voulut luy tailler de la besogne et donner de l'exercice le bois pourry plustost demeurant tousjours en mesme lieu, qu'estant pourmené sur ces belles campagnes mouvantes de la mer. Le Capitaine La Berlotte est bien de son sentiment et tousjours prest à bien faire. (70r)[23] On faict donc dessein de faire le tour de l'isle pour descouvrir où estoient les Sauvages affin de leurs donner encor une visite avant que l'année se passe. Et comme on va jettant la veüe de part et d'autre on en apperçoit une flotte. Aussytost on court chercher du renfort, et on envoye seulement neuf ou dix hommes, estants tous ensemble on va les joindre et donner dessus : le combat est rude et opiniastre, où quatre des nostres furent blesséz, dont deux moururent, et un de ces deux fut Julien Mourarin, dit Duplessis, dont la barque fut enlevée, au mois d'apvril dernier par ceux du Beau Séjour. Des Sauvages il y en eust trois tuéz. Ils avoient trois pirogues, qui s'esquivèrent, sans que nous pussions les arrester, d'autant que nous estions trop foibles, et nostre foiblesse fut leur esquivement et leur bien. Il faut louer Dieu de tout ; nous ne sommes pas si chanceux, que de gagner tousjours au jeu ; quand il Luy plaira, il bénira nos armes, et

23. De la page 59v nous reprenons la suite, tel qu'indiqué précédemment, à la page 70r du manuscrit.

pour lors nous serons capables de dompter des armées de démons, quand nous ne serions que de chétifs moucherons et d'enfans, les portes d'enfer quand nous n'aurions que des armes d'estouppe. A quelques jours de là ils firent la mesme ruse sur la place du Sieur Valmainnier, dont les nègres et les serviteurs retournants du fond du bois chargéz de bastons de roole [24] pour envoyer à La Martinique, parce qu'il n'y en a pas assez non plus que d'autres.

24. Il s'agit des rooles ou rouleaux de tabac montés autour d'un bâton.

VII

1656

L'AN DE N.S.	LOUYS 14me	DU PARQUET	LA GRENADE
1656	13	8	8

Le renouvau [1] faict venir la pensée à nos Sauvages de renouveller la guerre et la recommencer par quelques petites escarmouches qui nous affoibliront d'autant. Aussy se faut-il se vanger de nos derniers desgasts et massacres. Si bien que comme ils scavent que la commodité de la rivière de St Jean en attire beaucoup pour y avoir de l'eau ils y viennent en embuscades, au commencement de mars. L'on bastissoit pour lors une guéritte à quelques cinquante pas du bord de la mer, et presque autant du costé de cette rivière au lieu mesme où l'on fit un fort en l'an 1650, un peu devant la paix faicte par le capitaine Bacolos. Le besoing de mahot [2] et de roseaux obligoit les ouvriers à en aller chercher dans la rosolière [3] qui est de l'autre costé de laditte rivière. On y estoit allé et on en retourne. Les Sauvages qui les attendirent à leurs retour, les voyants en belle veüe chargés et et hors de deffense, sans qu'on les voye euxmesmes, font sur eux une descharge de flesches et en tuent seulement deux ; et puis les (70v) voylà en fuitte comme s'ils avoient tous les démons à leur trousse. Que faire à tout cela ? Sans

1. Le renouveau c'est-à-dire le printemps. Ce mot n'est plus guère employé en français cependant on l'utilise encore à la Martinique pour désigner la période qui suit la saison sèche, vers mars, marquée par une nouvelle poussée de la végétation.

2. Mahot : nom caraïbe d'une malvacée dont on utilise les fibres pour faire des cordes.

3. Roselière : endroit planté de roseaux.

doubte les plus deffiants et les plus adviséz y seroient pris quelquefois, et tant leur prudence et leur précaution s'y trouvoit courts quand Dieu lève résolument la main pour chastier, rien n'est capable de l'arrester ny empescher Sa justice ayant lasché le carreau [4] de sa fureur (...)[5]. Comme l'isle despérit ainsy et se dépeuple tous les jours par les fréquentes courses de Sauvages, qui en attrapent tousjours quelques-uns des moins advisèz, et qui négligent de se tenir sur leurs gardes, Monseigneur le général qui en a tant de soing qu'il y va de l'honneur de Dieu et de son propre intérest, y envoya cette année bien du monde en divers temps : huict y arrivèrent le 25me de mars, 21 le 25me de may ; 30 le 9 juillet, qui estoit la garnison de St Alousie [6], après y avoir demeuré deux ans et 7 mois (?)[7]. Le 9me de novembre 1653 que Monseigneur le général en prist possession, jusqu'à ce neufiesme de juillet qu'elle entra dans La Grenade pour habituer ; 6, le 17me de juillet ; 20 le 12me d'octobre ; et enfin 5 le 8me d'octobre, qui font quatre-vingt-dix personnes pour la fortifier d'autant, et soustenir les courages des premiers habitans. Monseigneur des Mer [8] et après une demeure de 5 ans, moins un mois s'en retira à la Martinique dès le commencement du mois de juillet, et voylà pour la troisième fois messieurs de la Grenade sans prestres, sans messes et sans assistance de sacrement, mais Dieu qui ne les avoit pas abandonnéz en leurs autres nécessitéz ne les abandonna point aussy en celle-cy, qui est d'autant plus considérable qu'elle regarde le salut de l'âme ; car dans les lumières de prévoyance qu'il en avoit, il avoit inspiré pour y survenir au R.P. Commissaires de la mission des

4. Carreau : flèche d'arbalète.

5. Sept lignes.

6. Sainte-Alousie : Sainte-Lucie. Île située immédiatement au sud de la Martinique. Les Anglais avaient tenté de s'y établir mais en avaient été chassés par les Caraïbes en 1640. Du Parquet y avait envoyé une quarantaine d'hommes vers 1650. L'auteur nous précise qu'il en prit possession le 9 novembre 1653. En 1654 une habitation un peu éloignée du Fort qu'on avait construit avait été pillée. En octobre 1656 Haquet, parent de du Parquet, fut massacré. Peu de temps après le fort fut abandonné par sa garnison.

7. Un mot qu'il a été impossible de déchiffrer.

8. Des Mer ou Desmières ou Des Marre, il s'agit d'un prêtre séculier. L'auteur dira un peu plus loin que ce sont les mauvais traitements de monsieur de Valménière qui l'ont fait partir.

R.P. PP de St Dominique [9] d'accorder à Monseigneur le général Duparquet, ce qu'il luy avoit demandé il y avoit longtemps, par de très instantes prières, et lettre sur lettres, de le tant obliger que de luy envoyer quelques-uns de l'ordre pour les establir en La Grenade et y faire mission. Son dessein estant pour la gloire de Dieu estoit trop juste et trop raisonnable pour en différer plus longtemps l'exécution et ne luy donner ce contentement qu'il recherchoit avec des passions extrêmes, la charité pressoit d'autant plus que le besoing estoit plus grand. Il en donna donc la commission (71r) en datte du vingt-deuxiesme de mars de cette année courante à un religieux de Dijon en Bourgogne [10], qui l'acepta le mesme jour avec la permission qu'il en avoit de son R.P. procureur par escrit en date du 18me de febvrier dernier. Et s'estant transporté à Dieppe pour y prendre mer après sept sepmaines et quelques jours à attendre le vent favorable il en partit de la rade le 19me de may suivant, sur les 4 heures après-midy, dans un navire appellé « La princesse », commandé par le capitaine Doublet, de Dieppe mesme, qui arriva le 22me de juin sur les 7 heures du soir, à celle de La Martinique, vis-à-vis le Carbet. Le lendemain ayant mis pied à terre dès le grand matin il s'en alla droit à son couvent situé proche le mouillage pour y rendre ses devoirs et de là à la montagne où il fut présenté par le révérend Père de Boulongne [11] supérieur dudit couvent à Monseigneur le général, qui le receut avec joye et

9. Les pères dominicains vinrent s'établir à la Martinique à la prière de du Parquet en 1654. Le R.P. Boulogne arriva à Saint-Pierre le 25 décembre de cette année, il acheta une place au mouillage où il bâtit une église (*Histoire religieuse des Antilles françaises,* Rennard, 1954, p. 43).

10. Il s'agit du R.P. Bresson. Le R.P. Breton dans son dictionnaire, p. 411, donne le nom caraïbe de la Grenade *Camahogue* et il ajoute « j'avais promis (à du Parquet) l'envoi (pour la Grenade) du R.P. Bénigne Bresson, docteur en théologie, natif de Dijon et religieux du couvent de Fontenay-le-Comte qui s'embarqua à Dieppe le 22 mars 1656 ». En réalité il a quitté Dieppe le 19 mai, la date donnée est celle de sa commission. Autres références : du Tertre, t. III, p. 88; Rennard, *Histoire religieuse des Antilles,* p. 51.

11. C'est le révérend père Boulogne qui avait installé les pères dominicains à la Martinique où il était arrivé le 25 décembre 1654. Il avait acheté aussitôt une place au Mouillage grâce aux libéralités de du Parquet où il avait construit une église sur l'emplacement qu'occupe actuellement la cathédrale de Saint-Pierre.

grand sentiment d'obligations d'avoir donné à ses demandes ce qu'il désiroit passionnément de l'ordre. Après quelques jours d'entretien il fallut parler d'affaire au sujet de son establissement en La Grenade ; et à cet effet il ordonna 400 pas [12] au fond du (grand) Grand pauvre pour un couvent quand on auroit poussé les habitations jusques-là, et ce tousjours autant par provision ; en attendant se logeroit en la guérite de S.t Jean, comme au presbytère de celuy qui déserviroit la chappelle du Grand fort, qui en est distante d'un quart de lieüe avec 100 pas qu'il feroit valoir et leur chasse ordinaire. Tellement que selon qu'il en a ordonné et disposé, ce lieu de St Jean est le bien curial qui doit appartenir à celuy qui en fera les fonctions, et le Fond du Grand pauvre est le bien conventuel approprié à l'ordre de St Dominique pour y bastir un couvent et faire mission : ainsy ne désirant plus la cure le bien de St-Jean n'est plus à eux et se doivent tenir au fonds du Grand pauvre, qui leurs estant affecté ne leurs peut estre osté, et dont est faict mention au contract de vente, qui se fera de l'isle au mois d'octobre prochain comme mise en réserve. Or après quelques 21 jours de repos le R.P. de Dijon partit de La Martinique avec les ordres de Monseigneur le général et arriva le 17me de juillet sur les 6 heures du soir en La Grenade, où il fut bien receu du Sieur de Valmainnier gouverneur. Le voylà donc au lieu où il estoit tousjours désiré dès le temps mesme qu'il receut l'habit de son ordre pour avoir plus facilement l'occasion de servir à la gloire de Dieu en servant aux infidèles d'apostre. Le voylà comme dans un ciel pour y briller comme un astre et esclairer le monde que s'y trouve ; comme sur un chandelier pour y respandre des lumières, comme un flambeau et dissiper les ténèbres de l'ignorance et de l'erreur, comme dans une maison pour y estre comme une lampe ardente et luysante, ardentes à eschauffer les cœurs de ce feu que le sainct (71v) disoit estre

12. Quatre cents pas : à la Martinique où les Jésuites avaient déjà une vaste habitation à Saint-Pierre, Madame du Parquet donna en 1658 une grande concession, située à la Capesterre nouvellement conquise, aux Dominicains. Ces habitations données aux religieux avaient pour but d'assurer la vie matérielle des religieux sans qu'ils soient à la charge des habitants qui n'avaient encore que de faibles moyens. Elles eurent pour conséquence malheureuse l'intégration des religieux dans le système en en faisant des propriétaires d'esclaves.

venu apporter en terre et ne rien désirer tant que le voir allumé par tout le monde, luy qui a donner autant de bons exemples par sa vie que de bons enseignements que par ses paroles. Le voylà comme dans un champ de batailles, où il a bien à combattre d'autres gens que des Goliats qui n'ont rien de grand que les horreurs de leur vie, et rien de monstrueux que leurs désordres, comme dans les déserts où il y a bien à deffaire d'autres hydres que celle d'un Hercule qui par une insolence insupportable s'eslevant contre Dieu et ses fidèles, contre l'Esglise et ses enfants, contre le roy, et ses subjects ; comme sur un amphithéâtre où il a bien à luctter contre d'autres bestes sauvages que celles d'Ephèse et de Rome, qui sous des visages d'hommes portent des cœurs de lyoms des cruautéz de tigres, des venins d'aspics ou vipères et de dragons, et des malices des démons. L'y voylà enfin comme un autre Phinée [13] pour y destruire les vices et planter les vertues ; comme un autre Elie pour y planter le culte du Dieu vivant et ruyner celuy des démons ; comme un autre Mathathias pour vanger les injures de Dieu et y advancer la gloire ; comme un autre Baptiste pour y confondre le libertinage et y eslever les trophées de la piesté, et comme un autre Dominique pour y soustenir l'esglise et y asseurer le salut des âmes. Dieu luy avoit appelé comme par les paroles du prophète Esaye, que rapportent St Paul et St Barnabé aux Juifs en faveur des Gentils : « Voylà que je t'ay establis pour estre la lumière des Gentils, t'employant à leur salut jusqu'aux extrémités de la terre.» Il a fidellement correspondu à cette voix ; et le voylà dans le dessein que Dieu a eu sur luy de s'en servir pour ayder à la destruction des désordres, à la désolation des vices et à l'édification des âmes, en union au salut des américaines, comme des européennes, des grenadines comme des françoises, des Careibes comme des chrestiens, des Galibis comme des fidèles, généralement de tout le monde ; la 1re chose qu'il y fit fut de faire gagner le dernier jubilé, qu'on ne seavoit pas ou qu'on avait négligé ; il n'y eust personne qui ne s'y portast avec une dévotion toute merveilleuse, qui luy fit bien veoir que pour avoir changé de climat, l'on n'avoit pas changé d'inclinations ny d'honneurs qui se portants à la vertu

13. Petit-fils d'Aaron, fondateur de la lignée des grands prêtres juifs « vengeur des lois divines » selon le dictionnaire de Moreri.

en produisent partout de bons esforts. Ce luy fut une grande consolation de voir que le royaune de Dieu y estoit si bien estably, et que les cascades ne courent pas aux rivières avec plus d'ardeurs que ce peuple en apportoit à s'approcher des sacremens, à entendre la parolle de Dieu, à se sauver. Après il alla planter la croix en la place de St Jean le 24me du courant pour en faire bien d'esglise et en prendre possession au susdict nom. Mais en eschange Dieu qui le vouloit faire passer par (72r) (par) les espreuves du pays, les chargea par une croix de bois dure de maladie de fiebvres de douleurs, et de souffrances qu'il porta presque sans relasche deux ans durants. La fin des uns estoient la naissance des autres, elles se tenoient comme par la main et quelquesfois celles-là précipitoient si fort qu'elles mettoient le pied les uns sur les autres, car quelquefois les premières n'estoient pas encor passées, que de nouvelles survenoient, affin que la foule et l'empressement donnassent à sa vertu plus d'exercise ; vous eussiez dit que son corps eust esté le théâtre de quelque funeste tragédie et que les maux en eussent esté les acteurs, qui l'entretenoient tousjours pour tousjours exercer sa patience, y retournans à diverses reprises pour y représenter de nouveau leurs personnages. Cependant il ne laissoit de faire toutes ces fonctions appliquer, visiter les malades, administrer les sacremens, catéchiser les nègres, prescher au peuple et s'acquitter de tous autres devoirs de mission, aussy courageusement que s'il eust esté en une parfaiste et vigoureuse santé. Il rendoit bien véritable en sa personne que St Paul disoit autrefois de soy-mesme aux Corinthiens, que la vertu se perfectionne dans l'infirmité, et que quand il estoit infirme c'estoit lorsqu'il estoit puissant. Ouy, la patience esclatte davantage dans les afflictions, et la jouissance de Dieu qui faict triompher la foiblesse de la violence des maux. Dieu le voulut ainsi pour le disposer par ces peines et les rigueurs et d'autres souffrances et d'autres traverses. St-Ambroyse parlant de St Jean Baptiste dit qu'en luy de partout la grâce sanctifiante dans le ventre de sa mère, en l'oignoit et l'exerçoit en dépis comme un généreux athlète, d'autant que sa vertu devoit soustenir de rudes combats. Comme Dieu l'y avoit réservé, aussi l'y préparoit-il de bonne heure, asfin qu'y estant tout formé il fit mieux paroistre son courage. On en peut dire quasi autant par proportion de luy que ses maladies furent dèz son entrée dans l'isle comme les huiles dont Dieu le voulu comme oindre, ainsy q'un athlète, pour luctter dans quelque temps avec des démons travestis en hommes. Il l'y avoit destiné dès longtemps, et luy préparoit pour le faire veoir autant généreux qu'il estoit zélé pour la gloire de Dieu et le salut des hommes.

Mais lessons-le donc aux souffrances, si vous voulez dans ces mystérieuses onctions, et jettons un coup d'œil sur l'estat de La Grenade, qui est tousjours en troubles et en guerre ; ce qui toutefois en fit prendre l'envie de l'achepter à un seigneur illustre du Perche, Comte de Cérillat [14], qui y envoya pour ce sujet un certain Escossois appellé Maubray [15]. C'est étranger

---

14. Comte de Cérillat. Jean III de Faudoas chevalier, comte de Serrillac au Maine, seigneur de Douvelles de Chavenay, le Petit Courteille, Courméanne, Louné-en-Perche Bazoches-en-Gâtinais de Curlu, Farny et Boulincourt-en-Picardie naquit à Doucelles le 27 avril 1600, fils de François de Faudoas né au château d'Augé à Laplume (Gers) en 1568, chevalier baron de Sérillac de Gavre, Capitaine de 100 chevaux-légers, et de Renée de Brie. Il se maria le 8 février 1636 à Marguerite de Piedefer d'une famille de Troyes. Originaire d'Armagnac où se situait la baronnie de Sérillac, son père s'était fixé dans le Maine. Doucelles où est né Jean III est près de Beaumont-sur-Sarthe où ce dernier obtint en 1653 l'érection de la châtellenie de Courteilles de Maule en Comté sous le nom de Sérillac au Maine. Sa femme lui avait apporté en dot la baronnie de Lourré au Perche. C'est là qu'il résidait en 1657. C'était donc un seigneur pourvu de vastes domaines. Il avait mené une vie militaire très active participant au siège de la Rochelle en 1627, se trouvant à celui de Corbie par les Espagnols en 1636. C'est à 55 ans, alors père de 7 enfants légitimes et deux bâtards, qu'il pensa à acquérir l'une des îles françaises d'Amérique et à se rendre sur place pour l'exploiter. Avant de réaliser cette opération il prit en 1655 conseil du R.P. du Tertre qui commença par le dissuader puis « entreprit de le servir et de faire tout son possible pour faire réussir un dessein si périlleux », et lui conseilla d'acheter une terre déjà habitée lui suggérant la Grenade. Du Tertre partit pour le compte de Cérillac pour les îles d'Amérique avec un gentilhomme nommé des Marets. À peine sortis du port de Nantes en juillet 1655, ils furent pris par les Anglais et durent, après bien des aventures, regagner la France. Références : du Tertre, t. I, p. 500 et *Revue historique des Antilles* nº 3, juin 1929, article de A. Latrou intitulé « Les mésaventures d'un gentilhomme colonial ». Cette étude n'indique aucune source. Toute sa documentation provient en fait d'un livre de l'abbé A. Ledru et E. Vallée intitulé *la Maison de Faudoas,* publié à Paris chez Lemerre en 1908, 3 volumes.

15. Maubray. Cérillac fit entreprendre à du Tertre un second voyage (t. III, p. 501) mais cette fois il confia ses intérêts à « Monsieur de Maubray son amy ». Ils partirent de Hollande en juillet 1656 (t. III,

se disoit grand intelligent à bien cognoistre telles places et grand judicieux à donner un prix raisonnable à telles marchandises. Comme il se disoit grand amy du Sieur de Cérillat à faire son bien et son très affectionné serviteur à luy rendre de bons services. Néantmoins la conduitte de cet affaire fit bien voir le contraire, car comme il arriva icy à ce bel effet le 12.ième d'octobre de cet année courante sur une heure après-midy, il fit comme ces fantasques qui boivent le vin à la couleur, et ces amour outransyés qui se marient à loisir. Il se contenta d'aller voir dès le landemain de sa venüe la pointe des Salines, ce qui se peut faire en trois heures et le jour suivant de sonder le cul-de-sacq, ce qui se peut aussy faire dans une demye heure, et le 14.me il s'en retourna sur les trois heures après-midy sans s'informer jamais sérieusement de ce qui estoit, si elle est bonne (72v) si elle est mauvaise, quels advantages, quels désavantages elle a, bref bone ; et comme si on devoit juger de la bonté par la beauté, il la jugea assez bonne parce qu'elle luy sembla assez belle. Il y vit un prinstemps perpétuel, les arbres tousjours en sucs, fleures et fruits en mesme temps sur un mesme arbre, de beaux tapis verds faicts des mains de la nature en tout temps et en toute saison, une terre bien trenchée et plus que celle de La Martinique, des mornes bien eslevés, et moins que ceux de S.te Alousie, aux roches en quantité et en plus grand nombre

p. 529) mais durent relâcher 2 fois en Angleterre et parvinrent finalement à la Martinique le 28 septembre 1656. Selon un document des papiers Dyel de Miromesnil (Archives nationales, T. 103 1/8) il s'agit de « Jacques de Maubray Chevalier et baron de Barabouguil ». D'après une lettre de Lavigne donnée par du Tertre (t. III, p. 480) il avait été secrétaire d'État en Écosse. D'après l'acte de mariage de Jean B. Crocquet en 1658, relevé par Margry (Bibliothèque nationale, Paris : « Nouvelles acquisitions françaises 9324 ») Maubray qui est témoin est dit « Chevalier Seigneur et Baron de Bourne Bougnie » et il est accompagné de Jeanne de Maubray sa sœur veuve de Louis Delcampe écuyer seigneur de Saint-Michel. Revenu en France Maubray se brouilla avec Cérillac au moment de partir pour la Grenade, il se rendit alors par ses propres moyens avec sa sœur à la Martinique pour « offrir son service à Monsieur du Parquet » (du Tertre, t. III, p. 529, p. 175). L'annexe I donne *in extenso* la lettre envoyée à Cérillac par le R.P. du Tertre dès son retour. Elle est datée de Flessingue, janvier 1657. Le ton diffère nettement de celui de notre manuscrit. Le R.P. du Tertre, dominicain comme le R.P. Bresson, déclare « nous nous sommes transporté (à la Grenade) et l'avons presque visitée partout ». Il est pour le moins curieux que le manuscrit, si précis par ailleurs ne fasse aucune mention du R.P. du Tertre.

qu'en aucune isle. Il y forma des desseins de ville, qu'il avoit pu emprunter des petites maisons de Paris [16], on fera là une ville comme celle de Cologne disoit ce grand cerveau ; là une autre comme celle de Lyon ; icy une autre Rome, voylà sept pointes qui en donnent l'idée, mais où est le Tibre ? Par delà ce sera Montmartre, autour nous baptirons un autre Paris ; mais où est la Seine ? ô que cela est beau ! mais bon ? S'il s'en informa ce ne fut que vers ceux qui peuvent trouver mieux en changeant de maistres, ou vers quelques personnes altiltrées qui asseuroient du bonheur ce dont leurs conscience les démentoit, leurs yeux ne l'ayant jamais descouverts ny leurs mains trouvé ny le trouveront ny descouvriront jamais, si Dieu par un miracle digne de sa puissance n'y change tous les élémens ou ne la transporte en un tout autre lieu et ne luy donne un tout autre climat, mais ce n'est plus la Grenade d'Amérique située sous le 11me degré et tant de minutes, le R.P. missionnaire pressentant, tout malade qu'il estoit, ce qui pourroit arriver sur ce qu'il voyoit cet esprit prévenu par de faux rapports et gagné par les yeux voulut le détromper en luy disant nettement la vérité qu'il peust bien garder à ce qu'il feroit, qu'il y alloit de sa conscience et de son honneur ; que ce seroit une tache à sa réputation s'il se laissoit surprendre, et une disgrâce honteuse qu'il pourroit encourir s'il se laissoit tromper ; qu'au reste il estoit icy comme dans une fripperie de Paris où l'on faisoit bon ce qui n'estoit que beau que La Grenade estoit comme la pluspart des filles à marier plus jolyes que sages, et qu'il sçavoit de bonne part que les RRPP Jésuistes s'estoient vanté de la faire avoir pour dix-mil francs si on les y vouloit establir ; marque que ce n'estoit pas si grande chose puisqu'ils la mettoient à sy bas prix ; ceux qui sont des grands intelligents, en toutes choses, depuis l'Hysope jusqu'au cèdre du Liban, quoy que s'en soit cet émissaire estant de retour à La Martinique, il l'achepta au nom dudit Sieur de Cérillat quatre-vingt-dix-mil francs, par un contract faict et passé en laditte Martinique, dont voicy la teneur [17] :

16. Il faudrait écrire avec des majuscules et un trait d'union « des Petites-Maisons » c'était le nom d'un hôpital de Paris où l'on enfermait les aliénés, fondé vers 1620.

17. Le père du Tertre ne donne ni la date (30 octobre 1656) ni la teneur de cet acte. Nous avons pour plus de clarté mis des guillemets qui ne sont pas dans le manuscrit.

« Pardevant Anthoine Vigeon notaire garde-notes en l'isle Martinique soubsignés, et les tesmoings cy-après nomméz fut présentement en sa personne messire Jacques Diel Seigneur Duparquet des Isles Martinique, Ste-Alousie, Grenade et Grenadine, gouverneur et Lieutenant général pour sa majesté desdittes isles lequel a volontairement recogneu et confessé avoir vendu, cédé, et quitté, et transporté, et promest guarentir de tous troubles et empeschemens générallement quelconques provenants de son faict et chef à messires Jacques de Maubray Chevallier et baron de Barongouquil, au nom et comme procureur fondé de pouvoir de haut et puissant Seigneur messire Jean de Faudoas Comte de Cérillat, (73r) Losné, Igé, Courteille, et autres lieux [18] passés par devant Jean Geray notaire et tabellion royal en la chancellerie de Bellesme le 3me may 1656 dont est apparu au notaire soubsigné, annexé à la minute du présent contract et paraphées desdicts Seigneurs vendeur et acquéreur au dit nom, et sur leur réquisitoire dudit notaire, *ne variatur* ledit Seigneur de Maubray de présent estant en cette isle Martinique et représentant et acceptant au dit jour, acquérant pour ledit seigneur Comte de Cérillat, ses hoires et ayant cause à l'advenir, auquel il promet faire ratiffier, et présenter dès aussytost son arrivée en France et en fournir lettre valable. C'est à sceavoir la seigneurie, fond et propriété de laditte Isle Grenade et Grenadins située en l'Amérique, ainsy qu'elles se constituent et comportent et que les a acquis des Seigneurs de La Compagnie par contract passé devant Le Vasseur et le Roux notaire au Chastelest de Paris de 27me septembre 1650. Lesquels ledit Seigneur acquéreur, au dit nom a dit bien seavoir et cognoistre pour les avoir veues et visitées, et s'estre à cette fin transporté sur icelles et s'en tient content. En laissant outre ce ledit Seigneur vendeur au dit Seigneur acquéreur au dit nom la propriété de 12 esclaves tant nègres que négresses et leurs enfants, le service de tous les serviteurs françois à luy engagés pour autant qu'il leur reste à faire leur service payés par ledit Seigneur acquéreur au dit nom leur gages à l'advenir, et en considération en ce que leur travail demeure pour ledit Seigneur acquéreur au dit nom dès ce jour ; comme aussy l'artillerie au nombre de dix pièces de canon de fer, fusils, mousquets, et

18. Il manque : « par actes... »

autres armes qui se trouveront dans les forts et habitations dudit Seigneur vendeur, avec les munitions de guerre, magazin, la dicte habitation, logement ustancilles, et générallement tout ce qui se trouvera sur icelle habitation appartenir au dit Seigneur vendeur ; pour de tout ce que dessus vendu, cédé et transporté, jouir, faire et disposer par ledit Seigneur Comte de Cérillat ses hoires et ayant cause du jour de la prise de possession cy-après comme des choses à luy propriétairement appartenir de vray et loyal acquest, de laquelle prise de possession sera faicte acte sur les lieux pour servir et valoir aux parties en temps et lieu ce que de raison. Cette présente vente cession et transport et deslaissement faict tant moyennant la somme de quatre-vingt-dix-mil livres tournois, outre et aux conditions cy-après déclarées. Sur laquelle somme sera consigné par ledit Sieur le Comte de Cérillat en son dit procureur quarante-cinq-mil livres tournoies en la ville de Paris èz mains de monsieur de Nicromesny [19] conseiller du Roy en ses conseils d'estat et premier maistre des requestes ordinaires de son hostel, ou de monsieur le président du Hameau [20] laquelle consignation sera faicte avant le départ de ladicte ville de Paris dudit Seigneur Comte de Cérillat ou de celuy qui en son nom viendra prendre possession de ce que dessus vendu. Et pour tout terme et de lay ladicte consignation est accordée et qu'en outre lesdittes parties qu'elle se fera au plus tard du jour et feste de la Toussaint prochain venant en un an après de laquelle somme quarante-cinq-mil livres tournois consignée sera faicte délivrance au dit Seigneur vendeur ou autre pour luy (73v) aussytost qu'il aura faict apparoistre l'acte de laditte prise de possession en déduction du prix de la présente vente. Ledit payement de la somme de trente-mil livres tournoies sera faict par ledit Seigneur Comte de Cérillat ou procureur pour luy immédiatement un an après le jour de laditte prise de possession et les 15 mil livres tournois restants et fesant le total payement du prix des présentes sera faict six mois après le susdict jour et terme dudit second payement. Promet et s'oblige ledit Seigneur acquéreur au dit nom d'entretenir et entièrement

19. Le conseiller Dyel de Miromesnil cousin et protecteur de Jacques Dyel du Parquet.

20. Le président Dyel du Hameau était aussi cousin de du Parquet.

accomplir, pour le regard [21] du fond de ladicte isle de La Grenade et Grenadins, les clauses et conditions ausqueles par l'édit du feu roy Louys 13me d'heureuse mémoire du mois de mars 1642, dont est apparu au dit Seigneur acquéreur au dit nom les seigneurs de La Compagnie se sont obligéz envers sa ditte majesté et du tout en descharger et indemniser ledit Seigneur vendeur, pareillement sera tenu ledit Seigneur Comte de Cérillat ou son dit procureur de rembourser ledit Seigneur vendeur depuis la St-Jean Baptiste prochain venant ou après, des frais qu'il conviendra faire pour la subsistence et nourriture des serviteurs, engagéz, et 12 esclaves, leurs enfants desquelles personnes ledit Seigneur acquéreur court risque dèz ce jour tant de leur mort que de leur fuitte. Et jusqu'au dit jour et feste de St-Jean Baptiste ledit Seigneur vendeur s'oblige en payer et fournir ce qui conviendra pour la subsistance et nourriture, cy-dessus déclarée à ses frais et despens. Comme aussy sera tenu ledit Seigneur acquéreur au dit nom après le susdict terme de St Jean Baptiste prochain venant expiré de rendre et payer au dit Seigneur vendeur les frais qu'il conviendra faire si besoing est pour maintenir et deffendre laditte isle de La Grenade et Grenadins des entreprises et attaques de tous ennemis qui voudroient l'envahir et faire entreprise sur icelle. Desquels frais et despens, ensemble de ceux de la subsistence et nourriture mentionnée en l'article cy-dessus, ledit Seigneur vendeur sera veu selon l'estat qu'il en fournira, en luy signé et affirmé véritable, sans estre tenu à plus grande vérification. Et s'il arrivoit qu'avant ledit susdit jour de prise de possession ladicte isle Grenade et Grenadins fussent envahis par quelques ennemis que ce soit ; ces présentes demeureront nulles et de nul effect, comme est (?)[22], sans pour ce prétendre de part ny d'autre aucuns despens, dommages et intérests. Et en cas que ledit Seigneur Comte de Cérillat acquéreur décédat depuis le jour des présentes jusqu'au jour que le navire fera voile pour par luy ou par son député venir prendre possession de laditte isle Grenade et Grenadins, lesdictes 45 mil livres tournois consignéz retourneront aux héritiers dudit Seigneur Comte de Cérillat, si mieux ils n'ayment accomplir le présent contract. Et si le décéde dudit

21. Pour ce qui regarde, en ce qui concerne.
22. Un mot qu'il a été impossible de déchiffrer.

Seigneur Comte de Cérillat arrive durant son voyage et traversé pour venir prendre possession à laditte isle soit par luy ou son député, tous les effects qui se trouveront apartenir au dit Seigneur Comte dans l'embarquement en quelque nature que ce soit demeureront au dit Seigneur vendeur sans aucun contredict (74r) tant pour les desdommagement pour la perte qu'il aura souffert faute de l'accomplissement des présentes, que des travaux faicts par les serviteurs et esclaves dudit Seigneur vendeur à luy inutils et profitables au dit Seigneur acquéreur et desdits frais que ledit Seigneur vendeur aura faicts pour la subsistence de ladite isle, serviteurs et esclaves depuis le susdit jour de St Jean Baptiste prochain venant, et lesdittes 45 mil livres tournois consignéz retourneront comme devant est dict aux distes hoires s'ils ne veulent accomplir ces présentes ; et si la mort dudit Seigneur acquéreur survient après laditte prise de possession faitte soit par luy ou son dit député, lesdits 45 mil livres tournois consignéz demeureront au profit dudit Seigneur vendeur avec tout ce qui se trouvera appartenir au dit Seigneur Comte de Cérillat en ladicte isle Grenade et Grenadins, si ce n'est que les hoirs dudit Seigneur Comte voulussent accomplir le présent contract en toutes ses circonstances. Et si depuis laditte prise de possession de ladicte isle Grenade et Grenadins par les desputés dudit Seigneur acquéreur en reçoit advis de la mort arrivée avant laditte prise de possession, ledit desputé pourra se retirer de laditte isle Grenade et Grenadins avec tous ses engagéz, esclaves, et tout ce qui luy apartiendra ; ce qui est pareillement accordé à toutes personnes libres qui seront venües avec luy, ayant au préalable satisfaict à leurs debtes ; et aussy expressement accordé entre lesdittes parties que si ledit Seigneur vendeur est décédé avant laditte prise de possession ou après ladicte consignation desdictes 45 mil livres tournois en ce cas ledit Seigneur Comte de Cérillat ou son député sera en possession de laditte isle de La Grenade et Grenadins par la veuve dudit Seigneur vendeur ou à son deffaut par le tuteur des mineurs ou autre ayant pour ce pourvoir. Et après que ledit Seigneur Comte de Cérillat ou son député aura pris possession de laditte isle de La Grenade et Grenadins, le Sieur de Valmainnier Lieutenant général pour ledit Seigneur vendeur en laditte isle de La Grenade, pourra se retirer d'icelle avec ses serviteurs engagéz et esclaves, meubles, vendre les terres et disposer comme bon luy semblera de tout ce qui trouvera luy appartenir dans laditte isle et en faveur des habitans de laditte isle de Grenade, dont les noms sont enregistréz au greffe de laditte isle ; comme aussy les surnomméz La Feuille et la Verdure, qui ont esté cy-devant sergens à S.te Alousie, il leur est accordé qu'ils ne payeront pour tout droict que vingt livres de pétun par teste, tant pour eux que pour leurs serviteurs et esclaves en tel nombre qu'ils en pourront avoir et seront pareillement exemtéz ès courvées [23] aussy pour eux et leurs gens. Item ne pourront les habitants de laditte isle de La Grenade et Grenadins estre desposédéz des terres qui leurs ont esté données en propriété et semblablement les RR. PP. de l'ordre des Frères prescheurs jouiront à propriété d'une face à eux donnée par ledit Seigneur vendeur au lieu nommé le fond du Grand pauvre, qui doit contenir 400 pas de largeur sur 15 cent pas de haulteur, et trois pieds et demy par pas, à prendre du bord de la mer après la trenchée [24] et au moyen de la présente vente et en faveur d'icelle ledit Seigneur vendeur fournira au dit seigneur Comte de Cérillat, démission de Sa Lieutenance généralle pour le Roy en laditte isle de Grenade et Grenadins seulement sous le bon plaisir de Sa majesté, laquelle démission toutefois n'aura lieu si ledit Seigneur (74v) acquéreur est défaillant d'exécuter les clauses portées au présent contract, et pour l'exécution des présentes et dépendances lesdittes parties ont réciproquement esleu leurs domicilles irrévocables en la ville de Paris, à scaveoir ledit Seigneur acquéreur au dit nom en la maison du Sieur Sanguin maistre d'hostel ordinaire du Roy et de Son altesse royalle monseigneur le Duc d'Orléans size au faubourg S.t Germain-des-Préz de Paris en France ; et ledit Seigneur vendeur

23. Exemptés de corvées.

24. La « tranchée » est la bande qui fut appelée par la suite des « 50 pas du Roi » ou des « 50 pas géométriques ». Le terme « pas du Roi » ne désigne pas une propriété royale, car il n'existait aucune restriction à la propriété des seigneurs, mais l'unité de longueur « pas du Roi » ou « pas géométrique » ou « pas allemand » qui valait 5 pieds. Cette « tranchée » qui faisait le tour de l'île, large d'environ 80 mètres, comptés du côté de la plage à partir des premières herbes, était destinée à assurer la défense, à permettre la réalisation de chemins et de bourgs. Le propriétaire des fonds dominants en avait la jouissance sous réserve d'un emploi dans l'intérêt commun par exemple pour construire un fort.

en l'hostel dudit Seigneur de Miromeny size en laditte ville de Paris en la rue des grands Augustins près l'hostel de Nemours, ou en l'hostel de mon dit Sieur président du Hameau size place Royalle. Ausquels lieux nonobstant voulants lesdittes parties et constituant les porteurs des présentes leurs procureurs généraux et spéciaux ausquels ils donnent pouvoir de requérir tous actes de justice pour estre condamméz respectivement à l'entier enregistrement des présentes, car ainsy le tout a esté dict, conveneu et accordé entre les parties, en faisant et passant ces présentes, qui autrement n'eussent esté faictes et passées entre elles ; promet tant obligeance chacun en droict soy, ledit Seigneur de Maubray au dit nom renonçant de part et d'autre.

Faict et passé en laditte isle Martinique en l'hostel dudit Seigneur vendeur l'an 1656 le 30me jours d'octobre avant midy, ès présences du Sieur Anthoine Héroux Lieutenant, et François le Vasseur [25] enseigne d'une Compagnie en laditte isle Martinique qui ont avec lesdittes parties signés à la minute du présent contract avec le notaire soubsigné [26] ».

Les uns et les autres ont parlé d'un serment ; mais tous ont esté de ce sentiment, mesme les plus affectionnéz au service et attachéz aux intérests de Monseigneur le général, que le prix en estoit excessif. On a creu que la cause en a esté le tour du baston [27], que les uns ont faict monter à vingt mil, les autres à 10, les plus modéréz à 4 avec sa lieutenance de La Martinique [28]. Quel intelligent je vous prie, de faire si bien ses affaires !

---

25. François Levasseur ou Le Vassor. Né à Paris en 1628, fils de Jacques Levassor procureur, conseiller au Parlement de Paris, agent des affaires de Monsieur frère du Roi et de Marguerite de La Lande, fille d'un marchand apothicaire, vint à la Martinique vers 1645, marié à une riche veuve Léonarde Fouché. Il créa une importante sucrerie à Saint-Pierre, fut conseiller au Conseil souverain, mourut à Saint-Pierre en 1698.

26. Pour plus de clarté nous avons ajouté des guillemets qui ne sont pas dans le texte. Le dernier mot de la citation est en fin de ligne dans le manuscrit, il est suivi d'un interligne.

27. « Locution prise des joueurs de passe-passe qui ont d'ordinaire en main un petit bâton... profit secret et illicite » selon Littré. L'auteur accuse ici Jacques de Maubray. Là réside sans doute le motif pour lequel il passe entièrement sous silence l'intervention de son confrère le R.P. du Tertre.

28. Du Parquet avait acheté en 1650 la Martinique, Sainte-Lucie, la Grenade et les Grenadines pour 42 500 livres. Il revend 90 000 livres

Quel jugement d'honneur de couvrir soin de tant de si, de conditions, et de cas ? Quel amis de jouer un si beau traict de fidélité et quel serviteur de rendre un si bon service à une personne illustre à qui elle est si estroittement obligé pour tant de biens en subsistant il y a tant de temps que par ses libéralités ! J'ay honte d'une telle fourbe et en seay comment mon papier n'en rougit, portant les charactères d'une perfidie si détestable. Pourquoy aussy se fier tousjours plustost à des estrangers, encor à des Escossois ? Voylà le malheur de la pluspart de nos grands de se servir tousjours plustost de tels gens, que de ceux de leurs propre nation, et comme si toute la sagesse, la prudence, l'affection et la fidélité du monde estoient alembiquées en leur teste. Ils les consultent comme des oracles, ont recours à eux comme à celuy de Delphis et s'arrestent à leurs advis comme aux asseurances de leur bonheur. Et le plus souvent il ne faut q'un petit défaut pour leur faire leçon et imposer silence, je veux dire q'un petit intérest pour les emporter, toutes les histoires nous en font foy par tant d'estranges exemples qui devroient les rendre plus advisèz ; néantmoins ils ne laissent au mespris des leurs qu'ils estiment moins (75r) habiles de prendre ces avanturiers, mais aussy en estant trompéz qu'ils s'en prennent à eux-mesmes, qui vaillent bien leur malheur en voulants séduire des âmes lâches qui ne font que qui plus leur ordonnent. Revenons maintenant à la Grenade qui a changé de maistre [29].

Les Sauvages veuillent finir l'année comme ils l'ont commencée dans le sang et dans les massacres. Leurs guerre n'est jamais que de surprise ; ils attendent des 8 jours entiers derrière des halliers et des buissons pour faire leur coup, et l'occasion s'en présentant, ils ne sont alors que trop hardys à sauter sur un pauvre homme qui y pense le moins, et à l'assommer à coup de boutoux, mais estants descouverts, leurs ruses n'ont point d'autres effects que quelques coups de flesches tirés en

---

la Grenade et les Grenadines, qui furent rachetées par la Compagnie des Indes occidentales le 27 août 1665 pour cent mille livres.

29. L'acte de vente fut ratifié le 26 août 1657 à Paris devant maîtres Tronson et de Troyes et confirmé le 11 juin 1657 à Paris par Jacques Dyel de Miromesnil et le comte de Cérillac lui-même devant Saint-Jean et de Troyes, notaires au Châtelet en même temps que l'acheteur opérait son premier versement de 45 000 livres. Le 22 août 1660 Cérillac n'avait

l'air et quelques injures et de banaglie et de tamoun, c'est-à-dire larves armées et esclaves qui ne deschirent point nos chemises ny esgratignent pas seulement nos peaux. Une rispolte pare toutes ces belles insolance, nos esprits n'estant pas moins inventif à forger telles sortes d'armes, et nos langues pas moins adroittes à s'en servir dans les rencontres que les leurs dans ce dessein de surprendre quelques-uns, ils descendent à pied et en cachette à la faveur des arbres jusqu'à la lizière du bois du Beau Séjour, se doubtans que comme il y a longtemps qu'ils n'ont paru, quelqu'un des nostres ne se desfiant de rien ne manquera d'aller à la chasse du ramier ou du paroquet. Ils seavent nostre humeur que nous ne pouvons tenir longtemps en repos, il faut prendre l'air de la campagne, et comme si nous estions gardéz de cent-mil mains et veilléz d'autant d'ieux, nous allons partout teste levée sans crainte ny desfiance ; et ils s'en servent à nostre perte et nostre ruine, ils ne se trompent pas dans leur pensée, car comme ils sont tapis dans un buisson voicy venir un jeune homme de quelque vingt ans ou environ, avec son fusil sur l'espaul, en bonne volonté d'attraper quelque ramier pour se remettre en goust, se dit-il en sortant, car il y avoit quelques jours qu'il se trouvoit indisposé ; il en descouvre un, mais qui luy coustera la vie en pensant la chercher, car tout autour de luy sont cachéz les Sauvages, qui attendent qu'il ait tiré son coup, pour n'estre plus en estat de blesser des leurs se mettant en deffense. Il le tire sur ce malheureux ramier, et comme l'ayant faict tomber il le va chercher, ils se jettent sur luy, luy arrachant son arme, et le laissent demy mort sur la place. Se voyant pris yl s'escrie, on y court à sa voix, sur le soubçon de quelque malheur, car il n'estoit pas loing de sa guérite seulement de la portée du fusil ; mais on ne trouve plus personnes ayants tous gagnéz aux pieds. On l'emporte au Grand fort pour le faire penser ; mais la playe ayant faict désespérer sa guérison, on le fit disposer à la mort et le lendemain mourut, 20.me de novembre. Quelques quinze jours après ils voulurent se servir de la mesme ruse estant alléz vers la place des cordonniers mais ce sang tout freschement respandu mettant le monde en plus grande desfiance que jamais ils ne réussirent pas, comme

toujours pas payé les deux autres termes. Référence : Abbé Leduc, *la Maison de Faudoas* et Archives nationales, T 103 1/5.

ils s'y attendoient. Car deux vaillans garçons et bons enfants travaillants sur leur place à arracher du manioc, un d'eux tourna la teste sans y penser et voit 7 ou 8 Sauvages qui s'approchoient tout doucement par derrière et à pas de loups ; luy (75v) aussytost mit la main sur son fusil qui estoit tout proche le leurs présente en retraitte, crïe « aux armes ! », son frère le soustien, le voisinage adverty va au secours. Les uns fleschent, les autres tirent ; mais personne des nostres n'est blessé. Et ces barbares voyants que l'on venoit de toutes parts pour fondre sur eux se retirent dans le bois avec paroles outrageuses et insolentes, en quoy ils ne manquent pas pour descharger leurs biles quand ils manquent leurs coups. Tellement que leurs combat ne se passe pour cette fois qu'à du vent, comme une mer irritée convertit toute sa fureur en escumes.

VIII

1657

L'AN DE N.S.	LOUIS 14me	DE CERILLAT	LA GRENADE
1657	14	1	9

Cette année a un mauvois commencement, les suittes en sont fascheuses mais la fin en est autant aymable qu'elle est heureuse, d'autant que si les esprits s'eschauffent et les guerres se rallument dèz les premiers jours de la saison prochaine, pour continuer par le carnage, les feux et les ruines, ils se terminent enfin à une paix qui faict cesser ces désolations, renaistre le bonheur, et restablir chacun dans le repos. Les Sauvages à leur ordinaire se mestent les premiers en campagne dès le mois de mars, et allants tousjours furettans vers nos lizières pour surprendre les moins sur leur garde, ils viennent vers la rivière de St Jean le 22me ou apercevants des nostres qui arrachoient du manioc ils attendent qu'ils l'aient chargé sur leur dos, et incontinent les voyants hors de desfence ils font sur eux une rude (desfence) descharge de flesches qui en blessèrent trois dont un seul mourut le 28me la gangrène, s'estant mise à la blesseure qu'il avoit receue à la jambe et de là glissée au cœur, pour n'avoir voulu permettre qu'on luy coupast chemin en la luy coupant. Puis ils se sauvent comme d'autres accoururent à l'arme, laissans les blessèz sur la place. Mais ce fut pour former le dessein d'enlever l'isle tout d'un coup, en l'attaquant en mesme temps par plusieurs endroits. D'où vient que le jour des Ramaux qui fut le 25me ils nous donnèrent l'assaut aux deux extrémitéz et au milieu de la terre habitée à seavoir, au Beau Séjour en la Grande ance, et derrière La Monnoye, justement comme au retour de la procession on commençoit la messe. Ce qui fut cause que le R.P. missionnaire demeura seul à l'hostel avec le respondant, tout le monde estant sorty de la chapelle pour aller secourir chacun son quartier, aux coups de cornes que l'on entendit de part et d'autre car les uns estoient demeuréz à leur tour à garder la case pendant que les autres estoient à la messe. Les cases en estoient d'autant plus affoiblies, et ces barbares l'ayant recogneus de dessus les arbres et les mornes d'où ils nous regardoient par l'affluence du peuple qui y alloit, ils vouloient alors tirer leurs advantages de nostre foiblesse de sorte que comme les forces disposées sont bien moindres qu'estant unies et ramassées ils nous attaquèrent en plusieurs endroits, affin qu'estant plus foibles à nous desfendre nous ne puissions repousser leurs efforts, leurs abandonnassions tout, et nous retirassions pour sauver nos vies. Mais Dieu qui ne met point ses forces en nos bras quand il veut emporter des victoires (76r) sur les ennemis en son nom, mais dans son vouloir pouvant quand il veut deffaire avec un simple moucheron des armées de (?)[1] et chargéz de fer, nous prenant sous sa garde comme nous estions à son service arresta les Sauvages, qui s'estant à veues descouverts par les sentinelles qui donnèrent l'alarme, n'osèrent s'avancer ; et comme ils ne laissèrent de flescher, chacun arriva en son quartier, qui en estant fortifié et faisans feu partout, on leur fit quitter bien viste leurs pose et nous laisser en repos. Ils nous y laissèrent quelques 3 sepmaines, et environ la my avril ils revinrent paroistre en la Grande ance sur la place du Sieur de Valmainnier gouverneur. A la première descouverte qu'on en fit on alla droict à eux, et on les chargeast si à point, qu'on en tua un sur la place et deux autres moururent quelque peu de temps après de nos coups, s'en retournans dans leurs pirognes en La Capesterre. Les ayants ainsy presque tous les jours sur les bras et ne faisans jamais de bons sommeils, tant ils nous donnoient de peines et d'inquiétudes et de troubles, on prit résolution après avoir bien consulté et deslibéré là-dessus ce qu'on auroit à faire pour avoir quelques moment de patience, de les attaquer dans leurs carbets, pour ne leurs céder en courage, venants bien nous attaquer dans nos cases et nos guérites. Le jour fut pris le mardy

1. Un mot qu'il a été impossible de déchiffrer.

de la Pentecoste 22me de may, qu'on partit après le service avec bien environ 60 hommes et on alla moüiller proche le fond du Quesne ; où ayant mis pied à terre le lendemain dès le petit matin, on tira droit aux carbets le long du jour, en estants proche le fond sur le soir, à la porté du fusil, on se cacha au-dessous d'une roselière, d'où l'on sortit sur les onze heures de nuict, et le monde estant partagé en trois on alla fondre sur deux carbets et quantité de cases qui estoient autour. Mais quoy ! comme nous fusmes descouverts quelque moment aupa-ravant, les Sauvages s'en estoient enfuis et avoient tout aban-donné sans avoir eu le loisir de rien emporter avec eux, encor bien aise de sauver leurs vies. On y gagna 4 nègres, qui d'abord que nous parusmes se vinrent rendre à nous, se mettant à genoux et se disants bons christians, pour dire chrestiens aussy avoient-ils esté baptizéz par les Portugais et de qui les Sauvages les avoient eus, et estoient ravies d'estre tombés entre nos mains, ayants horreurs des Sauvages qu'ils appelloient « chiens ». On mit le feu partout et on emporta tout ce qu'on peut trouver de bon et à nostre usage, comme des licts et des canaris [2]. On brisa le reste avec une pirogne et deux canots on feignit de s'en retourner ; ce que voyants quelques-uns des plus hardys de ces Sauvages, ils voulurent nous poursuyvre, mais il leurs en prit très mal, ne seachants pas qu'il faut au besoing faire un pont d'or à ses ennemis ; car comme ce n'estoit q'une feinte pour les attirer du lieu où ils s'estoient cachéz ils ne manquèrent pas de se venir jetter dans nostre ambuscade où l'on en blessa plusieurs. Il n'y en eut pourtant q'un qui demeura sur la place, appelé Jacques filz du grand Babas, et les autres s'enfuyrent avec leurs blessures, qui marquoient leurs route de leurs sang, et l'abondance faisoit juger qu'ils ne la feroient pas longue. Ce rouage les mit bien bas quoyqu'ils en voulussent avoir (76v) revanche, et à cet effet espiants l'occasion, le propre jour du St Sacrement dernier jour de may, ils vinrent au Beau séjour, où ils parurent autour du fort du Sieur Blanchard y tirant plusieurs flèches comme l'on estoit à la grande messe. On advertit aussytost par un coup de boëlte et on y alla le plus promptement qu'on pust. Eux se retirants du côté à l'ance du

2. Canari : mot caraïbe qui désigne un récipient en terre cuite. Le mot est conservé dans le parler créole actuel.

Grand masle [3], ainsy appelé d'une grande tortüe mal qu'on y prist un jour, et voyant un passant tout seul à leur aventage, ils courent dessus, le lardant tant de flesches et l'assomment à coups de boutoux.

Ils laissent couler un mois et viennent fondre avec 5 pirognes en la Grande ance vers (vers) la case d'un appellé Chioux. Comme ils estoient cachéz proche la lisière du bois, le pauvre homme sur les 7 heures du matin alla chercher quelque ramier pour un malade qu'il avoit chez luy et qui l'en avoit prié. Il n'y fust pas plustost entré qu'ils se jettèrent sur luy et l'assommèrent. Les voylà aussytost sortis en place où ayants veus des nostres qui travailloient ils tirèrent dessus et en blessèrent un qui ne s'estants peu retirer assez viste pour sa blessure, ils l'attrapèrent et le massacrèrent au lieu mesme. Les autres s'en estants enfuis laissants mesme leurs armes, donnèrent l'alarme, qui ne donna néantmoins aucune espouvante aux Sauvages ; tant s'en faut, ils gagnèrent une éminence où ils firent face et tinrent ferme faisans fondre une nuée de flesches partout le quartier, jusqu'à ce que les habitans y ayants accourus, et eux ayants recogneus qu'on en fesoit filer quelques-uns par des chemins escartéz pour les enfermer, ils se dissipèrent ainsy que poussière au vent et s'en allèrent à leurs pirognes. Comme ils fleschoient en si grande quantité un des nostres en receut un coup qui fut celuy de sa mort. Ce qui arriva le troisiesme de juillet. A leur retour ils eurent dessein de s'arrester en la rivière St Jean. Mais on l'empescha à grands coups de fusil de mettre à terre. Ils furent donc que contraincts d'avancer vers le Beau séjour, on y courut pour les y battre. Ce qu'ayants veus ils gagnèrent La Capesterre n'ayants rien gagnés pour cette levée de boucliers que deux ou trois fusils autant de pistolets et quelque peu de munition. Ils estoient environ quelques 200 en 5 pirogues. Cet échec ne les contenta pas ne pouvants récompenser les grands dégasts que nous leurs avions faicts. Que faire et à quoy se résoudre ? Ils mendient partout du secours et partout on leurs en refusent quoyque quelque (?) [4] se jettent parmy eux pour faire quelque puissant effort ils vont en Terre Ferme solliciter les Galibis et les Aroüa-

3. Au sud du Beauséjour à mi-chemin du Fort.
4. Un mot qu'il a été impossible de déchiffrer.

gues, l'Espagnol mesme et ses mulastres ; mais le feu est chez eux, qu'ils ne seauroient eux-mesme esteindre. Ce qui les faict retourner sur leurs pas ; et comme ils ont mis pied à terre à la pointe de Coyrony [5], ils apparurent six des nostres à la chasse, qui les ayants aussy veu se retranchèrent dans un caverne pour se mettre mieux en deffence s'ils en estoient attaquéz. Ces barbares ne manquèrent pas de les y investir aussytost (77r) pensans les avoir ou par la faim ou par la soif. Cependant ils y décochèrent une quantité de flesches sans auncun effet, et nos investys mesnageants leurs munitions ne tirèrent jamais à faux ; néantmoins il n'y eust que deux Sauvages tüéz. Or pendant ce beau siège, qui dura deux jours un nègre qui estoit en la compagnie des nostres voyant qu'ils en estoient pousséz, se sauva comme un esclair et vint advertir du danger où ils estoient. On despêcha aussytost des soldats pour faire lever le siège. Les Sauvages les ayants entendus venir n'eurent garde de les attendre, mais au premier bruit ils deslogèrent et se jettèrent promptement dans leurs pirogues. Voylà les nostres en liberté qui appellèrent en depuis ce lieu le fort Jeudy [6], d'autant que ce fut un jeudy que cela arriva, 25me d'octobre.

Ces barbares s'estants tous assembléz en La Capesterre pour prendre advis sur leurs affaires présentes, et ayant considérés que leurs ennemys estoient trop puissants pour les exterminer de La Grenade que personne ne les vouloit assister à cet effet, que toutes leurs entreprises ne retourneroient le plus souvent qu'à leur honte et à leur dommage, qu'ils perdroient incomparablement plus en la guerre contre nous, qu'ils n'en retireroient ; leurs gens massacréz dont un seul leurs estoit plus cher que 100 mariniers France ; leurs pirogues brisées dont la moindre leur coustoit plus que toutes nos guérites ; leurs canots fracasséz, dont le plus chétif valoit mieux que toutes nos cases ; leurs lits enlevéz, qu'ils estimoient davantages que toutes nos carognes [7] ; toutes leurs commoditéz emportées,

5. Il s'agit sans doute de la pointe de Caliviny, selon une transcription qui apparaît sur les cartes du XVIIIe siècle et qui est conservée de nos jours.

6. La « pointe du Fort Lindy » immédiatement à l'est de l'île de Caliviny.

7. « Carognes » méchantes femmes.

que toutes nos rassades, caracolys et autres traites [8] ne payeront jamais ce qu'elles vallent ; leurs cases ruinées, leurs carbets brusléz, en un mot tout ravagé, ils conclurent que la paix leurs seroit plus advantageuse, car nous ayants par ce moyen pour amis et bon compères ils pourroient traister tout doucement avec nous, en tirer tousjours quelques petits profits, et se restablir en leurs demeure ; et là-dessus en députèrent huit d'entre eux dont le principal estoit le capitaine du Buisson, pour venir nous demander la paix. Ils vinrent à ce dessein au Beau Séjour et auparavant que de passer outre, estant vis-à-vis la case d'un habitant qu'ils recognoissoient, ils y avoit longtemps, ils l'appellèrent. Luy estant allé vers eux, sur leurs paroles qu'ils ne luy vouloient du mal, ils lui firent ouverture du faict de leur venüe de la part des autres Careibes, et le prièrent de leurs y vouloir servir, de leurs donner entrée vers le Sieur De Valmainnier gouverneur, et de leurs faire avoir audience, mais que ce soit avec seureté de leurs personnes et de leur équipage. Cet habitant en vint donner advis au Grand fort, on luy promit toute seureté et qu'ils seroient les très bienvenus. Ils retourna vers eux et les assura d'un très bon accueil sans crainte ny desfiance. Les voylà donc qu'ils s'en allèrent tous de compagnie au Grand fort le 12me de novembre sur les deux heures après-midy dans une (77v) pirogue portant pavillon blanc, mirent pied à terre, entrèrent et après leur compliment faict à leur mode sauvages que ils tesmoignèrent de grands desplaisirs de ce qui s'estoit passé entre nous et eux ; mais que si nous voulions, le mal n'estoit pas encor si grand, qu'on n'y put remédier par une bonne paix, qui bani estant les guerres aporteroit aux uns et aux autres tous les contentemens qu'ils seauroient désirer. Qu'au reste ils ne demandoient pas mieux que de vivre en bons amis et bons compères avec nous. Et c'est de quoy ils estoient venus nous porter parolle et asseurer de la part des autres Careibes. Jamais demande ne fut plus aggréable que celle-là, car aux autres [9] on nous demande un bien, dont nous nous privons en le donnant ; mais en celle-là

8. Caracolys, ornements traditionnels des Caraïbes, « traites » pour « objets de traite, d'échange ».

9. « Aux autres (demandes) », dans le cas des demandes habituelles... « mais en celle-là (demande) nous en donnons un (bien)... »

nous en donnons un sans nous en priver. Comme les astres nous communiquent leur lumière sans aucun préjudice ny diminution aucune outre que si c'est leur souhait, c'est bien le plus ardent de nos désirs, comme un enfant ayant envie de la mamelle, sa nourrice la luy présente d'autant plus volontier, qu'elle se fait un plus grand bien à elle-mesme, en la luy donnant qu'en la luy refusant. Si jamais la Grenade vit un jour heureux depuis qu'elle est en nature ce fut celuy qui brilla pour lors sur ses mornes, ses rochers et ses rivières. On leurs fit response, quoyque sans les esfaroucher ny se monstrer fascheux ny trop difficilles, telle q'un superbe victorieux peut faire à un misérable captif qui demande la loy et s'y sousmet, puisqu'il a succombé à la puissance de ses armes, que puisqu'ils se rengoint à la raison on leurs pourroit bien accorder cette faveur mais s'ils en abusoint une fois, ils n'en devoint plus espérer aucune. On faisoit semblant qu'on eust encor mieux aymé une bonne guerre, que tout accord avec eux, quoyque ce fusse au plus loing de nostre pensée, mais c'estoit qu'on vouloit leurs faire accroire qu'on les obligeroit beaucoup en leurs accordant leurs demande, affin que le souvenir de leur obligation les retint d'autant plus fortement dans leur devoir qu'on leur faisoit un plus grand bien, et qu'eux-mesme recherchoient pour se mettre en repos ; seulement qu'ils nous fussent bons, et que nous leurs serions bons, qui est la façon de parler et de se faire entendre à eux ; qu'ils en communiquassent au plustost aux autres Chareibes de St Vincent, de La Martinique et de La Dominique, la paix n'estant point asseurée si elle n'estoit généralle, car il y pourroit avoir de la supercherie, les uns par malice et en trahison massacrans les nostres qui ne s'en desfieroient pas pour le respect de la paix, et puis s'en deschargeant sur les autres qui n'y auroint pas voulu consentir. Et comment recognoistre ceux qui auroient faict le loup puisqu'ils sont tous vestus de la mesme sorte, portent les mesmes couleurs, avec le mesme langage portent les mesmes armes, ont les mesmes intérests, vivent tous ensemble et sont de mesme intelligence. Ce qui faict q'une paix ne seauroit estre bonne si elle n'est qu'avec quelques particuliers (78r) estant subjets à beaucoup de malheurs et à quantité d'accidents ; mais pour les prévenir elle devoit estre avec eux tous pour estre bonne et bien asseurée.

En attendant leurs résolution on exerceroit de nostre part aucun acte d'hostilité ; aussy que du leur il n'y en eusse point ; autrement reprenants les armes, ce seroit avec plus de fureur et ne jamais renouer avec eux. Ce qu'ils confessèrent et comme les jeunes plantes viennent mieux quand elles sont doucement et modérément arrousées, on arrousa ce pourparler de paix avec eau-de-vie, puisque c'est la paix qui semble nous donner la vie et nous l'entretenir, sans elle n'y ayant partout que des horreurs et des affreuses visages de mort. Encor pour comble d'affection leurs donna-on quelques rassades et à chacun deux grains de christal. Les voylà extrêmement contents et s'en retournèrent tous joyeux avec promesse de revenir au plus tost pour conclure entièrement sur l'acceptation et l'advis des autres. A quoy ils ne manquèrent pas car après que le capitaine Nicolas de La Martinique eust passé par icy le 10me de décembre s'en allant en Terre Ferme avec environ 10 Sauvages, pour se joindre à d'autres contre les Aroügues, faisant la mesme demande que le capitaine du Buisson et aggréant tout ce qui se passeroit sur ce subjet, et que d'autres Cariebes de St Vincent environ 30 ou 40 furent venus le lendemain 11me à ce mesme effect, ledit capitaine du Buisson revint avec 40 ou 50 Sauvages le 21me nous apportant le rameau d'une paix généralle avec trois belles tortües, un riche caret [10] et des lézards pour présents et marques de l'acceptation et ratification de tous autres Cariebes et Galibis de toutes les isles adjacentes. Bien ayses de cela comme de pauvres hommes qui descouvrent un thrésor, des voyageurs altéréz qui trouvent une source et des gens fatiguéz qu'on fait deslasser à l'ombre et à la frescheur de quelque vent agréable ; on les régala comme on pust, et on leurs donna pour présens et pour gages et asseurance de paix des haches, des serpes et des cousteaux. Cette fois-là ils furent pleinement satisfaicts, s'en retournants avec toute la joye du monde, et depuis ils nous vinrent voir à l'ordinaire nous apportants quelque chasse et quelque pêche, des fruits mesme du pays, pour avoir de nous quelque commodité. Ainsy voylà une seconde paix avec les Sauvages après une sanglante et fascheuse guerre de

10. Tortue (*chelone imbricata*) dite tuilée, d'environ 1 mètre, dont l'écaille est très appréciée. Le nom est d'origine malaise, adopté par les Espagnols.

4 ans. Allons maintenant faire un tour en France pour y voir les affaires de La Grenade.

Nous vismes l'année passée que monsieur le Comte de Cérillat acheta de Monseigneur le général du Parquet La Grenade et ses Grenadins. Il en vint prendre luy-mesme en personne une réelle et actuelle possession, la pièce, le vaillant bien, ce dit-il, puisque la paix nous est si haute dans ce dessein dèz le mois de juillet dernier. Il passa contract avec un marchand du havre de Grâce pour équiper trois navires, deux pour La Grenade, et le 3me pour aller aux nègres en suitte un traitté qu'il en avoit faict avec le Sieur le Vasseur de Dieppe pour aller achepter lesdits nègres et que lesdits trois vaisseaux (78v) seroient prests pour le 1er de septembre moyennant 16 mil francs d'avance et payéz le jour du contract. Ainsy se rendit-il au dit havre vers la fin d'aoust avec ses gens jusqu'au nombre presque de 300 personnes seulement. Mais il trouva que lesdits navires ne pourroient partir qu'à la fin d'octobre [11], son marchand ne luy ayant peu équiper q'un navire de 400 tonneaux pour la Grenade et un flibot pour les nègres. Voylà enfin ces deux vaisseaux prests, de trois qui le devoient estre mais le malheur voulut que sortant du port du Havre, celuy de 400 avec tous ses voiles desployés alla rudement se frotter du costé contre une tour, qui l'endommagea fort, de sorte qu'ayant avancé d'environ une lieüe en rade, comme l'on vit qu'il faisoit grande eau on fut contrainct de retourner [12] et au retour par un second malheur il alla encore la heurter de son autre qui de la roideur le fit entrouvrir davantage en telle façon qu'il faisoit plus grande eau ; en ce malheureux estat, il ne laissa de gagner le port, où il fallut relascher pour le faire racom-

11. Cérillac « fut obligé de mettre tous ses hommes dans 2 navires qui étaient à la rade, où Le Marchand ayant été obligé de les nourrir pendant 2 mois ils y souffrirent plus de misères qu'ils auraient fait en 3 voyages à l'Amérique ». « Monsieur de Cérillac s'étant arrêté à Honfleur avec les principaux de sa suite et quelques familles de ses quartiers qui s'allaient établir à la Grenade ils y mangèrent jusqu'au dernier sol » (du Tertre, t. III, p. 511). Le vaisseau s'appelait le *Saint-Antoine*.

12. Le père du Tertre qui était de cette première expédition accuse le propriétaire du navire d'avoir volontairement provoqué cet accident pour ne pas partir (du Tertre, t. I, p. 512). Le père du Tertre se brouilla à cette époque avec Cérillac, celui-ci ayant en sous-main traité avec les Capucins pour les missions de la Grenade.

moder. Comme il ne le fut que vers la fin de novembre ils sortirent leur dit serment le 1er de décembre veilles de l'Advent sur les 10 heures de nuict [13] ; mais ils ne furent pas trois jours en mer, qu'estants ès costes d'Angleterre, ils furent surpris d'une furieuse tempeste, qui empescha le flibot d'avancer et le fit retourner sur la route jusqu'au lieu de son départ, d'où il reprit quelques jours après celle de Guinée pour des nègres. Il y avoit quelque intelligence secrette qui présidoit à cet embarquement car si elle espargna pour cette fois ce flibot, ce fut qu'elle l'avoit réservé à un autre malheur plus fascheux qui fit tout périr au retour, ne nous laissant que le regret particulièrement de la perte, d'un généreux chevallier de Malthe, qui le commandoit appellé Dubois ; pour le navire [14] il se sauva. Avec bien de la peine a pu courir en Angleterre où il arriva le 6me de décembre et la colonie y demeura jusqu'au 26me d'avril de l'année prochaine, qu'elle en partit dans un autre navire, ainsy que je feray veoir en son lieu. Il semble que le choc qu'ils fit à la 1re sortie du port du Havre fut un présage de cet eschoüement pour disposer les esprits à recevoir une plus grande disgrâce. (...)[15] (79r) La divine providence prenant un soing amoureux de la personne de monsieur le Comte de Cérillat, voulut préparer son esprit par cette légère disgrâce à une plus grande afin que sa constance ne fut point troublée à la veüe d'un accident, qu'il n'auroit pas préveu. Aussy le nausfrage estant arriver, jamais on ne vit constance plus résolüe, ny force d'esprit plus héroïque que la sienne, s'eslevant bien au-dessus de toutes ses pertes, et ne les considérant que comme des festus dont le vent se joüe. Il vit son monde en désordre, et

---

13. D'après du Tertre, c'est Cérillac lui-même qui malgré la tempête et les vents contraires donna l'ordre du départ et « résolut de tenir la mer, contre le sentiment de tout le monde ». Le timon du navire sortit du gouvernail quelques sabords s'étant ouverts, l'eau entra de 3 pieds de haut dans le navire, tout le monde se crut perdu... « on tombait les uns sur les autres, tout nageait dans l'eau, les canons qui n'étaient pas bien amarrés roulaient d'un bord à l'autre... cette tempête dura 3 jours pendant lesquels il mourut 15 ou 20 personnes ». Ils finirent par aborder à Portmouth où « plusieurs moururent de misère » les autres désertèrent et Cérillac se trouva engagé dans un procès à Londres. Du Tertre regagna la France (du Tertre, t. I, p. 513).

14. Le *Saint-Antoine,* celui de 400 tonneaux.

15. Une page environ.

les maladies y faire un grand ravage, il apprit lorsque ses plus confidents l'avoient vendu en acheptant en son nom une pierre de verre pour un diamant, et donnant pour une fausse perle le prix d'un orientale ; il seait que pour couvrir leurs infidélité ils avoient conspiré contre luy par une exécrable félonnie, afin que ses yeux ne vissent une perfidie, que les leurs ne pouvoient pas mesme supporter, de sorte qu'ils fussent péry par leurs malice s'il n'eussent péry par celle du temps. Il recogneut que ceux-là mesme pour qui il avoit tant de bonnes inclinations et vouloit faire la fortune estoient à le ruiner les premiers et comme s'ils jouaient au roy despouillé, qui le tiroit d'un costé qui d'un autre pour achever plustost sa ruine ; il se sont tout d'un coup accablé (79v) de maladies qui le portèrent à l'extrémité pour faire voir celle de sa patience ; et pendant ces tristes accidens sa colonie de desbanda, en voulant par une honteuse lâchesté suivre que pour les roses celuy que le malheur avoit jesté dans les espines. Le pasteur frappe dit un prophète, les brebis s'escarteront aussytost. Il esprouva au jour de sa passion la vérité de cet oracle, ayant esté abandonné des siens pour n'estre enveloppé dans son désastre. Et luy-mesme l'avoit bien préveu lorsqu'il leurs dit que chacun d'eux se retireroit chez soy et le lesseroit tout seul. Néantmoins nonobstant tout cela capable de renverser l'âme de la plus forte trempe, monsieur le Comte de Cérillat demeura tousjours dans une mesme assiette, sans relascher un moment de la grandeur de son courage. (...)[16] D'où vient je vous prie cette merveille ? C'est qu'il avoit préveu tous ces malheurs dans le heurt que fit son navire contre la tour du Havre, comme dans un advis que Dieu luy donnoit de se tenir prest à en recevoir d'autres de sorte qu'ayant fortifié sa résolution par cet advis qu'il en eut, comme un autre David se voyant au milieu de tas de maux il n'en fut aucunement troublé parce qu'il s'y estoit préparé. En quoy nous ne pouvons assez admirer la sagesse de Dieu de trouver de si puissants moyens pour nous conserver dans la tranquillité, et dans le repos parmy les traverses et les infortunes et la bonté nous les a présentée ; et c'est à nous à les recevoir et nous en servir pour estre content dans les afflictions, joyeux dans les desplaisirs, et paisibles dans les fascheries les plus amères.

16. Quatre lignes.

IX

1658

L'AN DE N.S.	LOUYS 14me	DE CERILLAT	LA GRENADE
1658	15	2	10

(...)[1] (80r) Nous jouissons du bonheur de la paix depuis 2 mois de ça, et ces douceurs que nous goustions sous son ombre délectable, sont tout à coup meslées d'une fascheuses amertume par la triste nouvelle que nous receusmes le 25me de febvrier sur les 5 heures du matin de la mort de Monseigneur le général Duparquet, qui arriva le lendemain des Roys, 7me de janvier de cette année courante 1658 [2], la 45me année de son aage il ne se pust qu'elle ne nous fut extrêmement sensible, veues les grandes bontéz qu'il avoit pour nous. Il nous aymoit comme ses enfants, et avoit pour nous les tendresses d'un bon père. Comme tout estoit grand en luy, on n'en seauroit rien dire que de grand. Il considéroit Dieu en toutes choses, et sa gloire estoit le motif de ses actions. Il avoit une dévotion solide et une pitié masle ; c'estoit une conscience raisonnable que la sienne, et la crainte de Dieu en estoit un des plus riches ornemens. Il brusloit d'un désir ardent de voir que ses isles ne fussent plus que des temples de divinité, le service de Dieu y fusse faict, et des missions establyes. A cet effect il y fit bastir des chappelles, et fonder des couvent aux RR P Dominicains et Jésuites. Il avoit consacré sa bouche aussy bien que

1. Une demi-page.

2. Sept janvier est une erreur, du Parquet est mort le 3 janvier ainsi que le précise une lettre détaillée du R.P. Feuillet datée du 4 janvier et publiée par du Tertre, t. I, p. 520.

son cœur dèz ses tendres années à une telle pureté que jamais parolles mesfiantes ny outrageuses n'en eschappèrent seulement, et ses mains à une telle retenüe qu'il ne les levoit jamais que pour chastier les jurements, les blasphèmes et les insolences ; en quoy il se monstroit sévère en se monstrant juste vengeur des injures de Dieu. Il estoit pourtant dans les affaires, subtil à les desbroüiller, prompt à les résoudre, entier en ses jugemens, et prudent en ses conseils. On admiroit une majesté majestueuse en son port, une rencontre aggréable en son visage, une affabilité charmante en ses discours, une honnesteté non pareille dans ses entretiens, une civilité merveilleuse dans ses accueils, et une accortise [3] grandement aymable dans les compagnies. Encor estoit-il humble parmy tant de respects qu'on luy rendoit de toutes parts, endurant parmy de rudes travers et de fortes contradictions, patient dans ses maladies, sans que leur longueur affoiblit son courage ny leur violence en abbatist leurs grandeur. Enfin il estoit tousjours disposé à tous venants, et tous venants s'en retournoient avec toutes les satisfactions possibles ; quoy sa qualité le reliast hautement par-dessus le bau monde, sa douceur toutefois le rendoit familier et aimable à tous ceux qui avoient besoing de son aide, aux plus chétifs engagéz, qu'aux personnes les plus considérables ; jamais ne refusoit d'escouter leurs plaintes, il les entendoit avec une patience indicible et comme un sage médecin il ordonnoit aux maux les remèdes que sa prudence jugoit nécessaires, si bien que pour ses bons advis il recevoit mil bénédictions de leurs bouche. On l'eust veu comme un soleil qui tiroit et digéroit toutes les vapeurs des vaux et les bralaisons [4] (80v) de la terre, ou comme un océan, qui recevoit les gouttes de pluyes aussy bien que les grosses rivières. A la belle vie, ô la riche conduitte ! Le grand Seigneur, le grand illustre ! Et n'aurions-nous pas sujets de regretter une telle perte ? (...) [5]

Encor pour divertir nos esprits d'une si fascheuse pensée, allons faire un tour dans le bois. D'abord se présentent à nos yeux deux nègres entre les mains des deux chasseurs. Comme ceux-cy partirent du matin au commencement du mois d'avril

---

3. Accortise : humeur accorte. Le mot est admis par Littré.
4. Exhalaisons.
5. Une demi-page.

pour aller à la chasse du cochon du costé du fond du Marquis, ils firent rencontre d'un nègre et d'une négresse qui se sauvoient de La Capesterre des Sauvages ; le nègre estoit à un de St Vincent, et la négresse au capitaine du Buisson de La Grenade, que nous avons veu député en cette paix dont nous jouissons à présent ; et l'un et l'autre baptizéz autrefois par les Portugois lorsqu'ils estoient leurs esclaves, et séparément mariées à différentes partye. Le subjet de leur retraicte estoit qu'estant chrestiens ils ne pouvoient vivre chrestiennement parmy des personnes qui ne vivoient qu'en bestes, et vouloient se sauver. Nos chasseurs donc les ayants entre les mains, comme ils creurent que cette chasse inopinée valloit bien pour le moins toute autre qu'ils eussent peu faire et ce contentèrent, ils retournèrent sur leurs pas et les amenèrent au Sieur De Valmainnier gouverneur, qui piqué d'une convoitise enragée de tout avoir et de tout attraper soit de bon soit de volée il se les adjugea sans autre forme de procèz, disant qu'ils luy appartenoient comme estant au gouverneur du lieu où ils se retrouvoient, et qu'au reste il récompenseroient leurs peines : ainsy luy lachèrent-ils leurs prises ; et qu'eussent-ils faicts et gagnéz de résister à une puissance animée d'une détestable avarice ? Bien des coups de force mettent une inimitié mortelle, et à la fin des maux et des traverses en (81r) quantité. Qu'arriva-t-il ? Ceux à qui ils apartenoient se doubtants qu'ils seroient descendus en La Basse terre parmy nous, s'avisèrent de monter sur quelques mornes des plus élevéz pour voir s'ils ne les recognoistroient point travaillant avec ceux du fort ou avec d'autres. Ce qu'ils firent et aussytost les voylà au fort pour les demander au Sieur de Valmainnier et le prier de les leurs rendre. Luy leurs proteste ne seavoir ce qu'ils vouloient dire n'ayant veu ny nègres ny négresses qu'autres que de son fort et que s'il y en avoit quelques-uns parmy eux, il n'en avoit aucune cognoissance ; qu'ils se transportassent sur le lieu où ils travailloient et s'ils en recognoissoient d'autres que les siens, qui leurs apartinsent qu'ils les prinsent et retirassent. Les Sauvages s'y en allèrent à la bonne foy, croyants bien les y trouver ; mais ils furent bien estonnéz qu'ils ne virent plus ceux qu'ils cherchoient, et qu'on leurs jura avec des sermens exécrables contre toute vérité et toute conscience qu'on ne les avoit jamais veus. Il avoit envoyé secrettement un de ses postillons sur la place pour les faire cacher et faire lubie [6] aux autres. Estants donc retournéz tous honteux ils contestèrent fortement que quoyqu'on voulu faire et dire ils les avoient recogneus de dessus les mornes parmy ceux du fort, et qu'il falloit qu'on les eust faict retirer ailleurs, qu'ils ne pouvoient sans leurs assistance, leur aage en avoit besoing et ne s'en pouvoient passer ; qu'ils le supplioient d'en avoir esgard et de les leurs remettre entre les mains. Il y avoit une vieille bibie qui fesoit pitié fondant toute en larmes et se démenant comme si elle avoit esté possédée, ce qu'on démentoit leurs yeux pour leurs refuser un bien qu'on ne leurs seauroit oster sans injure. Mais toutes ses larmes et toutes ses injures ne purent jamais amollir le cœur du Sieur de Valmainnier que l'avarice avoit endurcy comme une roche. Ce qu'ayant veu le capitaine du Buisson, il luy dit résolument que ce n'estoit pas entretenir la paix avec eux que de retenir ainsy leurs esclaves sans subjet et sans raison, contre la foy publique qu'il luy avoit donnée, de ne leurs faire aucun tort ny à leurs personnes ny en leurs biens ny en quoy que ce fust qui leurs appartient, luy-mesme ne voudroit pas tout sauvage qui estoit, agir de la sorte envers luy en considération de la paix, il luy raméneroit aussytost ceux qui se desrobants de son service se sauveroient en La Capesterre parmy eux, et qu'ils devoit avoir réciproquement les mesmes affections pour eux. Au reste s'il ne le faisoit, les autres Careïbes prenants les mesmes intérest et s'en sentiroient offenséz, pourroient rompre la paix et recommencer la guerre. Leurs consolation seroit qu'il en auroit luy-mesme donné le subjet, au lieu qu'il devroit estre le premier à en estre la cause.

Ce Sauvage luy remontra tout cela avec beaucoup de chaleur et peu d'effect ; il eust beau à le presser par ses puissantes raisons, auxquelles se fussent rendües les plus barbares de tous les (81v) Cannibales. L'avarice enragée du Sieur de Valmainnier ne luy permit de les relascher ; il n'y a que détenir il continüe dans d'horribles parjures qu'il n'a jamais veu ses esclaves, ny n'en seait aucunes nouvelles, qu'ils ne luy en

6. On peut lire lubie ou lubet. Lubie s'emploie quelquefois dans le sens de « feinte par amour », même origine que quolibet : *quod libet,* « ce qu'on veut » (latin archaïque employé dans les collèges du XVII siècle, lubet).

rompent pas davantage la teste, qu'il falloit qu'ils fussent encor dans le bois, et qu'ils les y allassent chercher s'ils vouloient. Quelle foy d'honneur ? Quelle conscience ! Quelle sincérité ! Quel homme de honneur ! Cela se passe ainsy pour cette première fois, et s'en retournent fort mescontents de ce qu'on retient leurs esclaves qui sont toutes leurs forces et toute leur vie. Comme ils estoient sur leur départ et qu'on les entretenoit de choses et d'autres le Sieur de Valmainnier tira à l'escart celuy qui les avoit amené et leurs avoit servy d'interprète et le pria de dire en se retournant au capitaine du Buisson et autres sans faire semblant de rien et couvrant bien son jeu, que les mauvais traittements qu'ils avoient faicts à leurs esclaves les leurs avoit faict perdre et qu'il voyoient bien que la crainte d'en estre encore plus mal traittéz les empescheroit de retourner, qu'ils les devoient tenir pour perdus et les laisser à qui les pourroit attraper s'il vouloient les luy laisser pour de la traitte qu'il leur donneroit il entreprendroit à ses risques de les cacher, et s'il les trouvoit il seroit à luy ; et s'il ne les trouvoit pas la traitte qu'il leurs auroit donné seroit autant de perdu pour eux et autant de gagné à tout le moins pour eux ; en un mot « trouvéz ou non trouvéz, ils auroient tousjours là du gain par provision ». Cette proposition leurs fit soupçonner quelque supercherie, qui ne leurs permit d'entendre à cette belle ouverture de risque. Tant s'en faut ils veillèrent plus que jamais à les pouvoir recognoistre, ce qu'ayants faicts ils revinrent avec leur conduilte et interprète ordinaire au fort et soustinrent au Sieur de Valmainnier que leurs esclaves estoient hier en tel endroict, et faisoient tels travaux avec les siens, et qu'ils le supplioient de les leurs rendre, qu'il ne leurs seroit faict aucun mal, et que s'ils avoient eus quelques mescontentement ils se pouvoient asseurer que jamais ils n'en auroient de leur part ; que la nécessité qu'ils en avoient leurs en feroit avoir plus de soing, les feroit traitter plus doucement, et les leurs feroit espargner sans qu'ils eussent désormais le moindre sujet de desplaisirs ny de plainte. Mais c'est parler à un rocher, il ne les laissera jamais aller, et tousjours proteste dans son faux serments, protestant qu'ils se sont mespris. Eux commencent à s'eschauffer et disent résolument qu'ils n'ont faict aucune mesprises, qu'ils ne se sont aucunement trompéz, qu'on ne seauroit démentir leurs yeux, au reste que ce n'est pas ainsy qu'il y faut aller, que c'est violer la paix et la foy publique, et qu'ils ne voudroient pas nous traitter de la sorte, qu'ils s'en plaindroient hautement à tout le monde ; néantmoins on fit tant que sur les remontrances qu'on leurs fit qu'il n'y avoit aucune apparence que ces esclaves retournassent jamais pour leur mauvais traittement et pour la crainte d'en recevoir de plus fascheux, que plustost ils iroient se précipiter, se tueroient ou se penderoient à quelque arbre. Ils acceptèrent (82r) l'offre qui leurs fut faicte à la valeur de quelque 500 livres pour ce qui en valoit plus de 4 mille. Ils virent aussy bien qu'ils estoient perdeus pour eux, et que ce seroit se rompre la teste à plaisir que de faire davantage d'insistance pour les revoir, puisqu'on n'avoit point envie de les leurs rendre. Il valloit encor mieux prendre ce qu'on leurs en offroit, que de n'en rien avoir tout à faict. Ensuitte on les fit boire comme de bons compères et puis regagnèrent La Capesterre dissimulant leurs mescontentemens qui sera une des estincelles qui allumeront la guerre troisiesme, l'année qui vient contre nous. J'ay voulu remarquer avec toute fidélité, sans fard, sans exaggération, ni induement et simplement cette rencontre pour vous faire détester l'avarice détestable d'un soy-disant gentilhomme qui nous a cousté bien du sang et du désastre. Il prit bien son temps pour la contenter d'autant, comme il avoit faict injustement des quatre nègres de conqueste qu'on fit l'année passée en La Capesterre ; cela estant arrivé après la mort de Monseigneur général Duparquet, qui estoit trop légal pour permettre qu'on rompit la foy publique, et trop généreux pour souffrir en la personne de son Lieutenant une lascheté si infâme.

Le Révérend Père missionnaire ayant eu advis de cette mauvaise pratique et pressentant que ce seroit une occasion de guerre, luy dit nettement qu'il ne faisoit pas bien de retenir ses esclaves, qu'il violoit la foy publique s'il ne les rendoit à leurs maistres, qu'eux-mesmes tout sauvages qu'ils estoient ne voudroient pas l'avoir faict en son endroit au plus grand bien que nous puissions posséder qui estoit la paix, qu'il prévoyoit se rompre au premier jour ; que Monsieur le Comte de Cérillat ne luy pourroit scavoir gré, d'attirer pour un petit intérest la guerre dans son isle où Dieu avoit mis la paix ; tant s'en faut qu'il estoit si porté pour le bien de ses subjets, que si par malheur il y avoit guerre, il leurs voudroit achepter la paix aux despens de ses propres nègres, et de tout son bien, loing de retenir ceux des autres pour avoir la guerre et troubler le repos de ses habitans. Il luy respondit « qu'il se mesla de son bréviaire » ; et ce courageux Père luy répliqua qu'il s'en mesloy en luy représentant son devoir, comme sa charge l'obligoit à le luy représenter, qu'il devroit rougir de son avarice qui sera la désolation de La Grenade et la ruine des habitans, qu'il trahissoit le service du Roy et celuy de monsieur le Comte Seigneur propriétaire de l'isle dont les intentions estoient de faire maintenir leurs sujets en repos et en paix et non pas les destruire par la guerre qui leurs avoit desjà cousté tant de ruines. En quoy il se soucia aussy peu que de festus, pourveu qu'il en eust, et depuis ce temps il le prit plus fort en aversion pour ne pouvoir souffrir une parole de vérité qui regardoit le service du Roy, l'intérest de Monseigneur le Comte de Cérillat, et le bien publique. Il l'avoit prié desjà auparavant pour une autre rencontre, où l'honneur de Dieu estoit notablement intéressé. Ce fut que le Sieur de Valmainnier opinnant [7] en la présence du R. Père (82v) un de ses soldats à maltraitter un habitant pour quelques paroles un peu libres, le R. père dit « qu'il ne valloit pas mieux qu'une mauvaise guerre qu'il falloit plustost adoucir les esprits que de les aigrir les uns contre les autres ; Dieu nous défendoit la vengeance et recommandoit le pardon, luy-mesme nous en avoit donné un si bel exemple en l'arbre de la Croix au plus sensible de ses douleurs, en priant pour ses ennemis ». Il luy expliqua par deux blasphèmes les plus exécrables que jamais puissent ouir tout l'enfer avec tous ses démons que « s'il eust esté en ce temps icy, il eust faict autrement, et que ce qui est bon en un temps ne vaut rien à l'autre ; aussy ses commandemens estoient trop vieux pour valoir encore quelque chose, et qu'il en falloit faire d'autres ». Mon cher lecteur, que dictes-vous de ce langage ? Est-ce celuy d'un homme, d'un gentilhomme, d'un chrestien ? ou plustost d'un démon, d'un esclave, d'un athée ? Le R. père en eust telles horreurs qu'il se contenta de luy répliquer que « Dieu seroit

7. Opiner : donner un avis favorable. Au XVIe siècle ce verbe a été quelquefois employé comme verbe actif.

tousjours Dieu, et comme il ne changoit jamais, il auroit tousjours des foudres pour chastier les sanguinaires et les impies ». Cette âme perdüe ayant veu qu'en peu de mots on luy faisoit une grande leçon comme il n'aymoit que ce qui flattoit sa mauvaise humeur, il ne pouvoit souffrir ce qui le contrarioit, il en bondit jusques aux injures ; et dès lors forma le dessein de fermer une bouche par quelque voye que ce fut, qui luy disoit nettement ses vérités, au moins de l'esloigner pour avoir liberté de tout dire et de tout faire sans oppositions ny contrariétés aucunes. Cependant ce furent des rapines insupportables, des injures honteuses, des scandales horribles, des persécutions enragées que l'envie luy fit exciter, particulièrement contre le Sieur Blanchard dont la sage conduilte luy faisoit honte, et le bonheur estoit sa rage. Toutes les remonstrances charitables, ne purent jamais l'arrester ; tant s'en faut aller, semblèrent l'irriter davantage, jusque persécuter celuy qu'il devoit honnorer comme son pasteur, son apostre, et son père spirituel, qui fut enfin contrainct pour faire jour à sa fureur et suivre le commandement de nostre Seigneur de fuir devant la persécution pour servir à d'autres qui réclament dans leurs besoing de l'assistance, de se réfugier au Beau Séjour chez ledit Sieur Blanchard qui luy tendit les bras, où il dit la messe et fit comme à l'ordinaire ses fonctions appliquées, jusque la venüe de la colonie de Monsieur le Comte de Cérillat. Ce furent aussy tous ses mauvais traittemens qui firent tout quitter à monsieur des Mères, n'en pouvant plus souffrir et aymant mieux sortir que d'avoir continuellement devant ses yeux et à ses oreilles ce qui ne pouvoit que les offenser, tousjours dans les corrections et jamais dans l'amendement, à tout moment en guerre et en dispute, et n'en avoir presque un seul de repos. Or lessons-le dans son fiel, et voyons venir ladicte colonie qui le surprit, car il ne l'attendoit plus, et son arrivée rompit tous les beaux desseins qu'il avoit de serviteur se faire grand maître, et de petit cadet de (83r) Normandie la perle de tous ceux du monde. Comme il estoit autant ambitieux qu'avare son ambition ne le portoit pas moins qu'à se point de grandeur et son avarice qu'à en tirer de toutes parts en quoy la soustenir.

Et donc le mauvais temps ayant contraint cette colonie de relascher à Porcemur [8] en Angleterre, ainsy que je vous fis voir l'année passée elle se desbanda si fort, que de quelques 300 personnes qu'elle estoient elle fut réduitte à quelques 60-et-dix ou environ qui en partirent le 25me avril dans un autre navire dit « L'espérance » qui venoit à la Bardoude [9] isle angloise, pour y charger du sucre, le premier ne s'estant trouvé, visite faicte, assez fort pour achever le voyage en La Grenade, soubs la conduitte du Sieur du Bu gentilhomme du pays du Mans aagé de quelque 38 ans, dont voicy la commission [10] :

« Nous Jean de Faudoas Comte de Cérillat gouverneur pour Sa majesté très chrestiène des Isles de la Grenade et Grenadins, à tous ceux qu'il appartiendra après la cognoissance parfaicte que nous avons de la fidélité et expérience au faict des armes du Sieur Dubu nous l'avons nommé pour la conduitte et commandement de nostre colonie en l'isle de La Grenade, pour en nostre absence commander icelle et ordonner de toutes les choses nécessaires, pour l'utilité de nostre establissement en icelle, enjoignant à tous de luy obéir comme à nostre propre personne. Et en cas qu'il vinst à mourir, ce que Dieu ne veuille, nous avons nommé en son lieu et place le Sieur Bonnebourg nostre capitaine des gardes. En foy de quoy nous avons signéz ces présentes à Gosport [11] ce 15 jour d'avril 1658 et à icelle faict apposer le cachet de nos armes [12] ».

Signé sur l'original du papier Jean de Faudoas et scellé d'un cachet de cire d'Espagne rouge. Cette commission fut accompagnée d'une lettre pour estre présentée à Monseigneur le général du Parquet, de qui il ne seavoit la mort, dont voicy la teneur :

« A monsieur Monseigneur du Parquet propriétaire des Isles de La Martinique et Ste Alousie, et lieutenant du Roy ès dittes isles, à la Martinique :

De Gosport, ce 10 avril 1658

---

8. Le père du Tertre écrit Portshemeure : « Portsmouth ».

9. Il s'agit de la Barbade. Il existe de nos jours au nord de la Guadeloupe un petit îlot qui porte ce nom mais il n'y avait pas alors de sucrerie contrairement à la Barbade qui était très riche.

10. François du Bu, chevalier seigneur de Coussé.

11. Gosport, petit port en face de Portsmouth.

12. Copie dans les papiers Miromesnil, Archives nationales, T. 103 1/10.

Monsieur,

Je ne doubte point que vous n'ayez seu avec quelle joye je suis party du pays pour vous aller trouver, et si j'ose dire en un très bel ordre, de toute façon ; mais mon heure, ma félicité n'a pas été d'une constance infinie, puisqu'elle ma bientost abandonnée par les malheurs qui me sont venus à foule, les uns après les autres. Il y a cinq mois que je suis dans une persécution esgalle tant par la malice des habitans du lieu où je suis, que par la trahison du capitaine Pape avec qui j'avais traicté. Et pour donner la dernière main à mes infortunes je suis tombé entre les mains d'un abandonné d'honneur pour me conduire dans vos isles avec le reste de mes hommes, qui estoient encor cent-soixante passagers. Mais la longueur qui l'a tenu à me venir trouver m'en a osté les moyens par la despence que j'ay esté obligé de faire. Ce qui faict que je n'envoye présentement que quatre-vingt passagers, dont il y a plusieurs gentilhommes, qui ne manqueront de vous rendre leurs civilités. J'aurois esté ravy de vous les présenter moy-mesme, affin de vous (83v) asseurer tous ensemble de nos services, mais Monsieur du Bu ne manquera, luy ayant donné le mesme pouvoir que celuy que j'ay de s'acquiter de son devoir auprès de vous ; car outre qu'il commande ce commancement de colonie, je luy ay donné toute la disposition des choses qui me regardent c'est pourquoy Monsieur vous donnerez croyance à tout ce qu'il vous dira touchant mes intérest, ayant une parfaicte créance en sa conduitte. Il vous dira comme je suis touché de me voir obligé de retourner en France ; et quoyque mes pertes soient excessives, cela ne m'afflige pas au point, que faict cet esloignement de mon affaire, que je rapprocheray, aydant Dieu, tout le plustost que je pourray. Je ne doubte point que lorsque, tous ces Messieurs vous auront entretenu du desplaisir là où ils m'ont veus, que vous n'en ayez du ressentiment et que cela ne fasse à ma considération et de leurs mériter quelques effets pour les assister durant mon absence des choses qu'ils pourroient avoir besoing, et c'est de ce que je vous supplie de tout mon cœur comme aussy de les faire rester prests les uns des autres et le plus avantageusement que l'on pourra à la Grenade où ils m'attendront, si cela se peu ; sinon vous leurs donnerez le moyen de subsister dans la Martinique, selon l'usage du pays. Il me doit arriver 100 nègres. Je vous conjure de donner vos ordres pour leurs subsistance, et je ne manqueray en avoir toute la recognoissance que l'on peut en telle rencontre. C'est Monsieur vostre très humble et très obéissant serviteur Cérillat.

[13] Monsieur si je meurt avant que de prendre possession de La Grenade, j'ay conceu une telle estime de vous par celle que j'en ay veu faire par monsieur de Miromesnil de vous, que je vous supplie dès à présent d'avoir pour agréable de recevoir en don tous les effets et armes que je pourrois avoir dans La Grenade, en tesmoignage de quoy je signe le présent Jean de Faudoas. Je vous supplie d'agréer que je salue Madame de mes très humbles respects comme son très obéissant serviteur [14] ».

Or comme le Sieur Comte de Cérillat vouloit que tout alla par ses ordres, il donna au Sieur du Bu deux mémoires pour les faire exactement observer, dont voicy la teneur. Et premièrement un premier mémoire à Monsieur Dubu.

« Estant ledit sieur Dubu à la Martinique ira voir Monsieur du Parquet et luy rendra mes lettres. Ensuitte priera ledit Sieur du Parquet de luy donner lettre pour le gouverneur de La Grenade aux fins qu'il luy donne et à tous mes gens un ou plusieurs quartiers en laditte Grenade pour occuper, attendant que nous vous joignions, qui sera le plustost que je pourray. Faire en sorte que l'on vous loge, proche de quelque rivière, ruisseau ou fontaine le plus propre à habiter, pour toute la colonie que je prétends mener, auquel lieu vous ferez desfricher le plus que vous pourrez et à mesme y ferez planter du manioc. Faire en sorte que Monsieur du Parquet vous donne la quantité de terre desfrichée qu'il faudra pour planter du manioc pour nourrire environ 600 personnes. En cas qu'il ne le puisse, et que toutes les terres desfrichées soient occupées, par quelques habitants, vous traitterez avec quelques (84r) -uns pour la quantité de terre cy-dessus, et y planterez du manioc ; comme aussy ensemancerez une bonne partie de terre de légumes, racines, choux, et autres choses pour la subsistence généralle

13. En post-scriptum après la signature.

14. Nous avons ajouté des guillemets pour l'intelligence du texte. Le professeur Debien a trouvé dans les papiers Dyel de Miromesnil (Archives nationales, T 103 1 nº 9) une copie de cette lettre. À la réserve de très rares erreurs de transcription de mots les deux textes sont rigoureusement identiques.

de vostre monde ; et ce lieu se nommera jardin commun. Proche le havre où doit estre le chasteau, s'il n'y a du pays assez déserté, vous le ferez déserter et au dit quartier ou autre que vous jugerez le plus propre à habiter, vous ferrez bastir vos cases à la mode du pays assez proches les uns des autres, et vous cantonnerez au dit quartier pour vous parer des Sauvages ; et vous prendrez ordre de Monsieur du Parquet et son Lieutenant à la Grenade de vous souffrir le faire. Vous essayerez d'avoir quelque canot pour faire pescher par nos matelots pour la subsistance de nostre monde. Pour éviter la confusion de nos gens, vous les caserez en trois cases, et leurs donnerez les trois officiers de ma compagnie des gardes pour loger en chacune d'icelles et les commander, faire et subsister des vivres du pays s'il se peut, et en cas qu'il leurs faille deslivrer du lard, ledit commandant leurs despartira avec des poids, du poisson, et racines du païs, ledit commendant aura pareillement soing de les faire travailler. Les nègres arrivéz vous les logerez huict ensemble avec deux François des plus esprittéz et intentionnéz pour les faire subsister et travailler. Les gentilshommes qui ont du monde les prendront et auront le soing de les faire subsister et travailler ; le nom desquels sont, à seavoir : Monsieur du But, prendra ses hommes consistants en 12 hommes et 10 nègres, lesquels il a payéz. Monsieur des Maretz [15] 7 personnes avec luy, pour lesquelles il a payé passage. Monsieur de La Poterie un homme, Monsieur de St Marc 3 hommes françois et deux nègres. Monsieur de Villermon 2 hommes, Monsieur de Champeau 5 François et 6 nègres, pour lesquels il m'a payé 300 livres pour le passage et 900 livres à Monsieur Duhamel pour les nègres. Monsieur de La Jussaye un valet et une servante. Monsieur des Ouches 2 hommes et une servante. Vous prierez Monsieur du Parquet de faire mettre toutes mes traittes et meubles mesme celles de tous ses gentilhommes cy-dessus dans le chasteau pour estre en asseurance. Vous dissiperez le moins de traittes que vous pourrez. Vous prierez Monsieur du Parquet de vous faire donner vaches, cochons et autres choses

15. Des Marets, « fort brave gentilhomme du Maine » ancien officier du régiment de Broglie. Cérillac lui avait confié sa procuration lors de la première expédition de reconnaissance, à laquelle participa le père du Tertre, qui s'acheva lamentablement en Angleterre.

que vous apprendrez est nécessaires à la Grenade pour vostre subsistance ; et ce à payer en tabac au terme et cours du pays. Et de tout ce que dessus en prendrez l'advis et l'ordre dudit Sieur du Parquet [16] ».

Voylà la teneur du premier mémoire ; voicy celle du second mémoire particulier à Monsieur Dubu :

« En cas que le vaisseau du capitaine Viraty touche à la Barbade et qu'il y séjourne, en prendrez acte de notaire et de ce qu'il y aura deschargé. Vous presserez fort Monsieur du Parquet de vous envoyer à la Grenade ; ce qu'ayant obtenu de luy vous irez nonobstant la lettre que j'ay escritte, forcément au dit Sieur du Parquet, desrogeant au contract que j'ay faict avec luy. Et pour cet effet exciterez en sous-main nos (84v) gens et ferez en sorte de douceur ou autrement qu'il y aillent à quelque prix que ce soit. Et pour cet effet prierez Monsieur du Parquet de vous donner un pilote. Afin d'éviter que l'on ne vous ramenast à la Barbade, vous ferez cognoistre à Monsieur du Parquet la grande despense qu'il nous a faict faire en l'attendant près de trois mois et que ça esté forcément que je luy ay donné cette lettre desrogeant à mon contract ; et ce après seulement qu'il aura consenty que vous alliez à la Grenade. S'il désire vous retenir à la Martinique vous y resterez et ne laisserez vostre monde inutil. Vous offrirez à Monsieur du Parquet ce qui m'en appartient pour les faire travailler et s'il n'a de quoy les occuper tous, vous les disposerez aux habitants de laditte Martinique, et essayerez d'en tirer le plus de prosfit que vous pourrez sans pourtant faire cognoistre cela à Monsieur du Parquet, que par le rejet du traitté que ces gentilshommes auront faictes pour leurs hommes et aurez l'œil à ce qu'ils soient bien nourris et que l'on ne les fasse pas trop travailler. S'il y a quelque chose d'obmis en ce mémoire et autres, vous supplérez au desfaut et ferez au surplus le tout pour le mieux, vous en donnant tout pouvoir.

Faict à Gosport ce 15me jour d'apvril 1658.

En cas que vous alliez à la Grenade faictes-vous bailler des outils pour travailler, la quantité qu'il vous faudra par Monsieur du Parquet »

16. Copie dans les papiers Miromesnil, Archives nationales, T 103 1/10.

Signé Jean de Faudoas et scellé d'un cachet en cire d'Epagne rouge [17].

Voylà la permission du Sieur Dubut, sa lettre de créance et deux beaux mémoires qui luy taillent sa besogne et ne luy permettent d'en faire davantage en passant outre, mesme luy enjoignent de suivre les ordres de Monseigneur le général du Parquet et du Sieur de Valmainnier gouverneur. Ainsy partit-il avec ses provision et environ 60-et-10 personnes de Gosport [18]. Le vent leurs est plus favorable en cette traversée qu'il ne leurs a esté ès premiers jours de leur départ de France qui les fit arriver à la Barboude le 8me de juin, veille de la Pentecoste [19] ; ou aussitost le Sieur Dubut avec sa noblesse alla rendre ses civilitéz au Sieur gouverneur, qui luy fit un très bon accueil, et durant le séjour de quelques 15 jours luy donne quelques instructions pour bien gouverner le peuple de La Grenade, réduittes en ces 14 choses, dont la première est de faire un bon fort, et plus en La Grenade qu'en aucun lieu, d'autant que ce poste est capable, de donner jalousie à l'Espagnol, le second d'en faire à un l'extrémité de l'isle pour s'opposer aux Sauvages et séditieux qui pourroient naistre dans ce lieu ; tous les commencemens d'habituer des isles estant tousjours dangereux à moins que de se précautionner. Le 3me attendu qu'il voyoit tant de gentilshommes qui venoient icy et ayant recogneu par leurs discours qu'ils n'estoient point accoustuméz ny à obéir ny à partir que cela pourroit estre dangereux parmy les vieux habitans (85r) qui sont le levain de l'isle, de sorte qu'il ne leurs falloit donner aucun pouvoir ny charge, d'autant que le com-

17. Copie de cette lettre se trouve dans les papiers Miromesnil, Archives nationales, T 103 1/11. L'acte de vente du 30 octobre 1658 prévoyait que les 45 000 livres tournois consignées entre les mains de Monsieur de Miromesnil seraient payées à du Parquet « aussitôt qu'il aura fait apparaître l'acte de la prise de possession » et cela avant la Toussaint 1657 et que les paiements à partir de cette date seraient exécutés 30 000 livres un an après, 15 000 livres encore six mois après. Or, on est en juin 1658 et rien n'est payé à du Parquet. Cérillac va manœuvrer de façon que le convoi de du Bu soit traité comme un détachement précurseur qui puisse s'installer à la Grenade sans que cela soit considéré comme une prise de possession déclenchant le processus du règlement. Les héritiers de du Parquet ne l'entendront pas ainsi.

18. Tout un passage ici est sauté qui est repris à la page 85 verso. Nous avons rétabli l'ordre logique.

19. Nous reprenons la suite du texte.

mandement que l'on a dans ce pays est tout autre que celuy des armées de France. Et à moins que d'estre aymés des peuples un officier ne peut se venter de rien faire qui soit util ny de conservation. Le 4me de faire cas particulier de tous les vieux habitans, sans toutefois mespriser les autres, et que du moins ceux qu'il trouveroit icy recogneussent l'amitié du Sieur de Cérillat par celle qu'il leurs feroit cognoistre ; qu'il taschassent en se communiquant à eux qu'ils ne fassent point de respect, affin de les tenir tousjours en crainte ; de les servir tous esgallement de peur de leurs donner jalousie ; mais tascher surtout à cognoistre leur fort et leur foible ; et ceux qu'il recognoistroit qui seroient braves plus que le commun ou capable de servir ou de nuire il les attirassent dans les intérests du Sieur de Cérillat à quelque prix que ce fust. Le 5me de ne faire point recevoir de juge qu'à l'arrivée du Sieur de Cérillat, et qu'il pouvoit juger avec les officiers de l'isle ou ceux sans exception qu'il appelleroit ; et que c'estoit une des forces du pouvoir dudit Sieur de Cérillat ; mais qu'ils fissent si bien qu'en rendant justice il y observasse tant de conduitte, qu'aucun ne pust dire qu'il fusse capable de se laisser gagner pour quelque considération que ce fust. Le 6me que le juge que commettroit ledit Sieur de Cérillat fust à luy et dans ses intérests et gage de luy, et les appels de ses causes passent devant luy et son conseil qu'il devoit tenir tous les mois à un jour qu'il indiqueroit. Le 7me la Chambre du Conseil dudit Sieur de Cérillat devoit estre establie au lieu où les vaisseaux deschargent le plus souvent. Le 8me de ne faire que deux compagnies et de les composer de deux quartiers avec deux lieutenans et deux enseignes ; sa raison est qu'il faut estre bien asseuréz de la probité des officiers pour les meltre commandants dans un quartier. Le 9me de ne souffrir point que le peuple boive dans les magazins. Le 10me de protéger les marchands pour petits qu'ils puissent estre ; estant le moyen, en ne le faisant pas d'empescher le commerce ; que les petits font venir les grands. Le 11me de ne mettre de taxe à leur marchandise dans le commencement. Le 12me d'ordonner aux habitans de ne faire que de bonnes marchandises et aussy d'avoir l'œil que les capitaines de navire n'en apportent que de bonnes, et ainsy l'on ne sera point trompé les uns ny les autres. Le 13me que le plus beau mesnage que puisse faire le Sieur de Cérillat dans le commencement, est de faire tous ses esforts à advancer quelques nègres à ses habitans, que c'est son advantage en toutes façons, d'autant que ses droicts seront plus gros, les navires le viendront visiter, et les habitans des autres illes voysines qui scauront sa bonté viendront le prier de leur donner des places pour habituer et ainsy dans 6 ou 8 ans tout au plus il pourroit estre aussy advancé que ceux qu'il y a 25 ans qui y sont (85v) et le 14me d'ordonner aux nobles qui sont ou viendront dans l'isle de ne battre point les habitans ny les traitter de coquins ny de paysans comme il seait que la noblesse de France est sujelte. Voylà 14 bons advis comme quatorze pierres précieuses que donne le Sieur gouverneur de La Barboude au Sieur Dubu qui s'en servit très mal pour ne dire qu'il les prit pour ne s'en servir point ; tant s'en faut il fit tout le contraire, comme il fit contre tous les autres ordres du Sieur Comte de Cérillat, ainsy que nous verons ensuitte. Après donc un séjour de quelques 15 jours ou environ il fretta un 3me[20] navire qui les amena en La Martinique où ils arrivèrent le 25me du mois, landemain de St. Jean, et d'abord le Sieur Dubu présenta sa permission et sa lettre de créance. A quoy il fut respondu qu'on ne pouvoit luy permettre d'aller en La Grenade, y conduire sa colonie non plus qu'y commander, qu'il n'en prisse possession au nom de Monsieur le Comte de Cérillat, attendu que ce n'est qu'en vertu de prise de possession qu'on y puisse et doive commander. Il répliqua que sa permission ne portoit simplement que de conduire et commander laditte colonie en La Grenade, et non point ordre d'en prendre possession. Ensuitte de quoy il requiert qu'on luy permit de rester en la Martinique avec sa colonie, en attendant ledit Sieur le Comte de Cérillat ou quelque nouvel ordre de sa part ; ce qui luy fut accordé le 26me du mois landemain de son arrivée. Mais comme la nuict donne ordinairement conseil, le Sieur Dubu, ayant veu que restant en La Martinique il n'y feroit si commodément ses affaires il s'avisa d'en sortir pour avoir plus de liberté et agir dans l'estendue d'un souverain pouvoir. A cet effect le jour suivant 27me il produisit le second mémoire du Sieur Comte de Cérillat, dont j'ay couché cy-dessus fidellement la teneur

20. Ici était le passage que l'on a intégré, selon l'ordre logique, p. 84 verso.

comme favorisant ses desseins, portant un supplément de pouvoir de faire tout pour le mieux ; il l'avoit (86r) auparavant communiqué aux principaux de la colonie, qui ayants pénétrée dans ses intentions et y ayant aussi mieux trouvé leur comte, jugèrent qu'il seroit plus aventageux au Sieur Comte de Cérillat de s'aller establir en La Grenade et d'en prendre possession pour luy et en son nom en vertu dudit suplément de pouvoir inserré dans son second mémoire, que de rester en La Martinique avec la colonie, qui pourroit se desbaucher et se perdre auparavant que l'on pust avoir nouvelles dudit Sieur de Comte de Cérillat. Outre que leurs despens pourroient monter bien haut ; ce qui seroit se souler davantage sans advancer de rien ses affaires tellement que sur leurs advis, qui estoit justement ce qu'il désiroit, et ledit mémoire qu'il produisoit, il déclara que nonobstant la déclaration par luy faitte le jour d'hier, il estoit prest de prendre possession de l'isle de La Grenade, pour et au nom du Sieur Compte de Cérillat. A quoy il fut receu dont acte fut faict et signé et des Sieurs St Mart, Desmarest, La Jussaye, Desouches, et Villiers pour approbation de laditte prise de possession et comme conseil dudit Sieur Dubu pour la faire pour dont la mettre en possession, Madame du Parquet veusve dudit Sieur général du Parquet laditte dame veusve du Parquet, le 1er de juillet suivant pardevant de Villiers notaire et gardenotte en laditte Martinique, et messieurs André Lefournier escuyer juge civil et criminel en laditte Martinique donna commission à mestre Richard Garderas [21], de se transporter en l'isle de La Grenade pour y exercer en sa place la charge du Juge, prendre cognoissance des affaires qui commenceront laditte prise de possession, et faire tout ce qui seroit du droict et de justice. Le lendemain pardevant le mesme notaire. Après tout procédé lesdits Sieurs de Loubière [22] et Garderas se transportè-

21. Maître Richard Garderas sera, après la mort de Madame du Parquet, envoyé en France comme chargé des affaires des mineurs du Parquet. Voir procuration du 13 septembre 1659 (Archives nationales, T 103 1/13).

22. François Rolle de Laubière né en 1617, mort en 1672 était fils de Maître Jean Rolle, Juge Royal de Courbesy (Haute-Vienne) mort en 1636 à Moncigoux (Dordogne) et de Marie de Lafon fille d'un notaire. Il vint à la Martinique avec son frère Médéric Rolle de Gourselas en 1642. Il avait épousé une Dyel, cousine de du Parquet. À la

rent avec ledit Sieur Dubu et sa colonie dans un navire commandé par le capitaine Corneille Zélandois en laditte Grenade, où ils arrivèrent le 7me dudit mois de juillet sur les 10 heures du matin ; et le lendemain 8me le Sieur de Valmainnier s'estant démis de son authorité et pouvoir par l'ordre qu'il en receut, de laditte dame veusve Duparquet, ledit Sieur Dubu au dit nom assisté dudit Sieur de Loubière aussy au dit nom et en présence de tous se transporta sur le bord de la mer, la frappa de la main et s'estant retourné vers la terre l'ouvrit et y planta un arbrisseau. De là se transporta dans l'esglise, prit de l'eau béniste, fit le signe de la croix, se mit à genoux, devant le grand autel, la nappe levée le baisa, ouvrit le missel ; puis alla dans le banc qui est au chart [23] du costé de l'Evangil place ordinaire du seigneur et s'y assit. Estant sorty de laditte esglise il vint devant la porte du fort, où estoit le Sieur de Valmainnier à la teste des habitans et soldats de ladicte Grenade sous les armes. Lequel Sieur de Valmainnier auroit ordonné aux habitans et soldats de recognoistre ledit Sieur Comte de Cérillat pour seigneur propriétaire de laditte isle de La Grenade et Grenadins, et gouverneur pour le Roy en icelle, et ledit Sieur Dubu pour son Lieutenant et ayant tout pouvoir de commander en son absence, et de prester au dit sieur Dubu au dit nom le serment de fidélité ; ayant au préalable faict faire lecture à haute et intelligible voix en présence desdits habitans et soldats du contract de vente, de la commission du Sieur Dubu et du jugement (86v) rendu à la Martinique le 27me du mois dernier portant que ledit Sieur Dubu seroit mis en possession de laditte isle de La Grenade. Après laquelle lecture lesdicts habitans et soldats obéissants au dit commandement du dit Sieur de Valmainnier tel que requis et accoustumé et à mesme temps comme il n'y avoit point d'autres officiers q'un Sergent, appelé La Chaussée, ledit La

---

mort de du Parquet il fut subrogé tuteur des enfants du général. Son frère Gourselas avait été désigné comme lieutenant général de du Parquet en 1653. Les deux frères figurèrent parmi les 4 noms que les habitants proposèrent au Roi, après la mort de Madame du Parquet pour la remplacer jusqu'à la majorité de ses enfants. Plus tard l'orthographe Rools prévalut. La procuration donnée le 1er juillet 1658 par Madame à « François Rolle, écuyer, sieur de Laubière » pour la représenter à la prise de possession de la Grenade figure dans les papiers Miromesnil (Archives nationales, T 103 1/16).

23. Quart.

Chaussée les luy ayant déclaré sa qualité et son employ. Luy auroit remis entre les mains sa charge pour en disposer à sa faveur ou de telle autre personne qu'il jugeroit à propos. Sur quoy ledit Sieur Dubu au dit nom luy ordonna de continuer l'exercice de sa ditte charge, dans laquelle il le restablit, desclara major le Sieur Desmarets, et enjoignit aux dits habitans et soldats de les recognoistre et leurs obéir chacun à leur esgard sous l'authorité dudit Sieur le Comte de Cérillat, et la sienne comme de son Lieutenant. Et à l'instant ordonna aus dits officiers de les faire meltre en bataille à l'entrée dudit fort. Ce qu'ayant exécuté ledit Sieur de Valmainnier se présenta au dit Sieur Dubut au dit nom avec les clefs dudit fort, lesquels il luy remit entre les mains, et lors en ayant faict ouverture ledit Sieur Dubu y entra et manda lesdits officiers, leurs donna ses ordres et fit poser son corps de garde et sentinelle ès lieux qu'il jugea à propos en présence du Sieur de La Valmainnier et de son consentement, lequel déclara derechef qu'il se démeltroit entre les mains dudit Sieur Dubu au dit nom de tous les pouvoirs et authorités qu'il avoit icy devant eüe en laditte isle en qualité de gouverneur à laquelle il renonçoit suivant l'ordre de ladicte Dame du Parquet et dudit Sieur de Loubière au dit nom. Incontinent après estant ledit Sieur Dubu sorty dudit fort ordonna à ses officiers de mettre derechef les habitans et soldats en bataille, les faire passer devant luy, faire leur salue et tirer le canon, pour marquer de l'active possession de cette ditte isle, et de tout ce qui en despend. Et générallement ledit Sieur Dubu au dit nom, fit tous autres actes d'une véritable réelle et actuelle possession, dont l'acte est signé Desmarets, et de La Jussaye, des Ouches, de Villiers, du Tot, de Vallier, Cuperoy, Blanchard, Tellier, Gadroy, la Roche, de Mouy, François Roussan, Jacque Fidelin, Jean Thomassay, — Claude Cazé, Michel Nolleau, Pierre Montagnart, Charles Paillier, Francis Garil, Charles Hérard, Dubu, de Loubière et Valmainnier, La Bedade greffier, Garderas commissaire.

Ce fut là une malheureuse journée, où l'intérest l'emporta sur le devoir, la passion sur la raison, l'ambition sur la justice, la perfidie sur la fidélité, et l'iniquité sur toutes loix et toutes ordonnances. Jour malheureux qui a esté la cause de tant de maux, de tant d'offenses, de tant de desplaisirs, de tant d'horreurs et d'un fascheux succéz. Ce qui me faict dire qu'on pourroit faire contre luy avec autant de raison et de justice les mesmes imprécations que fit autrefois l'illustre patient contre celuy de sa naissance, mesme avec bien plus de subjet, car s'il s'en plaignoit ce n'estoit pas pour les maux qui asfligoient un particulier, mais ce jour a esté le commancement de ceux d'un grand monde. Ainsy avons-nous de grandes obligations, à ces beaux Messieurs de La Martinique pour avoir si tost contribué à nostre malheur. Quelle subtilité d'esprit en eux de conclure un pouvoir, de prendre possession de La Grenade au nom du Sieur (87r) Comte de Cérillat, sous paroles de son second mémoire. « S'il y a quelque chose d'obmis en ce mémoire et autre, vous supplérez au desfaut et ferez au surplus le tout pour le mieux, vous en donnant tout pouvoir » ! Les esprits du plus bas ordre condamneront tousjours une si mauvaise conséquence. Et ne voyoient-ils pas biens, que ce pouvoir de suppléer aux obmissions ne devoit estre que suyvant son mémoire et non point par-dessus mémoire, or est-il qu'il est par-dessus son mémoire de prendre possession de La Grenade puisqu'il se la réserve, ainsi qu'il appert par sa lettre. Et donc ce pouvoir pour suppléer aux omissions ne le doit entendre de prendre possession de La Grenade. De plus le pouvoir que le Sieur Comte de Cérillat donne au Sieur Dubu est de suppléer à ce qui seroit obmis dans ses mémoires ; or est-il que la prise de possession n'y est point obmise, puisqu'il en parle en se la réservant. Et donc ce pouvoir de suppléer à ce qui seroit obmis ne se doit entendre de la prise de possession de La Grenade. Mais quant il n'en auroit rien touché dans ses mémoires il devoit suffir au Sieur Dubu et aux principaux de sa colonie de scavoir que ce n'estoit pas l'intention du Sieur Comte de Cérillat qui la leurs avoit tant de fois déclarée ; ainsy l'équilté ne leurs permettoit pas d'entrer en possession de La Grenade, tout cela faict elle les obligoit de la refuser si elle leurs estoit offert, de mesme si on les y vouloit contraindre ; (...)[24] De dire que si on eust resté en La Martinique, la colonie s'en fut desbauchée et perdüe, ne peut accuser sa faute, car il ne se peut faire que le Sieur Comte de Cérillat n'eust préveu cet accident sur celuy qui luy estoit arrivé en Angleterre de quelques 300 personnes

24. Une demi-page.

n'en voir plus que quelques 10 ou 16. Il avoit présentement ce deschet devant les yeux quand il a dressé ses mémoires, ainsy l'ayant préveu et ayant ordonné qu'on resta plustost à La Martinique que de prendre possession de la Grenade, où il a esté très asseuré de la fidélité du reste de sa colonie, qui ne l'ayant abandonné en Angleterre ne l'abandonneroit aussy en tout autre lieu ; ainsi le Sieur Dubu ne devoit craindre celte desbauche ny celte perte s'il ne vouloit former quelques monstres dans son esprit pour se combattre : on ne s'est pas soucié de ce qui en pourroit arriver, préférant celte prise de possession qu'il se réservoit, à tous ces accidens qui pourroient survenir de leur retardement en La Martinique, pour des raisons qui luy sont particulières et que nous ne devons rechercher pour les poser et examiner. Susfit que le maistre le veut de la sorte, ce n'est pas aux serviteurs d'y contredire ; Leur gloire est en l'obéissance comme la sienne et au commandement. De sorte que s'il y eust arrivé quelque (87v) chose de fascheux, de ce retardement on ne s'en eust peu prendre raisonnablement au Sieur Dubu ; son ordre l'eust tousjours mis à couvert de toutes ses plaintes qu'on en eust peu faire ; mais bien à celuy qui luy avoit prescrit un tel ordre, comme ayant dû estre plus avisé à ses propres despens. Adjouster qu'il en eust cousté beaucoup au Sieur Comte de Cérillat, sans que ses affaires en fussent plus avancées, c'est encor une chétive excuse, car comme il avoit préveu ce qui luy pourroit couster leurs subsistance, il le vouloit bien, voulant qu'ils s'arrestassent en La Martinique, puisqu'ils se pouvoit bien doubter que Dieu n'y feroit pleuvoir ny manne ny cailles pour leur nourriture comme il fit autrefois dans les déserts pour les enfants d'Israël. Outre que suivant ses ordres la pluspart eust bien faict peu de travail s'ils n'eussent gagnés leur vie qui n'est pas si chère en ces quartiers, icy, s'ils ne vouloient estres nourris à la cardinale et les autres qui ne sont pas de travail eussent roulée doucement de tailler le manche selon le bras ; la bouche selon la bouse, dit-on en commun (?)[25] « selon le bras la saignée » dit-on encore. Quelle raison peut donc alléguer maintenant le Sieur Dubu pour excuser son iniquité ? il n'en scauroit produire d'autres que celles du mauvais dessein qu'il avoit de continuer tousjours vis-à-vis, et un certain

25. Un mot qu'il a été impossible de déchiffrer.

petit mesnage qui luy coustera la vie pour la trop risquer. Il y avoit trop d'yeux à la Martinique, qui esclaireroient de trop près ses actions, et trop de pouvoir pour en chastier les désordres. Il falloit s'en retirer pour faire mieux ses volontéz, et se mettre en pouvoir de les faire sans crainte de chastiment ny de reproches, donner à tous la loy et ne la recevoir en personne, se faire craindre et ne craindre pas Dieu mesme.

Il n'est pas sans doubte que Messieurs de La Martinique ne vissent bien que ce supplément de pouvoir ne s'estendroit point, pour les raisons desduittes à la prise de possession de La Grenade. Ils sont trop clairvoyants dans ces affaires pour faire de ces faux pas et de ces cheutes, qui ne sont que d'aveugles, mais c'est qu'ils ont mieux aymé paroistre complaisans et accords que trop exacts et trop rigides, aymants mieux faire semblant de ne le voir que de le cognoistre qu'ils le voyoient, affin d'avoir subjet de donner à la dame veusve Duparquet et au Sieur Dubu le contentement qu'ils désiroient de leur bonté, d'autant que laditte dame n'avoit point de plus forte passion que de se desfaire de La Grenade pour qui elle n'a jamais eüe de bonnes inclinations jusqu'à destourner par de faux et mauvais rapports ceux qui avoient envie de s'y venir habituer, la décréditant de la mesme façon, que firent autrefois la Terre Promise ceux qu'envoya Moyse pour la recognoistre ; et le Sieur Dubu que d'en avoir la possession pour y estre absolument maistre tellement que ces Messieurs ayants veüs ce supplément de pouvoir, ils creurent sans y regarder de si près, comme font ceux qui ont la veüe courte, que c'estoit un excellent moyen pour contenter l'un et l'autre, l'un pour le descharger de ce qui pesoit trop, et l'autre pour le charger de ce qu'il recherchoit. Ainsy sur ce beau prétexte ils soulagèrent la dame veusve du Parquet d'un fardeau qu'elle portoit à regret et obligoit le Sieur Dubu de luy confier comme une chose qui luy aggréoit. Jamais Atlas ne fut plus content et ne se sentit jamais plus honnorée que quand Jupiter asseuré de ses forces luy mit le ciel sur les espaules. Qu'il estoit glorieux de porter un si (88r) (un si) beau et si riche fardeau, un empirée tout remply de Dieux, un firmament tout étincellé d'estoilles, des globes tous brillans d'astres, un si esclattant soleil, une si belle lune. Et le Sieur Dubu ne fut jamais plus joyeux en toute sa vie que quand il se vit chargé de La Grenade. Qu'il estoit glorieux de porter ce fardeau que l'amour luy fesoit léger et que sa fantaisie luy rendoit aymable ! Comme il croyoit seulement tout ce qui flattoit ses désirs, ces sages et fidels émissaires, qui vinrent la recognoistre il y a près de deux ans, luy asseurèrent soit de bonne soit de mauvaise foy, tousjours faussement qu'il y avoit quantité de mines d'or et d'argent et des (?)[26] de place, et luy autant léger d'esprit qu'arresté en ses légertéz creut à leurs faux rapports aussy fermement qu'à des évangiles, ainsy qui n'eust esté glorieux d'estre maistre d'une terre qui ne cédoit point en rareté ny en beautéz ny en excellence au ciel à ce fabuleux Atlas ! car si le ciel de cet ancien avoit un si beau soleil et une si belle lune, cette terre en possède, comme il se figure, les plus chère enfans, qui sont l'or et l'argent. S'il avoit tant d'autres astres, il (?)[27] comme il se persuade des diamans, des saphirs, et des esmeraudes. S'il estoit parsemé de tant d'estoilles, son océan à ce qu'il s'ymagine, est tout brillant de perles, tout empourpré de corail et tout flottant d'ambre gris. S'il estoit peuplé de tant de divinités, elle l'est presque d'autant d'héros qu'elle a d'habitants qui luy feront paroistre avec le temps, que sous des peaux basanées ils portent des cœur d'Hercule qui domptent les monstres et que pour estre des gens va-nuds-pieds ils scavent bien faire attacher par justice à un infâme poteau des gens va-nuds-testes ; sans doubte il ne se peut faire que le Sieur Dubu ne le fut, se voyant tout d'un coup eslevé à une telle grandeur comme un potiron le pourroit estre s'il avoit tant soit peu de sentiment, se voyant cru en une nuict si beau, si large, si bien façonné, en un mot (?)[28] *atque rotundus*.

Cependant il y a celte différence entre cet ancien Atlas et le Sieur Dubu, que celuy-là pour soulager le maistre des Dieux d'un si pesant fardeau en le prenant sur ses espaules ne s'en fit pas le maistre, ny ne s'en usurpa point la disposition ny le gouvernement, non plus qu'il n'en chassast pas les anciennes divinités pour y en establir de nouvelles, est trop heureux de ce que la nature luy avoit donné assez de force pour porter une telle charge, et trop honoré de ce que Jupiter luy avoit

26. Un mot qu'il a été impossible de déchiffrer.
27. Un mot qu'il a été impossible de déchiffrer.
28. Un mot qu'il a été impossible de déchiffrer.

donné la charge es l'avoit jugé capable de luy rendre ce service, le choix qu'il en avoit faict estant une marque de la bonne estime qu'il avoit de son mérite. Mais celuy-cy ayant entrepris La Grenade s'en fit le maistre absolument et s'en déclare maistre et roy quantité de fois et en beaucoup de rencontres ; la témérité en fut le sacre et les blasphèmes horribles en furent les onctions. Tout ce qui est caduc et débile a besoing de support, comme la vieillesse, l'enfance et la maladie. D'où vient que le Sieur Dubu voyant que son authorité estoit autant foible qu'elle ne subsistoit que dans sa phantaisie, pour la soustenir comme ce qui est habité de l'isle et divisé en deux quartiers seulement, dont l'un est le Beau séjour et l'autre la Grande ance, il créa pour le quartier du Beau séjour le 4me d'octobre, jour de sa festes et de ses grandes resjouissances, le Sieur du Tot Lieutenent, le Sieur Fiacre Tané, dit Desroziers sergent, et le Sieur Charles Tellier, dit St Eloy, caporal ; et pour la Grande ance le Sieur Henry Cuperoy dit La Chaussée, Lieutenant de Sergent qu'il estoit, le Sieur François Roussan, dit La Verdure sergent et le Sieur Hector le Frant, dit La Forest, caporal. Voylà les membres de la milice, les arcs-boutants de son authorité et les chers compagnons de ses grands soings. Pour la justice qui est le plus (88v) bel ornement de la vie civile et sous laquelle dans les plus grands royaumes sont les plus grands brigandages, sa conscience la luy fit appréhender croignant de mettre entre des mains trop justes une espée qu'elles pourroient retourner contre luy pour punir ses désordres. Il estoit bien esloigné de celte générosité de Trajan qui mettant l'espée nüe en la main du préfect du prétoire luy dit : « prenez celte espée de ma main, pour m'en servir tant que je seray bon prince et m'en oster la vie quand j'abuseray de mon authorité ». Ce qui fit qu'il n'en créa aucuns officiers ; luy seul suffisoit pour tous, disoit-il et vouloit estre seul juge et advocat et procureur et greffier et notaire et sergent, et partie et tesmoing. Sans doubte aussy fort que l'hacquenée de Louys 11me roy de France qui portant sa majesté portoit ensemble tout son conseil, luy dit autant sérieusement que pour rire le grand Séneschal de Normandie, et le Sieur Dubu se portant de La Grenade, en portoit seul toute la justice.

Il en fit paroistre un acte signalé vers la my-décembre à

l'endroit de Sieurs de St Mart, de La Jussaye et Blanchard, comme ils seavoient tout le beau ménage qu'il commence à faire dèz son establissement soit à faire de la fausse monnoye, soit à faire publiquement un serail du fort du Roy, soit de dissiper les effets de Monsieur le Comte de Cérillat, soit à rapiner sur les pauvres habitans et s'en entretenoit un jour dans la privauté de leur consversation mutuelle, leurs plaintes qu'arrachoit de leurs bouche le zèle qu'ils avoient pour le service du Roy, du Sieur le Comte de Cérillat, et du public luy furent rapportées par une personne mesme qui les devoit tenir aussy secrettes qu'une femme d'honneur doit faire les desseins de son mary si elle a tant soit peu d'amour et d'inclination pour luy ; autrement son infidélité se serviroit de toutes rencontres pour le perdre principallement si c'est son galand de qui l'on se plaint, ce qui le fit résoudre à s'en défaire pour prendre mieux ses libertés et jouir à loisir de ses amours, sans avoir ny des Catons ni des Aristarques qui confèrent sa vie ny qui appuyent le mescontentement maistre du peuple. A cet effet il suscita de faux tesmoings, à qui il fit déposer que lesdits Sieurs avoient eüs dessein sur sa personne pour le tuer en la case du Sieur du Tot, qu'il estoit allé voir un tel jour ; sur celte calomnie il sollicita les habitans de luy en demander justice par escrit, comme d'assasins, qui ont voulus attenter sur la vie de leur gouverneur. Luy pour couvrir son jeu dit qu'il meltoit sous les pieds leur mauvaises volontés, pour ce qui le regardoit en particulier, rendant grâces à Dieu d'estre eschappé de leurs mains, et par recognoissance de celte grâce il leurs pardonnoit de bon cœur, puisqu'il nous commandoit de pardonner à ceux qui nous auroient offenséz. Cependant comme il représentoit l'honneur du Roy, ce sont ses mots, il « falloit satisfaire à la justice ». Voyez cet hypocrite qui les laicsser aller d'une main, et les retient de l'autre et sous couleur de justice les veut perdre sur la plus noire calomnie qui ait esté inventée contre des innocents. On procède aux informations, et on ne trouve rien moins que leur prétendu attentat, quelques plaintes faictes dans la liberté de leurs secrets, quelques paroles dittes par détestation d'une si damnable conduilte, quelques appréhensions, que quelques grands malheurs n'en arrivent enveloppants l'innocent avec le coulpable, quoy que s'en soit on conclud au bannissement du Sieur de

St Mart, sans le vouloir, comme de celuy qui luy donnoit plus d'ombrage et qui estoit plus à craindre et le fit embarquer le second de janvier de l'année prochaine. Pour les deux autres on leurs pardonna comme moins à craindre une faute qu'ils n'avoient jamais commise ny jamais eue (89r) l'envie de commettre. Quelle justice d'opprimer l'innocence sur des paroles autant innocemment dittes que calomnieusement interprétées ! « si les gens du Roy scavoient cette fausse monnoye ce seroit pour le perdre » disoient-ils ; il n'y a ny grâce ny pardon pour les faux monnoyeurs ; Monsieur le Comte de Cérillat n'en sera pas content, non plus que de ses concubinages publics dans le fort du Roy, encor avec deux femmes mariées à la veüe et au sceu de leurs marys et de tout le monde ; de quoy il faict gloire se venter, et faict trophée. Il seroit bien estonné si on luy envoyoit un ange en forme d'archer pour luy meltre la main sur le collet ! On en trouveroit assez qui luy donneroient main forte pour l'enlever et le faire obéir aux ordres du Roy. Voylà tout leur crime dont ils ont dessein sur sa vie. Quelle belle conséquence que luy faict néantmoins gouster une perdüe, qui ne cherchoit qu'à se deffaire de son mary, pour continuer avec plus de liberté et de scandal sa mauvaise vie ! Mais ce meschant expiera sur la fin de l'année où nous allons entrer, celte iniquité jointe à plusieurs autres crimes, par une merveilleux revers de fortune et une mort très honteuse.

X

1659

L'AN DE N.S.	LOUYS 14me	DE CERILLAT	LA GRENADE
1659	16	5	11

Jamais année n'a esté plus infortunée à la Grenade, que la présente en quelque saison que vous la puissicz considérer, n'y en ayant aucune où vous ne remarquiez quelque signalé malheur, pour ne dire que ce n'est q'un tissu de maux, de désastres ; et de disgrâces. Et pour commencer par le printemps Monsieur le Comte de Cérillat ayant faict pour La Grenade un second embarquement à Dieppe, est partit [1] de la rade le 14me d'avril lundy de Pasques dans un navire commandé par le capitainc Tuillier et envoye seulement 14 pièces de canon. Comme il fit grand bruit il vint aux oreilles des Brésiliens nos ennemis qui l'attendirent au sortir de la Manche et le contraignirent à se rendre avec une frégacte montée de 18 pièces de canon le 27me du mois et conduict à St Sébastien où ils arrivèrent le 21me de may veille de l'Ascension. Mais comme la paix fut promulguée en cette brefve conjoncture il fut mis en liberté bientost après et vint à Bayonne le 1er juin jour de la Pentecoste. Il avoit avec soy en cet embarquement vingt personnes. Quelle malheureuse rencontre ! Le voylà pris avec tout son équipage et la pauvre Grenade avec ses Grenadins à beau à l'attendre pour en recevoir quelque soulagement dans leurs misères. Aussy quelle façon de faire, que je ne seay à quoy rapporter à l'indiscrétion ou à la vanité de croire q'un esquipage ne sera jamais assez

1. Le comte de Sérillac est du voyage. Le nom est écrit à cette époque tantôt avec S tantôt avec C.

pompeux, s'il n'a un si grand esclat, que nos ennemys n'en soient informéz comme pour les braver ou pour leurs ordonner de l'envie ! Cependant luy [2] sans s'estonner de rien n'y changer de couleur dans un si fascheux accident capable d'esbranler la plus ferme constance, à la première parole de ses pirates sortit de son vaisseau et entra dans le leur comme ils feroient de son cabinet en une de ses salles. Il voyoit tant de biens perdus d'un mesme œil et aussy asseuréz qu'il les avoit veüs embarquer. Il consoloit ses gens avec autant de résolution que s'il n'y eust pas eu le principal intérest, et relevoit le courage de ceux à qui cette disgrâce l'avoit abbatu. Comme si Dieu ne l'eust permise que pour luy donner occasion de triompher plus glorieusement de la fortune, il leurs asseuroit qu'il redresseroit un autre équipage plus riche et plus magnifique et s'en promettoit avec la saincte grâce un succès autant heureux que les autres avoient esté infortunéz. Quel spectacle ce grand (89v) courage s'eslève hautement par-dessus toutes ces issües qui ont trompés si meschamment toutes ses espérances, comme feroit un aigle sur toutes les injures de l'air, quelle force parmy les désolations des siens et les insolence de ces escumeurs d'estre inesbranlables comme un colosse de bronze battu de gresles et de tempestes ! Quelle merveille, voir une si grande perte avec tant de modération, que de ravir son monde à son exemple et ces picoreurs à l'admiration et que s'est une très rare veu, que il ne faut souvent que la perte d'une bagatelle pour renverser la plus forte vertu du monde.

L'on diroit qu'il y auroit eu quelque fatalité plustost pour parler plus chrestiennement quelque puissance secrette et invisible qui se seroit opposée au bonheur de La Grenade (...)[3]. Que d'abominations que d'horreurs, que d'offenses, ce ne sont que scandales que licence effrénée de tout faire et tout dire, que concubinages publics, qu'adultères, des mères prostitues leurs filles, et telle la sienne qui n'a encor que neuf ans ; les mary leurs femmes pour avoir la faveur de leurs estalons ; tel entretenir et la mère et la fille sans respecter la nature. Le divorce dans les mariages, la dissention parmy les peuples, l'oppression des pauvres habitants, la guerre contre les Sauva-

2. Luy : le comte de Cérillac.
3. Une page et quart.

ges, la parole de Dieu interditte, les (90r) sacrements profanéz, la vertu persécutée, le R.P. missionnaire vilipendét, frappé et proscrit par l'assistance, enfin Dieu offensé par des blasphèmes exécrables, le Roy offensé par la fabrique de fausse monnoye, le Sieur Comte de Cérillat offensé par la dissipation de ses effets et le public offensé par une insuportable tyrannie. (...)[4]

Le malheur fut suivy d'un autre, ainsy que le printemps de l'esté, d'autant plus déplorable qu'il nous enleva le plus grand de nos biens non seulement la paix lorsque nous y pensions le moins, et environ un an et demy après que nous la possédions par une faveur du Ciel plustost que par nostre adresse. Il y en eut trois occasion, dont j'ay touché la première cy-dessus en l'année 1658 parlant d'un nègre et d'une négresse fugitifs des Sauvages ; nonobstant que ceux à qui ils apartenoient les eussent abandonnéz pour quelque traitte comme c'estoit par force et par contraincte pour ne pas tout perdre, ils ne laissèrent presque autant de fois qu'ils nous donnoient visite, de les redemander, les voyants travailler sur la place du Sieur de Valmainnier, mesme avec mesnaces de les enlever de force si on ne les leurs vouloit rendre d'amitié de rompre la paix, et de recommencer la guerre, puisque nous avions esté les premiers à violer la foy publique, le Sieur de Valmainnier leurs ayant retenu contre toute raison et toutes justices leurs esclaves, sans l'assistance desquels ils ne pouvoient vivre qu'avec des peines et des travaux indicibles ; cela ayant estonné le Sieur Dubu, il me vint trouver pour scavoir au vray comme le tout s'estoit passé affin de prévenir le mal qui nous menaçoit, se disoit-il, y apporter quelque remède, et le divertir. Je le luy racontay fidellement comme tesmoing oculaire, ainsy que je l'ay couché au lieu susdit, naïvement, entièrement et véritablement, sans fard, sans déguisement, sans exagération, sans diminution et sans altération. Il tesmoigna du ressentiment d'une si mauvaise foy, qui estoit à la rumeur du public mais il ne satisfit pas, pour cela aux importunitéz de ces Sauvages. Il se sentit trop obligé au Sieur de Valmainnier, qui luy avoit si librement cédé le gouvernement de l'isle, qui estoit sa grande prétention et luy avoit faict (?)[5] de tyran, et de persécuteur des chrestiens plustost que de gouver-

4. Un quart de page.
5. Un mot qu'il a été impossible de déchiffrer.

neur et de commendant, pour retirer ses esclaves de ses mains et les remettre entre les leurs, comme il le pouvoit faire, et le devoit pour conjurer tousjours l'orage de ce costé-là qui commençoit à gronder de ce costé-là, sur nos testes. Tellement que ces Sauvages s'estants veus esconduits d'une si juste demande se résolurent d'avoir par la force des armes ce qu'ils n'avoient peu obtenir par la douceur ny par la raison. La seconde est la perfidie de ceux de La Martinique, qui ayants attiréz le capitaine Nicolas et 7 ou 8 de ses Sauvages, sous parolles données et jurées de ne leurs faire aucun tort, pour parler de paix et vivre ensemble en bons amys et bons compères, ils ne les eurent pris plustost à leur discrétion qu'ils massacrèrent le capitaine et mirent les autres aux fers, d'où ils s'eschappèrent quelque peu de jours après sans autre raison ny autre sujet que celuy de leur perfidie [6]. O foy des hommes où es-tu ? Il ne la faut plus chercher parmy des chrestiens, elle n'y est (90v) plus ; au moins il y a peu de vrays fidels, et nous en pouvons dire ce que le Seigneur de nos âmes dit un jour à la foy divine que dans les derniers fidels ce seroit une chose fort rare. Les Martiniquains avoient donnéz en apparence à ces pauvres Sauvages ce qu'ils ne pouvoient donner en estat, car selon la maxime ordinaire personne ne donne ce qu'il n'a pas. Eux néantmoins ne s'en estants deffiéz et ayants veu plus de fidélité en leurs promesses et de syncérité en leurs actions vinrent innocemment et à bons desseins et on mit le principal d'eux à mort et les autres aux fers, au mesme lieu qu'ils ne pensoient recevoir que des caresses. Quel honte au nom françois, d'en avoir ainy trahy la gloire en trahissant sa foy, qui est le plus ferme appuy de la vie civile et le nœud le plus estroit de la société humaine ! Et quelle tache à nostre charactère de chrestiens de respandre si perfidement un sang que l'on devoit espargner pour le respect du droit des

6. D'après du Tertre (t. III, p. 536) le capitaine Nicolas était venu paisiblement à Saint-Pierre, il buvait avec un marchand français lorsque Beau-Soleil, qui avait été l'un des chefs de la sédition contre Madame du Parquet voulut venger sur lui le meurtre d'un Français, survenu peu de temps avant, à la Capesterre. Avec 60 ou 80 complices il le massacra ainsi que ses compagnons, deux ou trois seulement parvinrent à s'échapper. Du Tertre dit que Nicolas était « le plus fameux, le plus vaillant et le plus redouté capitaine de tous les Sauvages ». Beau-Soleil déclencha tout de suite après une expédition destinée à chasser les Caraïbes de la Martinique.

gens. Il est bien permis de se servir d'escuses en guerre, mais non pas de perfidie. Attachez la peau de renard à celle de lyon, ou bien prenez une au deffaut de l'autre pour avoir par finesse ce que vous ne pouvez avoir par la force, je vous l'accorde, mais employer la fourbe et la trahison, engager sa foy pour ne la point tenir, promettre par serment ce que l'on n'a pas envie de garder par effect, il n'y a nation si barbare qui l'approuve ; et cependant c'est ce qu'ont faicts ceux de La Martinique, et par le conseil du Sieur de Valmainnier, qui lors estant à la Martinique et n'y pouvant avoir d'employ pour faire la guerre aux Sauvages s'estoit mis chef de quelques volontés qui firent une si lasche exécution. Elle despleut si fort aux autres Sauvages qu'ils protestèrent en tirer vengeance ; mais comme ceux de La Martinique estants trop forts pour eux, ils conclurent en un vin de tourner leurs armes contre nous comme plus foibles, s'imaginants que comme nous nous entrevoyons souvent nous apartenions tousjours à un mesme seigneur. Le troisiesme est que le capitaine Baillardet de La Martinique s'en allant vers les costes de la Terre Ferme au commencement de may, et rencontrant en la route dans les Grenadins une pirogne de St Vincent, l'avoit desfaicte, et mesme en avoit réservé des Sauvages pour les vendre esclaves à quelques-uns de ses isles où ils n'osèrent aborder et d'où ils ne peurent s'i eschapper. Ce fut verser de l'huille dans le feu que cette desfailte en une telle capture qui estant arrivé aux oreilles d'eux tous, ils se résolurent à nous faire la guerre sans plus retarder.

Le Capitaine Oncharnart [7] de La Dominique en fut le maistre qui se mit promptement en mer avec quelques 100 Sauvages pour le poursuivre pendant que d'autres à qui il donna ses ordres nous chargeroit. Il passa par icy la my juin dissimulant son dessein et feignant d'aller en guerre contre les Aroüagues. Le malheur voulut que le cherchant il descouvrit le Capitaine Ponitiany de La Martinique, s'en fut assez pour l'heure et sans se presser de l'aller joindre il attendit la nuict. Comme il s'en approcha peu à peu en faveur de son obscurité, et recogneut que tout l'équipage estoit endormy et mesme la sentinelle, il sauta avec les siens dans la barque et en fit un sanglant massa-

7. Warnard, fils du gouverneur anglais de Saint-Christophe et d'une Indienne. Du Tertre lui consacre un chapitre t. III, p. 68.

cre à la réserve d'un qu'ils amenèrent tout blessé esclave à St Vincent. Cependant le rusé capitaine nous donna en passant le change de la monnoye que ceux de La Martinique avoient donnéz au capitaine Nicolas et aux siens. Car il nous fit quantité de belles protestations d'amitié, jura une paix éternelle avec nous, promit de grands services en toutes les occasions que le bonheur luy (91r) feroit naistre ; ce n'estoit que civilitéz non pareilles que compliments à ravir qu'honnestetéz qui passoient le commun. Il estoit aussy filz naturel d'un gouverneur anglois de St Christophe et d'une Sauvagesse. Eslevé en la religion du père en la bienscéance du grand monde jusqu'à l'aage d'environ 18 ans que la liberté luy fit prendre le party de sa mère et le jelta (?)[8] les Sauvages de La Dominique qui en firent l'un de leurs plus grands capitaines. Comme l'on creut qu'il agissoit syncèrement avec nous, sans tromperies et sans fourbes, quoyque je m'en desfiay tousjours et en dit mon sentiment au Sieur Dubu et à d'autres pour y prendre garde, on le traitta autant magnifiquement que l'on peut, tant pour le respect de sa naissance et de sa qualité, que pour entretenir la paix avec luy comme avec une personne qui pouvoir en effet beaucoup, et à son départ on luy fit de beaux présents pour l'obliger d'autant plus à prendre nos intérests ; ce qui luy fit éviter toutes ses belles promesses, pour ne dire parjures, se voyants comblé de tant de biens et de tant d'honneur. Néantmoins traistre qu'il estoit, il avoit donné le molt, que pendant qu'il seroit à son expédition à poursuivre leurs ennemys, ceux de La Martinique, de St Vincent, de La Dominique, de La Grenade joints ensemble ne manquassent pas de donner sur nous un jour, de dinmanche au matin, et faire mains basses sur tous ceux qu'ils trouveroient, commenceants par le Beau séjour. Comme il avoit esté instruit au christianisme, quoyqu'à la mode angloisse il seavoit qu'ès jours de dinmanche l'on estoit occupé au service divin et que la dévotion d'entendre la messe y feroit aller plusieurs en la chappelle qui est distante environ d'une lieüe et demye, ce qui affoibliroit d'autant plus le quartier, qui se doubtoit encor moins de celte fourbe. Ses ordres furent fidellement observéz, car le 29me de juin arriva jour de dimanche et auquel l'Esglise honore la mémoire des glorieux apostres St Pierre et St Paul. Comme ils

8. Un mot qu'il a été impossible de déchiffrer.

estoient respendus autour de ce quartier et virent qu'il estoit dégarny de beaucoup de personnes qui estoient allées à la messe et peu qui estoient restés dans les cases et les guérites, bien du butin à faire et point de résistence à combattre, l'occasion la plus belle et la plus favorable qui put jamais se présenter à leurs desseins, ils commencèrent à l'exécuter comme ils estoient à la grande messe, par la case du Sieur Desmaretz scituée entre le morne de Lambala et la rivière du Beau Séjour jusqu'à celle du Sieur la Fontaine tuants tous ceux qu'ils y trouvèrent et enlevants tout ce qui leurs pouvoit servir et estoit à leur usage. Ce fut environ demy-lieu de pays désolé, il n'y eut pourtant que 8 personnes massacrées, et le butin monta bien à, à quelques 60-et-18 mil livres.

Et pendant ce ravage, comme il y en avoit des nostres à la chasse sur l'ance de Jean L'Aisné, parut une pirogue de Sauvages, qui les ayants appellëz pour traitter de cochons, deux des plus hardys, pour ne dire téméraires, contre l'advis des autres y accoururent tellement que ces barbares les tenants entre leurs mains et hors de la veüe des nostres qui estoient retranchéz ils se jeltèrent sur eux à coups de cousteaux et tuèrent un sur la place, qui s'escria se sentant frappé : « Mon Dieu, faictes-moy miséricorde ; je suis mort ! », l'autre tout couvert de sang et de blesseures, se désembarrassa de leurs mains puis se jelta en mer à corps perdu, et à la nage se sauva vers ses (91v) (ses) compagnons qu'il n'avoit pas voulu croire pour vouloir contenter sa fantaisie. L'ayants veüs en cet estat et appris que son compagnon estoit tué, ils s'approchèrent du lieu où l'ayant recogneu tout en sang, estoient sur l'ance, et les Sauvages en fuitte, ils lavèrent son corps tout couvert de playe, le mirent dans leurs canot et le rapportèrent avec le blessé au fort, pour luy donner la sépulture. Ce blessé fut heureusement guerry de ses blesseures ; mais les marques en demeureront toute sa vie, pour luy servir de leçon, de ne se presser pas tant un autre fois, principallement à traitter avec les Sauvages. Encore à mesme temps avions-nous d'autres chasseurs en La Capesterre qui ayant recogneu quelques mauvais visages ès Careibes qu'ils y trouvèrent, ils se deffièrent de quelque mauvais tour, et leur desfiance les fit retirer. Néantmoins comme ils attendoient deux des nostres qui leurs devoient porter du sel pour saler leurs chasse et qui tardoient beaucoup s'ennuyants ils envoyèrent au prochain carbet des Sauvages, un de leur compagnie, pour en seavoir des nouvelles de ceux qui ne fesoient que de retourner de la Basse Terre sans se doubter autrement qu'ils voulussent encor rien entreprendre sur aucun d'eux. Mais comme il n'y a point d'asseurance en des personnes sans foy et sans loy, ils ne manquèrent pas de l'assommer à coups de boutoux. De quoy se doubtants ceux qui l'avoient envoyé trop légèrement et trop inconsidérément, sur ce qu'il ne retournoit si tost, qu'il eust deu faire, ils s'en revinrent en la basse Terre, où l'on estoit en crainte que ces barbares l'en ayants surpris ne leurs eussent faict le mesme traictement qu'aux autres. Et voylà comme nous avons commencés à payer la folle enchère des Martinicains !

Nous en fusmes bien advertys par un habitant, à qui quelques Sauvages de ses amis estoient venus descouvrir ce funeste dessein et luy, par obligation de devoir, en avoit donné advis au Sieur Dubu qui luy commanda de les tenir secret et défendit sous peine de la vie de les déclarer à qui que ce soit. De quoy ce pauvre homme qui fut un des massacréz se plaignit à plusieurs pour se donner de garder de celte considération où le Sieur Dubu sembloit tromper puisque pouvant la rompre, en prévenant le coup. Tant s'en faut qu'il en eust la volonté, il sembloit avoir peur qu'elle n'eust pas son malheureux effect, veü qu'il vouloit qu'on la tient secrelte pour ne se mettre sur ses gardes et se laisser esgorger. Encor nous en pouvions-nous raisonnablement desfier, sur ce que ces Sauvages, qui firent celte senglante expédition estants partys du fort dès ce vendredy matin avec ces deux François qui alloient avec eux en La Capesterre porter du sel par mer en la pirogue à ceux qui y estoient à la chasse au lieu de s'y rendre au plus tost le mesme jour ou le lendemain de bon matin, comme ils l'avoient promis, ils ne firent que s'amuser autour du Beau séjour et leurs demandoient tousjours, « Quand sera-ce dimanche ? ». C'estoit justement le jour déterminé par le traitre ou harnoit [9], pour faire leur coup. Les nostres s'ennuyant d'une telle demande si extraordinaire et si rebattue et se doubtants qu'il y avoit quelques

9. Harnoit : dans le sens de « hargneux » qui est déjà tombé en désuétude au XVIIe siècle.

mauvais dessein à exécuter en advertirent quelques-uns qu'ils trouvèrent pour la rapporter promptement au Sieur Dubu qui y prisse garde, les (les) fisse sortir du quartier ; aussy leurs chasseurs en La Capesterre (92r) s'impatienteroient en attendant si longtemps du sel et ne les voyants si tost arriver qu'il seroit nécessaire. Mais ce meschant homme n'en fit rien pour tout cela, et ces deux pauvres hommes furent aussy massacréz. Ce qui fit présumer raisonnablement qu'il s'entendoit avec ses Sauvages à la ruine de nos pauvres François. Cette présomption fut confirmée par ce qui arriva au temps mesme du massacre, car comme ceux de la case du Sieur de La Fontaine entendirent une voix esfroyable qui crioit : « Au secours ! » et « Au meurtre ! », ils y accoururent sur le soupçon de quelque malheur arrivé. Mais comme nous n'avons pas l'agilité des anges pour agir et nous meltre en un moment d'un lieu en un autre, y ayant quelque peu de chemin à faire pour donner secours, le peu de temps qu'il y fallut suffit pour leur attentat et leur retraitte, car le coup faict, ces barbares s'enfuirent avec tout ce qu'ils purent emporter, et nos gens trouveront tout enlevé et deux hommes tuéz et baignants dans leur sang qui venoit d'expier. Il y a apparence que pendant que les uns tiroient, les autres pilloient, et portoient tout dans leurs pirogues qui estoient cachées en mer, et tout proche, à la portée du fusil, que l'on vit tout à coup faire largue en se sauvants. On tira un coup de böette [10] pour en advertir le fort et encore envoya-on un homme par terre pour en asseurer la vérité et les particularitéz. Le Sieur Dubu estoit à la Grande ance à se donner du bon temps pendant que d'autres en avoient de bien mauvois ; on fit tirer un coup de canon pour le faire venir affin d'aviser à ce qui estoit à faire, et encore despêcha-on le page pour le presser. Mais jamais il ne voulut sortir qu'il n'eust faict toutes ses folies ordinaires. Ce qui dura pour le moins 3 heures entières, pendant lesquelles les Sauvages eurent loisir de se sauver et d'emporter tout leur butin. Il retint mesme celuy qu'on luy avoit envoyé et ne voulut jamais qu'il ne sortit qu'avec luy chantant, densant, beuvant, et fripponant plus dissolument après qu'il eust receu une si triste nouvelle qu'auparavant. Il fit

10. Boëtte — boîte. Petit mortier de fer. Au XVIIIe siècle les « boîtes de réjouissance » étaient de petits mortiers qu'on tirait lors des fêtes.

redoubler à ses violons ses chansons plus gayes et plus irrévérentieuses, jamais on ne le vit en si bonne humeur, ny s'y espanouit en ses joyes. Comme il ne venoit pas, on tira un second coup de canon pour le presser ; mais il ne s'en remua non plus que la guérite où il estoit. Ceux de sa compagnie le pressèrent, mais il leur imposa silence avec 3 ou 4 reniements de Dieu, disant qu'il n'avoit pas disné et qu'il scavoit bien ce qu'il avoit à faire. L'impatience porta les habitants à ne l'attendre pas davantage et à voler proptement au Beau séjour ; mais il n'y virent qu'une horrible désolation des habitants en un piteux estat, tout deschiréz de coups de cousteaux, achevéz à coup de boutous, tout couverts de playes, et nageant dans leur sang. Le R.P. missionnaire y estant aussy accoury pour recevoir leur dernier soupir et leurs donner les dernières assistances, puisque la mort l'avoit prévenu ne put que leurs donner la sépulture. Tout estoit enlevé et on ne vit plus aucuns Sauvages qui se retirèrent bien viste, quoyqu'on eusse peu leurs faire lascher prise si on eut voulu presser le pas au premier signal qui en fut donné. Ceux du quartier estoient trouvéz trop faibles pour l'entreprendre, la prudence les obligoit à se retrancher pour soustenir le combat s'il leurs estoit présenté (92v) en attendant du secours. Le Sieur Dubu y vint enfin sur les 5 heures du soir avec sa compagnie de goinfres, qui d'abord voulu contrefaire la douleur mais comme il ne pouvoit se contenir longtemps, tout ce qu'il disoit et faisoit n'estant que contrainte et que feintise, il fit cognoistre aussytost que le singe estoit tousjours singe, d'autant que pour consoler les affligéz d'un tel désastre, il dit qu'aussy bien que ce n'estoient personne qui dussent beaucoup avancer l'isle ny de qui on peut attendre grands services. Quelle consolation je vous prie et de là juger s'il n'y avoit pas de l'intelligence avec nos ennemis, de la trahison en son faict et de la félonnie en toute sa conduitte. L'on m'a asseuré que le capitaine Ouchenart à son départ luy promit 50 livres de caret ; je ne seay s'il avoit mis à ce prix le butin de ce quartier qui s'abituoit noblement et fleurissoit sur tous les autres de l'Isle.

Le lendemain les Sauvages revinrent brusler la case du Sieur Desmaretz que le peu de temps ne leurs avoit permis le jour d'hier et emporter le reste, à quoy on pouvoit bien s'attendre, et dans celte attente dresser des embuscades pour les attraper. Ce qui eust esté infaillible, on luy dit bien ; mais toutes paroles perdües ; il ne se soucie pas du reste, dit-il avec quelques reniements de Dieu, « arrive ce qui pourra ! » ; et se n'estoit pas tant pour sauver le reste qui n'estoit pas si fort considérable, quoyqu'assez, que pour avoir quelques revanches d'eux et abbatre leurs trophées par quelques revers de fortune. On y fit néantmoins vers les 10 heures du matin, tousjours trop tard, c'en estoit faict, et on ne trouva q'un monceau de cendres avec quelques braziers. Le jour suyvant ils descendoient de bon matin sur l'ance du Grand masle avec 5 pirognes qui font quelques 250 personnes, et allèrent attaquer la guérite scituée sur le morne de Boucard à grand coup de fusil et de flesches ; mais bien attaquéz, bien desfendus. Au bruit des coups on courut des forts au secours ; et eux voyants nos approches ne nous attendoient pas ; mais prévenants mesme la portée de nos coups, ils gagnèrent promptement leur pirogues, firent après grand largue et se sauvèrent. Il n'y eut point de blessé de part ny d'autre, au moins de la nostre ; s'il y en eut de la leur ils le cachèrent à leur ordinaire tant y a que nous n'en visme aucune apparence. Il y avoit pour lors au fort un jeune Sauvage de quelques 15 ou 16 ans, nepveu du Capitaine Oucharnart et du capitaine Anthoine, qu'ils y avoient laisséz à leurs départ pour espionner ce qu'on y feroit et se sauver quand il seroit temps. A la nouvelle de ce malheur on le mit aux fers dans ce pressentiment qu'ils ne manqueroient pas de le venir demander et nous diroit à mesme temps le sujet de celte guerre. Ceux de La Grenade dont le principal estoit le capitaine Grand barbe, y vinrent par effect au commencement de septembre ; ce qui arriva comme des nostres estoint à la chasse sur l'ance des Palmistes [11]. Ces Careibes les y ayant apperceut, ils leurs crièrent de loing s'il y avoit asseurance pour eux de s'approcher voulants leur parler pour ce qui s'estoit passer et faire la paix. On leurs donna paroles qu'on ne leurs feroit (93r) aucun mal et qu'ils pouvoient venir en asseurance et sans aucune crainte sur la foy donnée. Ils approchèrent, et après leurs compliment ordinaire ils tesmoignèrent du ressentiment de ce qu'on avoit faict au Beau séjour en rejetant la faute sur ceux de St Vincent

11. Anse des Palmistes, à l'ouest, un peu au-dessous de l'anse Goyave.

et de La Martinique, sans qu'ils en sceussent rien, car autrement ils n'eussent manquéz de nous en venir advertir secrettement et sous-main, qu'au reste pour eux ils ne vouloient que la paix avec nous, estoient venus pour ce subjet et désiroint parler au Sieur Dubu. A cet effect on pris des ostages de part et d'autre, un des nostres les venants conduire par mer en leur canot au fort, et un des leurs demeurant avec les nostres sur laditte ance. Les voylà dont arrivéz au port. Ils feignent estre faschéz du massacre faict au Beau séjour et protestent en estre innocents, rejeltent tout sur ceux de La Martinique et de St Vincent ; les sujets ne sont autres que ceux que j'ay couché cy-dessus. La détention de leurs esclaves, le massacre du capitaine Nicolas, et la deffaite des leurs par le capitaine Baillardet. Cependant ils demandent de vivre en paix avec nous comme auparavant, et comme ils sont innocents du ravage du Beau Séjour, qu'on leurs rende celuy qui est au fers. Ce qu'on ne voulut leurs accorder ; de quoy s'en retournants mescontents le Sieur Dubu les fit charger, mais sans effect estant trop loings en mer. On courut pourtant après, et la crainte d'estre attrapés leurs fit ranger terre vers la rivière de St Jean : puis abandonnant leurs canot ils gagnèrent aux pieds par les bois ; or comme nos chasseurs en avoient un avec eux sur laditte ance des Palmistes, on les alla advertir promptement de l'arrester et de l'amener au fort, pour tenir compagnie à l'autre qui y estoit dès la St Pierre. Ce qui fut faict et nous en verrons la délivrance sur la fin de l'année. Sans doubte les tenants ainsy c'estoit avoir des asseurances qu'ils n'oseroient plus nous attaquer de crainte qu'on les fist mourir, car ils font tant d'estime seulement du moindre d'eux que pour luy conserver la vie ils renonceroient à tout autre intérest, le prisant plus que la mort de 100 François pour la ruine de toutes nos guérittes, et que toutes nos plus riches despouilles.

Et voylà comme l'esté nous a veu porter la peine des perfidies de ceux de la Martinique, verser nostre sang pour les expier, et ruiner nostre isle pour leurs intérests particuliers. Voyons un peu l'automne, qui n'est pas exempt de malheur, quoy que ce soit un acte de justice, le plus héroïque et le plus courageux qui se soit jamais exercé dans les isles. Comme le Sieur Dubu continuoit le train de sa vie détestable, la justice de Dieu le suivoit pas à pas et vint fondre tout à coup sur sa teste criminelle, ainsy que la foudre sur la pointe d'un rocher. Il s'estoit figuré que si Dieu ne descendoit en terre personne au monde n'oseroit l'attaquer, pas mesme en avoir la pensée. Ainsy vivoit-il dans des dissolutions horribles sans crainte des hommes ny respect de Dieu, mais enfin insupportable aux hommes et exécrables à Dieu, qui suscita des hommes jaloux de la gloire et de celle de l'esglise, grands serviteurs de du Roy et du seigneur fort zélé pour le bien public le maintien de (93v) la vertu et la ruine du vice qui avec autant de courage que de justice rendera à Dieu sa gloire, à l'esglise la liberté, au Roy son honneur, au Seigneur son intérest, au public un repos, et à la vertu son esclat, et au vice son supplice. Il se persuadoit que tant de crimes seroient sans chastiment à cause que maintenant personne ne l'empeschoit ; mais ne scavoit-il pas que Dieu est un juge qui ne pardonne rien et qui punit nos offenses avec d'autant plus de rigueurs, que sa bonté a plus longtemps attendu notre amandement. (...)[12]. Quelle n'estoit donc pas la vie du Sieur Dubu, à qui le Sieur Comte de Cérillat avoit commis la conduitte de sa colonie dans la Grenade ! Voyci en racourcy ce qu'on en pourroit dire en grand volume : « Criminel des loix divines et humaines ; blasphémateur de Dieu et persécuteur d'Esglise ; outrageux au Roy, félon à son seigneur, tyran du peuple, pêcheur public, athée en effet et chrestien en apparence ». Et pour commencer par les intérests de Dieu, il n'ouvroit presque jamais la bouche sans blasphèmes et reniement de Dieu ; il commençoit néantmoins tousjours par jurement et de là pour mieux asseurer son discours ou pour l'embelir se servoit de ce langage de démons, puis les finissoit par quelques exécrables sermens et insolentes paroles. Il croyoit que c'estoit le moyen de faire l'habile homme et il faisoit le « chartier embourbé », de se faire craindre et il se faisoit hayr ; de se faire honnorer et il se faisoit mespriser. On a veu trembler le fort, frissonner les plus résolus et hériser le poil aux plus déterminéz, à force de ces blasphèmes qu'il enchérissoit les uns sur les autres, et faisoit monter comme par degréz au plus haut point de l'impiété. Il fit attacher un jour devant le fort de part le Roy : « Deffense de crïer le S[t] nom de Dieu,

12. Un tiers de page.

sous de rigoureuses peines » et semblables aux Scribes et Pharisiens de l'Evangile qui descrièrent de l'authorité de Moyse, il ne faisoit luy-mesme rien moins que ce qu'il ordonnoit, se contentant de l'avoir faict et laissant aux autres à l'observer, quoyqu'il dust commencer luy-mesme pour les y obliger par son exemple, qui sans doubte eust en plus de force pour les retenir de ces desbordemens, que toutes ses menaces. Mais pour un autre crime contre Dieu, la convoitise enragée d'avoir du bien et de quoy fournir à ses desbauches et à ses excèz le fit aller un jour consulter un magicien pour luy donnée entrée dans le sabbat, et se donner au démon corps et âme, à celte condition de luy faire avoir la jouissance de toutes celles qu'il désireroit (94r) et tout autant d'argent qu'il luy faudroit pour entretenir ses plaisirs et ses dissolutions il y fut mais il n'osa faire ouverture du dessein ce contentant seulement à ce qu'il m'a dit et à d'autres, de voir la cérémonie de celte assemblée. Je luy demanday pourquoy il me respondit « qu'il y avoit un trop grand monde et qu'il n'eust peu le déclarer sans qu'on l'entendit », et néantmoins il ne vouloit que personne en sceut rien. Ce qui fut cause qu'estant retourné vers son magicien pour avoir un autre expédient de luy parler en particulier il en receut celuy-ci de garder la chambre noire l'espace de 15 jours, et de faire telles invocations, il le fit abandonné, qu'il estoit ; mais le bouquin [13] ne parut point, cognoissant trop bien la légéreté de son esprit, ses fougues et ses caprices.

L'Eglise n'en a pas receu un meilleur traittement que Dieu. Si l'on a traitté le père de famille de Beelzébuth, disoit un jour Nostre-Seigneur à ses apostres, de qui traittera-on ses domestiques ? Le serviteur n'est pas plus considérable que son maistre. Si le pape avoit une fois cette témérité ou ses cardinaux de le reprendre de ses libertés les ayant entre ses mains il leurs feroit manger de l'herbe juroit le Sieur Dubu avec maugréement et avec des paroles infâmes. Il pensoit estonner par ses beaux discours le R.P. missionnaire qui estoit présent et luy ferma la bouche ; mais ce fut ce qui le fit tonner davantage contre le vice de quoy le piquant, il conceut contre luy une rage (de) démons qui luy en fit escrire ces mots au Sieur Comte de Cérillat, pour le ruiner d'estime dans son esprit, en date du

13. Bouquin : vieux bouc, démon.

premier de juillet dernier après s'estre plaint des principaux de sa colonie, et particulièrement du Sieur de St Mart : « Pour une autre mortification nous avons un père jacobin qui nous faict enrager ». Ouy bien et ses concubines ? Mais générallement tous les habitans l'ayment comme leurs père, l'honnorent comme leurs pasteurs, et l'admirent comme un ange du Ciel. Comme sa langue esfrenée ne pouvoit dire une vérité, aussy son oreille ne la pouvoit souffrir ; tout ce qui donnoit quelque légère atteinte à sa conscience luy estoit insupportable, et pour peu qu'on le touchoit il sembloit qu'on l'escorchoit. D'où vient qu'il luy deffendoit de la part du Roy de plus prescher ny dire ny publier quoy que ce fut, en l'esglise ny ailleurs. Mais son silence par un miracle ravissant estoit plus éloquent que toutes ses plus fortes patenotres, déclamant plus puissamment contre le vice par celte retenüe que foudroyant en chaire par ses paroles, et luy faisant de plus senglants reproches à ne dire mot que s'il eust jelté contre luy feux et flammes. Il aposta deux personnes pour l'assassiner, l'un du costé du Beau Séjour, et l'autre de celuy de la Grande ance, s'il y alloit visiter à son ordinaire quelques malades ; puis l'on diroit que ce seroit les Sauvages qui l'auroient massacréz. Mais on en donna advis au R. Père et le Sieur Dubu ayant veu sa mine éventée, en pensa crever de despit. Son esprit assez inventif pour le mal et prompt à l'exécuter, le fit résoudre à se servir du poison. Il en communiqua à son privé conseil, qui l'en dissuada sur ce que l'on manqueroit jamais à le recognoistre et ce seroit une tasche éternellement à son honneur. Il s'avisa donc un jour de le faire embarquer dans un canot, sous prétexte de le conduire au Beau séjour pour y assister un malade qu'on feindroit estre à l'extrémité, et cependant poussant plus avant on l'iroit dégrader dans les Grenadins pour y estre (94v) assomé par les Sauvages, ou y mourir de faim ; on l'en divertit encore sur ce que sa cruauté se descouvriroit tousjours, le peuple qui l'ayme et qui le respecte gronderoit haultement ; les Sauvages qui le cognoissent et l'estiment ne luy feroient rien, et mesme le pourroient emmener de La Gardelouppe, où il feroit grand bruit. Il voulut encor le faire jelter dans quelque autre meschant canot, tout seul et sans aviron, en une nuict orageuse, pour estre à la mercy des vents, des vagues et des tempestes, et encor rompit-on ce mauvais dessein, par la seule crainte que Dieu s'en faisant le pilote ne le fit surgir à bon port, d'où il pourroit exciter une si grande tourmente qu'elle perdroit celuy qui l'auroit voulu noyer. Ainsy remit-il en un autre temps l'exécution de son attentat, lorsqu'il se retireroit de l'isle avec les effects et les nègres du Sieur Comte de Cérillat ; car pour lors l'attirant par finesse dans sa barque et ensuitte l'ayant à sa discrétion, il le feroit jelter en mer en une nuict q'il y penseroit moins. Mais comme Dieu avoit rendu inutils tous ses autres desseins, aussy empescha-il les effects de ce pernicieux conseil n'ayant permit que ses mains exécutassent ce que son esprit malicieux avoit projelté.

Il avoit desjà par deux fois levé la main sacrilègue sur luy et frappé outrageusement en présence du peuple, sans autre raison que celle de sa rage, qui ne peut souffrir la présence d'une personne sacrée, qui par obligation de charges et de conscience presche l'évangile, dit la vérité, relève la vertu, et blasme le vice ; et comment sa main ne seicha-elle comme celle de Jéroboam pour l'avoir levé sur un prophète qui luy portoit les ordres de Dieu ? Il le traisna là jour du S.t Sacrement par la place après la sortie de Vespres, sur ce que sa belle fantaisie troublée de vin d'Espagne et brouillée d'eau-de-vie, eschauffée par ses goinfres, luy représenta qu'il n'avoit point receu autant d'honneur que son authorité fantastique en méritoit et comment le feu du Ciel ne descendit-il sur sa teste détestable pour le consommer, comme il fit ceux du roy Ochazias qui se voulurent saisir par son commandement de la personne du prophète Elie. Il voulut souslever le peuple pour le mal traitter et le chasser de l'isle ; mais le peuple qui scavoit sa malice ne voulut jamais servir d'instrument à sa passion ; tant s'en faut il commença à gronder fortement, comme font les flots d'une mer mutinée, et protesta toute sorte de persécution et de crieries à ce pauvre persécuté qui ne s'estonnoit non plus de celte persécution et de ces outrages que de voir de la pluye en temps d'hyver ; et comment la terre ne s'entrevrit-elle soubs ses pieds, pour le dérober dans ses abysmes comme elle fit autrefois Coré, d'Athan, et Abiron qui avoient ourdi une sédition parmy le peuple contre Moyse et Aaron ? Il se disoit chef de l'Eglise et s'en arrogeoit l'authorité à la mode angloise, de là comme il avoit un prestre à son honneur, il luy commis l'administration des sacrements, la conduilte des âmes, et la direction de la chappelle, en ayant despouillé celuy qui en estoit pourveu par le Saint-Siège, d'où sont préveneus de grands désordres comme mariages clandestins, confessions nulles, sacrements profanéz, et des scandales prodigieux. Et comment ne fut-il frappé de lèpre, comme le fut Ozias en la partie la plus éminente de son corps, pour avoir usurpé le droit du grand prestre en prenant l'encensoir et voulant faire sa dévotion sur l'hostel des parfums, mais Dieu qui ne lesse rien d'impuny, surtout les impiétéz et les sacrilèges, le réservoit à une confusion terrible et une vengeance (95r) inexplicable.

Il n'a pas eu plus de respect pour son prince et pour son Roy, que pour Dieu et son esglise. Il se qualifie roy de La Grenade en beaucoup de rencontres disant mesme avec reniement de Dieu : « qui doublte que je ne sois roy de La Grenade ? » qu'il en fit un acte solennel au contract de mariage entre le Sieur Blanchard et Damoiselle de Mouchet, le créant escuyer pour honnorer l'alliance. La compagnie l'ayant trouvé mauvais, il se leva, et desterrant 4 ou 5 morts dit qu'il en avoit le pouvoir, et que par la mort personne n'en devoit doubter, et qu'il le montreroit bien avec le temps. S'estant emparé par bienscéance d'une place appartenant au révérend Père missionnaire, respondit en l'opposant qu'il estoit « roy de la Grenade, et qu'en celte qualité il vouloit avoir tout le bien qui l'accomodroit comme maistre absolu des biens et fortunes de ses subjets », outre qu'on avoit laissé passer 2 cents jour sans y travailler. Luy ayant esté remontré que les ordres du Roy qui portoient desfence de s'en emparer, auparavant main levée ne l'avoit permis, il entra en une telle fougue qu'après avoir vomy quantité de paroles insolentes contre la sacrée personne du Roy et dit que « s'il tenoit sa lettre du petit cachet il s'en torcheroit le derrier », il jura exécrablement qu'il n'y avoit point d'autre roy de La Grenade que luy-mesme ; pour celuy de la France, son pouvoir estoit borné par la mer et ne s'estendoit plus outre. Il y avoit desjà quelque temps qu'il s'estoit rendu criminel de lézé majesté lorsque pour le siège d'Arras un capitaine s'estant fié à luy trop légèrement sur son cajol et hablerie luy donna l'argent du Roy pour luy lever des soldats, affin de rendre sa compagnie complète ; et luy qui ne cherchoit que cela l'ayant entre les mains s'envola à Paris, d'où tirant des perdues il les amena dans le havre de Grace, et joignant leurs forces ensemble, tant qu'ils eurent de la subsistance, ils firent une rude guerre à la mélancholie. Le capitaine attendoit sa recreüe, et en attendant le voyà tué en une rencontre ainsy sa mort fut la vie de ce fourbe, qu'il n'eust jamais manqué de poursuivre par justice pour avoir raison d'une si infâme lascheté qui s'esgayoit dans le champ de Vénus pendant que ce brave estoit tout couvert de sang dans celuy de Mars. Mais ce qui est inexcusablement outrageux pour qui les roys n'ont point de grâce ny le public de compastion non plus que les loys de maistrise, est la fausse monnoye. Il y avoit longtemps qu'il en faisoit, et pour y travailler plus en repos et hors de crainte, il se donna avec de ses complices au Sieur Comte de Cérillat qui se disposoit à venir en la Grenade, sur ce qu'on luy avoit asseuré qu'il y avoit des mynes d'or et d'argent. Il n'y fut pas trois jours qu'il commencea ce beau mestier faisant fondre quantité d'estaing, et avec ses secrets le réduisant au point qu'il doit estre pour sembler de l'argent, donner le son, oster le cry, bailler couleur, faire le poix et autres bagatelles du mestier, dont il m'entretint un soir après soupper. Mais il luy fut bien funeste, car au lieu de luy procurer, des richesses, de la grandeur, des plaisirs, et une vie heureuse et contente, par un effect contraire il l'a despouillé de tous ses biens, abbaissé à une misère desplorable, chargé de fers et faict punir d'une mort honteuse. Il se servoit de sable, où il jeltoit des pièces de France, d'Allemagne, d'Espagne, et d'Angleterre de toutes sortes de fabriques, comme on en a trouvé en son astre ; néantmoins il n'avoit que deux déz de France pour les louys de 30 sols. De celte fausse monnoye il donna 600 livres au Sieur Dutoy à son départ pour la distribuer en France, et luy en achepter ce qui estoit nécessaire à continuer ce beau mesnage, suyvant les instructions et le mémoire qu'il luy en donne. Il vouloit aussy en achepter des habitans leurs pétuns (95v) ce disoit-il, pour les soulager de la peine de s'en deffaire vers d'autres ; et prendroit à gré le soing de les faire venir de

France pour son comte[14]. Ce qui estoit leurs couper gorge et les rendre misérables. Mais Dieu y mit bon ordre renversant ses damnables desseins par une fin tragique.

Comme personne ne troubloit ce beau mesnage, il se figura que le temps seroit tousjours d'une mesme tenue quoyque le R.P. missionnaire luy en donna un jour addroictement bien serré sur les doigts et bien à penser et à craindre en une prédication du mauvais exemple, tirant une comparaison des faux monnoyeurs, de quoy il se plaignit à un de ses confidents. D'où vient que s'y fiant il se plaignit, il escrivit à son bon amy qu'il n'avoit qu'à venir dans la Grenade et qu'il y faisoit bon pour le mestier qu'ils scavoient, encore escrivant à son associé Champeau en datte du 20me de décembre 1658 il luy coucha ces mots de sa propre main sur le reply de sa lettre : « Apporte-moy des drogues que tu scais : faict-les achepter à Monsieur le Compte et puis laisse faire » ; mesme sollicita autant qu'il peut de paroles un homme d'honneur à l'aider en son travaille qu'il appelloit son petit divertissement préférant la crainte de Dieu et le respect du Roy à tous les beaux aventages du monde, une pauvreté vertueuse à de mauvaises richesses. Ignorant qu'il estoit de l'advenir, que le R.P. missionnaire luy avoit tant de fois prédit ! Et s'il ne ne vouloit pas croire, n'en pouvoit-il pas bien juger sur ce que nous voyons que les jours se suivent, mais ne se ressemblent pas ? La mer est calme, qui en un tour de main devient orageuse ; le soleil est tout brillant de lumière sur nos testes qui en un moment est couvert d'un fascheux nuage ; et l'air est serain, doux et agréable, qui aussy-tost est tout trenché d'esclaires. Dieu patientoit en attendant qu'il se retirasse de sa mauvaise vie, mais luy abusant tousjours de sa bonté esprouva sa justice. S'il a perdu le respect envers sa Majesté, il n'est pas à croire qu'il en eust pour son Seigneur et son maistre. Ses paroles et ses leltres le vouloient bien parfois persuader aux plus simples, mais son cœur les démentoit et ses actions en savaient dépendre. Dieu dit autrefois par son prophète Esaye au peuple juif ce que luy répéta du depuis le Seigneur de nos âmes, qu'il étoit un peuple qui ne l'honnoroit

14. « Et prendrait à gré le soing de les faire venir de France pour son comte » : il lui serait agréable de les faire venir de France pour son compte, c'est-à-dire comme des engagés.

que des lèvres, en ayant le cœur fort esloigné. Et c'est justement comme se comporte à proportion le Sieur Dubu à l'endroit du Sieur Comte de Cérillat, son cœur ne s'accordant avec sa langue, ce que sa conduilte faisoit trop cognoistre. Je ne veux m'arrester aux mauvais discours qui luy en eschappoient quelquefois en des entretiens particuliers et (et) ceux qu'on luy a entendu tenir à la Barboude, à la Martinique, et à la Grenade, jusqu'à vouloir desbaucher les principaux de la colonie de continuer leur route dèz la Barboude, sur ce que ledit Sieur Comte de Cérillat en faisoit si peu d'estime, leurs remonstroit-il qu'il avoit préféré à eux tous le Sieur de Bonnebourg capitaine de ses gardes, qui n'estoit pas de leur volée, en la conduitte de laditte colonie, s'il arrivoit que ledit Sieur Dubu, vint à mourir, comme il est porté dans la commission, que j'ay insérée cy-dessus en l'année dernière.

Le Barboudois qui est un adroict ayant recogneu qu'il estoit capable de félonnie luy tesmoigna de l'envie sur la Grenade, et ledit Sieur Dubu ayant veu que c'estoit là une belle occasion pour faire tout d'un coup fortune luy promit de luy donner au plustost contentement, luy donnant les Grenadins et se réservant la Grenade à condition de se maintenir l'un l'autre, contre toute autre puissance qui s'opposeroit (96r) à la leur et les voudroit faire de s'emparer il luy en escrivilt la my septembre dernier par le Sieur Dutoc, complice de tous ses crimes, et ne put si bien cacher dans son sein le feu de celte perfidie, qu'il n'en descouvrit la flamme à quelques habitans pour les attirer à son party, sous prétexte à fortifier l'isle contre les Sauvages, en la peuplant de ces colonies estrangères. Néantmoins soit par remords de conscience, soit par légéreté d'esprit, soit par l'un et par l'autre il prit dessein d'abandonner l'isle, aussy disoit-il souvent qu'il avoit plusieurs cordes en son arc et voulant tous les effects du Sieur Comte de Cérillat, les nègres du fort et ceux des habitants, d'où vient que se promenant un jour avec son ausmonier, et le voyant en bon estat il luy eschappa de dire par mesgard qu'il luy faisoit mal au cœur de la quitter. Sur quoy son compagnon fit sans mot dire une forte réflection qu'il me communiqua après. A cet effet il donna jour au capitaine Baillardet de la Martinique, qui l'advoua franchement, de le venir trouver avec sa barque, à quoy il ne manqua pas estant arrivé icy le 10me de novembre. Mais la mort le prévint dès le huictiesme ainsy que nous verrons. La ruse estoit que ledit Baillardet arrivoit de nuict et se cacheroit vers la rivière du Beau séjour ; aussytost on donneroit advis au valet du Sieur Dubu qui demeuroit au corps de garde avancé dans le quartier ; et ce bon valet qui auroit le mot, viendroit à quelque heure que ce fust en advertir secrettement son bon maistre, qui après feroit aller les nègres du fort, et tous les autres qu'il pourroit avoir au quartier sous prétexte d'y travailler, les uns à desfricher et les autres à planter ; puis embarquer les coffres, les malles et les bahus à la faveur de la nuict, pour n'estre aperceus de personnes ; de quoy toutefois il y avoit desjà sous mains un petit bruit pour y prendre garde. Enfin le tout estant rendu se devoit promptement meltre dans la barque avec les nègres et les nègresses, ses plus affidés et affidées ; et ensuitte vent derrière, et où aller Dieu le scait. On entendit un jour que l'une de ses concubines avertissoit son mary qu'il prist bien garde de ne point désobliger en quoy que ce fut le Sieur Dubu et de bien faire ses volontéz, car il avoit de bonnes inclinations pour eux, et les mèneroit bientost avec luy à la Barboude où ils pourroient faire toute une autre fortune qu'ils ne feroient jamais en la Grenade, à ce qu'il luy avoit dit secreltement et en particulier. Ce que néantmoins la pauvre petite femme qui a la langue peu courte lessa de descouvrir à une personne d'honneur et celte personne par contagion de mal à une autre. A quoy aussy le sollicita le Sieur Champeau lorsqu'il vint le 3me de septembre dernier retirer de la Grenade ses effets. Luy ayant dit qu'il eust à tout quitter et venir à la Barboude, où l'attendoient des personnes faittes comme toy et moy, luy dit-il. Mais quel détestable dessein ! La mort le rompit heureusement, pour ne voir une isle dans la plus déplorable désolation où la misère la put jamais réduire, ayant perdu toutes ses forces par l'enlèvement de ses esclaves, et ses grandes richesses par le vol de tous les effets de son Seigneur. Il est à croire que c'est sur ce dessein qu'il lessa les terres du fort en friche et reprendre leur première nature, et ayant tiré tous les vivres sans jamais y en avoir planté d'autres. Il ne s'en soucioit pas pourveu qu'il y en eust assez jusqu'à son départ. Que le Sieur Comte de Cérillat vint quand (96v) il voudroit ; qu'il y trouva de quoy faire subsister son monde, ou qu'il n'y trouva rien cela ne luy importoit. Tousjours trouveroit-il le nid quoyque les oyseaux s'en fussent envoléz. Aussy que ne venoit-il plustost, leurs aisles n'estant pas si fortes, ils n'eussent pu voler. Mais Dieu qui avoit pris cette isle sous son amoureuse protection, souffla sur un si pernicieux dessein, et le réduisit en poussière, ne permit ce malheur, en le prévenant par sa bonté et surprit le Sieur Dubu dans son crime en l'accablant de misère par sa justice.

Aussy quand il n'eust pas en ces mauvais desseins il s'estoit tousjours rendu assez criminel à l'endroit du Sieur le Comte de Cérillat, d'avoir pris possession de la Grenade contre la deffence qu'il luy en avoit faicte et d'en avoir usurpé le gouvernement contre l'ordre qu'il en avoit receu le pouvoir de faire tout pour le mieux, inscrit dans son second mémoire que j'ay rapporté cy-dessus, ne le peut rendre excusable, d'autant que comme peuvent voir les plus petits esprits, il ne se pouvoit entendre que pour la conduitte particulière de la colonie, retranchée en quelque quartier de la Martinique ou de la Grenade et non point pour la prise de possession ny du gouvernement de laditte Grenade. Mais dèz son départ d'Angleterre ayant sa commission il médita le dessein de s'en faire absolument gouverneur, cela luy semblant son mieux, quoy que ce fut au préjudice de son seigneur, qui le luy avoit deffendu d'où vient qu'en passant il tira du Barboudois de belles instructions pour bien gouverner le peuple de la Grenade, comme elles portent en tiltre mais très mal observées ; et fit jouer sous mains toutes sortes de ressorts à la Martinique pour cette prise de possession et de gouvernement contre sa foy et son honneur, autant infâme que perfide encor en voicy un acte qui faict horreur mesme aux démons. Sa conscience luy reprochant le mespris des ordres du sieur Comte de Cérillac la dissipassion de ses effects et générallement sa mauvaise conduitte, et appréhendoit quelque recherche et quelques honteux chastiments, il voulut aller au devant de ce qu'il craignoit plus que la mort, par un poison qu'il prépara pour l'arrivée dudit Sieur Comte de Cérillat. Ce qui ne fut pas si secret, qu'il ne vint à la cognoissance de quelques-uns, les uns croyent qu'il luy devoit estre donné en un bouillon, d'autres mis en sa perruque, d'aucuns dans ses linceux [15]. Je scay une de ses bonnes amyes, à qui il en avoit confié un pour servir au (?) [16] qu'il luy diroit. Elle l'ayant descouvert au R.P. missionnaire qui la conjura par les intérêts de sa conscience de la luy remettre entre les mains pour le jetter en sa présence dans le feu, de crainte qu'il ne servist à quelque mauvais dessein, elle le luy refusa, disant qu'il le prendrait mauvais, quoyque le révérend père lui donnasse une deffaite qui l'eust mis à couvert de tout bruit et luy eust servy d'excuse. Ce qui fut cause que depuis le R.P. ayant eu quelque desmellé avec le Sieur Dubu, ainsy que j'ay dit ci-dessus, il ne luy donna plus de visite mesme voulut jamais manger chez elle quoyqu'elle l'en pressasse fort, se deffiant raisonnablement de l'esprit d'une meschante femme. Je ne scay si elle ne trempoit point dans la conspiration du poison contre le Sieur Comte de Cérillat ; tant y a que le Sieur Dubu estant prest de mourir, il dit hautement et constamment qu'elle estoit criminelle et digne de mort aussy bien que luy. On (97r) n'insista pas à luy faire déclarer pour quel chef et le sujet est demeuré dans le doubte du poison ou de la fausse monnoye. Mais en ceste conjecture de l'attentat par poison sur ledit Sieur Comte de Cérillat, ledit Sieur Dubu se promenant en un jour avec un homme d'honneur, et s'entretenant de ce que ledit Sieur Comte de Cérillat pourroit meltre quelque autre gouverneur il répliqua avec un reniement de Dieu qu'il ne luy en donneroit pas le temps ne voyant pas qu'il fust jamais 15 jours en vie dans la Grenade. Mesme dit-il souvent que comme sa guéritte dominoit le logis dudit Sieur Comte de Cérillat, et estoit en disposition d'y faire conduire quelques moyennes pièces de canon, c'estoit pour luy apprendre son devoir s'il ne suyvoit ses volontés.

Qu'en pouvoit maintenant attendre le peuple d'un tel homme si félon et si traitre à son Seigneur, à qui il devoit tout honneur et tout service ? On ne scauroit rien tirer que de bonnes pierres d'un bon thrésor, et d'un mauvais on n'en scauroit prendre que de mauvaises disoit un jour le Sauveur. D'abord il voulut introduire le droit des aubaines, qui est institué (?) [17] voulu faire

15. Linceul est employé jusqu'au XVIIe siècle dans le sens de drap de lit.

16. Un mot qu'il a été impossible de déchiffrer.

17. Un mot qu'il a été impossible de déchiffrer.

naufrage au port car comme ce droit est un peu tyrannique estant la liberté de disposer de ses biens en faveur de ses amys ; il vouloit faire récompense au fisque du Seigneur tout ce que les habitans avoient acquis avec bien des soucis et laissoient pour leur mort, ne voulant permeltre qu'ils en disposassent par leur dernière volonté au bien et profit ce qui que ce fut, sans considérer qu'il n'a jamais esté introduit en aucunes isles depuis qu'elles sont isles et qu'il n'estoit pas mesme temps de l'introduire ; d'autant que les premiers establissements doivent estre accompagnéz de douceur, si on les veut voir fournir de bonnes redevances, au lieu que si l'on commence par la rigueur ils n'auront jamais que de mauvais succèz. Il en est comme des ruches que vous peuplez facilement d'abeilles si vous les parfumez de douces odeurs ; mais vous les en estrangez si vous vous en servez de fortes et violentes. Il falloit faire les testaments à sa mode, couchant plustost par escrit ses volontés que celles du malade ou faisant violence aux affection de ce pauvre languissant pour s'accommoder aux fantaisies de ce détestable tyran. Il s'emparoit de tout ce qui estoit à sa bienscéance et comme un autre Achab ne faisoit point de scrupule de se saisir de la vigne de Naboth. Après avoir esté cause du massacre de ceux du Beau séjour, il se saisit de leurs biens, de sorte que je puis dire de luy avec autant de vérité, que le prophète Elie dit à ce roy au sujet de ce pauvre homme, que Jézabel fit mourir pour avoir son bien par force « Tu as tué et après tu as possédé », qu'elle ne pouvoit autrement par justice. Les affaires appellants quelques-uns hors de l'isle il leurs limitoit le temps, lequel expiré il se jettoit sur leurs biens. Il ne demandoit pas mieux pour tout avoir et le vendre à son profit aux premiers venus, mesme disoit-il hautement tant il estoit secret, « qu'il ne leurs avoit donné congé qui pour ne point retourner affin d'avoir leurs biens, et ne craignoit rien tant que leur retour, affin que celte proye n'eschappast de ses griffes ». S'il voyoit quelqu'un qui avoit un peu de forces pour avancer sa fortune il luy faisoit mil caresses pour l'attraper ; avoit-il le visage tourné il juroit « qu'il voudroit qu'on luy eust donné un coup de pistolet dans la teste, et qu'il se pareroit de ses plumes ». Ayant apris qu'un pauvre habitan qui a bien de la peine à vivre et à pousser (97v) le temps avec l'espaule comme l'on dit, avoit traitté des Sauvages un lit de coton passablement beau, il le voulut avoir, et à son prix 5 sols par exemple pour ce qui en valoit 100 autrement jurant avec mil reniements de Dieu, il le brusleroit auparavant que de partir, dans le feu qu'il alla faire allumer. Il sollicita ces Sauvages à le massacrer à la première rencontre ; mais le grand Baba et le capitaine Anthoine luy dirent qu'il ne le falloit pas : ce seroit troubler la paix, au reste il ne leurs avoit jamais faict mal, t'en s'en faut il leurs avoit tousjours esté bon de quoy mesme ils se plaignirent à quelques particuliers disant que leurs capitaine n'estoit pas bon, parlant du Sieur Dubu, de les avoir sollicité à tuer Saint-Amour qui estoit mouche bon à eux, ils veuillent dire à leur jargon qu'il avoit beaucoup d'inclinations pour eux.

Quelle honte qu'il faille que les infidels, des Sauvages, des barbares nous remontrent par leurs seules et pures lumières de nature les devoirs de nostre christianisme ! Le Sauveur de nos âmes disoit autrefois aux Juifs que les ministres et la reyne de Saba le lèveroient au jugement et porteroient tesmoignage contre eux mais je puis bien aussy dire que ces Careibes, tout Sauvages et infidels qu'ils sont, seront les tesmoings et les juges en ce grand jour de fureur de la cruauté et de la rage du Sieur Dubu comme ils ont esté icy son maistres, ses instructeurs et ses correcteurs. On luy peut justement et raisonnablement imputer le massacre du Beau séjour, d'autant qu'il a deu l'empescher estant une obligation de sa charge de gouverneur, tel qu'il se disoit, quoyque faussement il la peu faisant seulement meltre le monde sur ces gardes pour n'estre surpris, ne permettant que le quartier se dégarnit pour se soustenir mieux, et le fortisfiant encore par d'autres soldats qu'il avoit en mains, au moins jusqu'à ce que l'orage fut dissipé pour repousser les attaques ; il la sceu en ayant esté adverty, ainsy que j'ay raporté cy-dessus; et donc en l'ayant empesché il la voulu, puisqu'on veut bien qu'une chose arrive quand on ne l'empesche pas, quoyqu'on la doive et qu'on le puisse, et mesme qu'on ait advis qu'elle dut arriver. Ainsy Néron voulut bien l'embrazement de la ville de Rome puisque sa qualité l'obligoit à sa conversation, il pouvoit bien rompre ce malheureux dessein, et le scavoit, puisque luy-mesme en estoit l'autheur ; néantmoins il ne l'empescha pas, tant s'en faut il le contemploit au milieu d'une esmeraude, et le trouvoit de (?) gay ; et le Sieur Dubu, Néron de la Grenade, prend son plaisir pendant qu'on massacre ses pauvres Grenadins, et la nouvelle qu'on l'ay en apport faict ses plus grandes joyes. Ce qui se passa entre luy et le Sieur de St-Marc est estonnant. Comme ce généreux chevallier restoit entier maistre dans les intérest du Sieur le Comte de Cérillat, et ne pouvoit souffrir que le Sieur Dubu dissipa ses effects en ayant lasché quelques paroles qui furent rapportées, il en fut honteusement poursuivis, d'autant que le Sieur Dubu luy fit faire son procéz et le condamna au banissement, sous prétexte de calomnies inventées contre luy, ainsi que j'ay dit cy-dessus, il s'en vouloit deffaire pour n'estre esclairé de si prest et de tels yeux et pour couvrir son dessein il y falloit procéder avec quelque couleur de justice. Les Sieurs de la Jussaye et Blanchard, ses gendres, y furent enveloppés. Mais quelque considérations luy firent cesser ses poursuittes. Auparavant tout ce beau tintamar il les (98r) accabloit de caresses, et tous autres de sa colonie et les contraignoit à venir manger à sa table. Après qu'ils estoient retiréz ils fulminoient contre eux avec des paroles insolentes, de l'avoir pris au mot. Ce que ne pouvant souffrir, un jour je luy dit avec ma franchise ordinaire « qu'il s'en devoit prendre à luy-mesme les y ayant attiré par ses importunitéz » ; cependant que je m'estonnois fort qu'il les traittoit si mal en leur absence, voyant qu'il leurs faisoient en leur présence tant de civilités et de bon visage. A quoy il me respondit que ses civilitéz ne valoient jamais rien. Je luy dis là-dessus qu'il sembloit ne vouloir sa vie par la cognoistre qu'il ne se falloit pas fier autrement à luy ; « ne s'y fie qui voudra » me répliqua-il, tant y a que mes civilitéz ne vaillent du tout rien et l'on s'en doit d'autant plus deffier qu'elles sont plus caressantes. « Malheur ! dit un Sage, au cœur double, aux mauvaises langues, aux mains malfaisantes et à celuy qui marche par deux chemins ».

Beaucoup de sa colonie que le Sieur Comte de Cérillac luy avoit recommander comme ses propres enfants, sont morts par le refus de quelques petites assistances que luy seul leurs pouvoit donner ; d'autres n'ont fait que languir un long temps par la mesme cruauté ; et d'autres s'en sont alléz ne pouvant plus subsister sans une telle humanité. Comme on le plaignoit un jour du peu de munition que l'on avoit pour soustenir la guerre des Sauvages, il dit qu'il en avoit bien mais que sur la mort c'estoit pour un tout autre service des habitants, en leurs en guérissant le battement de teste ce qu'il leurs répéta un dimanche 2 ou 3 fois au sortir de l'esglise, jurant et reniant. C'é qu'il avoit desjà eu le vent du mescontentement de tout le peuple par ses scandales et ses désordres, et par vengeance leur refusoit tout assistance mesme bien loing de devoir en donner, il les menaçoit de faire (faire) mains basses sur eux pour n'avoir plus de contradictions à ses volontés. Quelque temps auparavant qu'il fut appréhendé, voyant qu'il estoit dans l'aversion du peuple et ruiné d'estime et décrédit il tiroit souvent un poignard de sa poche et disoit en jurant que dans quelques jours il feroit de bonnes exécutions. Encor luy entendit-on jurer, que bientost il meltroit blanchir les os des habitants derrière le fort ; Dieu permettant que sa langue trahisse sa pensée et son dessein pour s'en donner en garde, et on n'y manqua pas. Est-ce là un père du peuple ou un borreau ? un protecteur de l'isle ou un destructeur, un bon commendant ou un tyran ? Sa tyrannie s'estendit mesme jusque sur les lettres des particuliers car craignant qu'on informast les autres de ses oppressions et de sa mauvaise vie, principallement le Sieur Comte de Cérillat et qu'on le despeignit de ses propres couleurs, il les vouloit toutes voir mais l'artifice en desroba beaucoup à sa curiosité, ne luy estant raportées que celles qu'on vouloit que tout le monde sceust pour y obliger tous générallement, de quelque estat et condition que ce fust. Il sollicita le sieur de la Bedade greffier et notaire tabellion de l'isle à luy contrefaire une défense de la part du Roy, qu'aucun n'eust à envoyer le moindre mot ou lettres à qui que ce soit, ny en ouvrir aucune qu'on auroit receu, sans l'avoir auparavant communiqué au gouverneur du lieu. Mais cet homme craignant Dieu et scachant trop bien les devoirs de sa conscience, aussy bien que de sa charge n'y voulut jamais entendre, quelques belles promesses et quelques menaces estonnantes qu'il luy fit ce qui luy procura son aversion pour (98v) ne vouloir commeltre aucune fausseté.

Venons maintenant à ses lubricités qui estoient aussy cogneues que ses autres crimes. Il entretenoit, scandal défendu, à la veue de tout le peuple deux femmes mariées et au fort du Roy ; et non content de ces concubinages notoires et publics il couroit par les cases comme un estalon sollicitant les unes et les autres à faire ses damnables volontés. « Il faut qu'elles y passent toutes » dit-il un jour à un de ses infâmes confidents. Mais il estoit si fort accoustumé à tromper qu'il se trompa luy-mesme, ayant trouvé autant de résistance à deffendre leur honneur, qu'il apportoit de force à la ravir. Il n'a pas mesme voulu espargner la petitesse de l'aage ny respecter son innocence. Une mère assez perdüe luy ayant donné sa fille, seulement de neuf ans pour en faire ses plaisirs, affin de luy faire apprendre ce qu'elle a faict tousjours et continüe encor, comme si la fille ne devoit pas estre plus sage que la mère, et la mère eusse eu honte de se voir moins sage que sa fille, aussy sa brutalité ne le porta-elle pas un jour au pays à violer par force une petite fille qu'il rencontra en son chemin ! Ne l'ayant peu comme il n'avoit point de cousteau il tira son espée. L'honnesteté ne me permet point d'en dire davantage. Ce pauvre enfant s'en alla toute en sang, comme elle peut et toute en larmes vers son père, qui en fit sa plainte à Monsieur de Pinardière, père de ce desnaturé et de ce brutal. Ce bon seigneur en fut tellement touché, aussy bien que de tant d'autres horreurs de sa vie, qui luy faisoient honte, et déshonnoroient sa maison, qu'il le poursuivist vivement. L'instance en est pendante à la justice du lieu, et n'eussent esté quelques respects de personnes de condition qui s'entremirent en cette affaire appaisant les justes colères de Monsieur son père, qui aussy arresta les poursuittes de cet enfant et de la justice, le (?)[18] d'un bourreau l'eust guerry du mal de sa rage. Pour comble de ses iniquités il faisoit profiter de ses lubricités, et quand il avoit séduit quelque malheureuse créature, il s'en ventoit comme s'il avoit gagné un empire. Quand on l'en reprenoit, il juroit par la teste qu'il avoit plus de plaisirs à le dire qu'à le faire. Et n'est-ce pas là l'extrémité du mal quand l'impie, dit le Sage, est descendu au plus bas de la meschanceté ? Il mesprise, il se mocque de tout, il tourne en risée les plus sérieux avertissements qu'on luy donne. Les menaces du jugement de Dieu et les supplices éternèles luy sont des terreurs paniques et ces divines oracles que nous recevons dans

18. Un mot qu'il a été impossible de déchiffrer.

la Sainte Escriture passent chez luy pour des fables. Il devient inpudent à outrance, portant un front de faire public ce que luy reproche Jérémie, qui ne scauroit rougir ny avoir honte de rien. Au contraire, dit le Sage, il se resjouit quand il a mal faict et bondit d'aise en l'exécution des crimes plus énormes, qui mériteroient des larmes de sang. Le R.P. missionnaire ne les pouvant souffrir, se sentit obligé pour l'acquit de sa charge et de sa conscience de tonner contre leurs désordres ; mais il attira sur soy la rage de ce perdu, qui comme un frénétique le sousleva contre le médecin qui le vouloit guérir, et d'autant plus impudemment, qu'il y avoit un ausmônier son confesseur et directeur de conscience qui porté (?)[19] contre ledit Père et appuyé de la faveur du Sieur Comte de Cérillat, le flattoit dans son mal et applaudissoit dans (99r) son libertinage pour avoir les mesmes plaisirs qui eussent esté troubléz s'il eusse par là une fois celte sainte liberté de l'en reprendre ainsi que son devoir l'y obligoit, et l'exemple de ce courageux missionnaire l'y portoit, pour nc voir une isle pleine de scandal et tout le peuple aux plaintes et aux murmures.

Il est bien plus raisonnable, dit le grand Nanzianzou de prendre courageusement les armes pour la deffence de la piété, que de céder laschement pour faire une capitulation honteuse, d'autant qu'on dit faire gloire d'estre hays et d'estre fuys de ces pécheurs abandonnéz, comme l'on dit tenir à des honneurs d'en estre aymés et d'en estre recherchéz. Aussy ce ne sont pas des amitiés chrestiennes, qui sont tousjours très franches et fort courageuses, que ces amitiés mondaincs qui ne scauroient s'entretenir que par des flatteries et par des compliments mensongères ; car si c'est un procédé qui est approuvé des hommes du siècle, que la vertu ruine l'amour qui ne se produit que par les condescendances, c'est une maxime de l'Escriture qui est receüe de tous les saincts, que nous devons plus honnestement recevoir les coups d'un amy que les baisers et les embrassades d'un trompeur. Néantmoins ce furent de grandes persécutions, contre le R.P. missionnaire, et de rudes combats, particulièrement pour la chasteté d'un autre Baptiste contre un autre Antipas. Il ne cessoit de déclamer d'autant plus contre les vices, qu'il voyoit moins d'amendement dans les erreurs et plus de contradiction contre

19. Un mot qu'il a été impossible de déchiffrer.

luy ; semblable au soleil qui ne laisse de luire, et ne perd nul espace de ses courses mesurées, quoyque la terre expire de puantes exhalaisons contre luy, et les vaux de fascheuses vapeurs. De là vous pouvez juger de quelle religion pouvoit estre le Sieur Dubu, car ordinairement tels libertins n'en ont aucune. D'où vient qu'un apostre parlant de certains hommes qui s'estoient couléz parmy les chrestiens de l'Esglise naissante, après qu'il a dit qu'il souilloient leur chair : se plaisant à la saleté et à l'ordure, dit ensuilte qu'ils mesprisoient toute sorte de puissance et ne parloient de Dieu qu'avec blasphème ; voulant par là montrer que l'impiété suit l'amour effrené de la chair. Et un Sage ayant demandé à Dieu de permeltre qu'aucune impureté accueillit son cœur, il adjouste « qu'il ne l'abandonne à l'irrévérence de son nom comme remarquant qu'après les plaisirs de la chair venoit la perte de tout respect pour Dieu ». On luy a souvent entendu dire que « ce que nous appellons Dieu ne subsistoit que par nos raisons et qu'on verroit encor de plus subtils que nous ne sommes, qui en forgeant de plus fortes le feroient aller en fumée, que le paradis n'estoit qu'un conte agréable et divertissant pour amuser les plus simples et l'enfer pour faire peur aux petits enfants, pour l'âme que elle retournoit par la mort du corps comme cela estoit venüe de rien à rien » ; en un mot qu'il n'y avoit point d'autres contentements que ceux de la terre. Il faisoit grand estime d'un Seigneur de Cour qu'il disoit avoir ces sentiments et les soustenir contre les plus grands esprits du temps, et vouloit y mourir non seulement pour le respect qu'il portoit à la grandeur de son mérite, mais encor pour n'en trouver de plus raisonnables. Il ne laissoit de venir à l'esglise, mais c'estoit seulement pour représenter, disoit-il la personne du Sieur Comte de Cérillat et recevoir comme tribus les honneurs dûs à sa qualité (99v) d'entendre la messe mais en Tabarin [20], d'assister à la prédication, quand on la faisoit, mais comme à une farce et d'approcher des Sacrements, ce qu'il a faict deux fois en 16 mois, mais par considération humaine pour ne passer ouvertement pour Athée. Ses évangiles estoient la goinferie, la fanfaronnerie, la mesdisance et la vengeance.

---

20. Antoine Gérard dit Tabarin, né à Paris en 1554, mort en 1626. Célèbre charlatan, compère de Mouton sur les tréteaux de la place Dauphine.

Pour la goinferie il estoit tousjours à escornifler les habitans, s'invitant luy-mesme à disner tantost chez les uns, tantost chez les autres qui en estoient souléz et attiroit avec soy gesne de son humeur. Sitost qu'il scavoit que quelques-uns se traittoient, il s'y trouvoit et gesnoit leur libertés. Tant que la magazin a duré, tant ont duré ses desbauches non à ses despens, mais des habitans à qui il fesoit payer et se glissoit en toutes les parties pour attraper autant de lippées franches. On n'osoit l'esconduire pour avoir un peu de repos. Encor feignoit-on de dire d'estre bien honnoré de sa présence, quoy (qu'on) n'en receut que de l'infamie. L'asaisonnement autour les hermites n'estoient que jurement que reniement, qu'insolences. Pour la fanfaronnerie, il estoit si accoustumé à mentir qu'on eust dit que c'estoit sa coustume et sa nature, comme celle du feu dc brusler. Que cela portasse coup ou non, ne luy importoit. Il ne faisoit autre distinction du pernicieux et du léger. Comme tous entretiens luy estoient indifférens, aussy indiféramment profanoit-il les plus sérieux de quelques mensonges qu'il s'asseuroit avoir plus de chaleur qu'il n'eust jamais faict l'évangile. Mais il estoit si bien cogneu, que l'entendre ainsy asseurer quelque chose, faisoit croire qu'elle estoit fausse, ne la croyant telle qui par ce qu'il l'asscuroit avec tant d'ardeur et de serments espouvantables, comme l'on a veu en une infinité d'autres rencontres. Promettoit-il quelque chose, ses promesses n'estoient jamais que du vent quoyqu'il les asseurasse par des serments horribles. Mesme on a remarqué que plus ils estoient horribles, et moins avoit-il envie de les tenir, ce qui ayant esté recogneu souvente fois on croyoit et on se fioit moins à ses paroles, que plus il juroit, car on estoit asseuré qu'il ne jueroit que pour parjurer. Il se ventoit d'avoir eu de nobles employs dans les armées, où jamais il n'a esté, entre autres d'avoir esté capitaine au régiment de Bourbonné qu'il n'a jamais cogneu que de réputation ; d'avoir esté des plus braves au siège d'Arras qu'il n'a jamais veu, où il n'a jamais veu car il n'a jamais mis le pied qu'en boiverie pour en tirer deux beaux couriers et 12-cent pistoles pour leurs achepter du foin et de l'avoine, mais il oublioit en dire qu'il avoit esté saulnier [21] au havre de Grace, belle qualité et digne

21. Saulnier : ouvrier qui fabrique du sel. Est pris sans doute ici dans le sens de faux-saulnier.

d'un noble, d'un illustre, d'un tel qu'il se disoit estre, et des plus illustres du Mayne, encor oublioit-il en dire qu'il avoit esté escholier de la Samaritaine [22], et que se tire-laine du huict jours luy valoit plus que tout son revenu du pays. Pour la mesdisance, quoyqu'il ne put supporter une vérité, il vouloit toutefois qu'on souffrit ses libertés ; il tranchoit continuellement, coupoit, tailloit de la langue de tout costé, comme la queüe d'un scorpion : ou elle piquoit, ou elle estoit preste à piquer. Il n'espargnoit pas mesme monsieur son père. Au milieu du disner il servoit ordinairement ainsy que d'un mets délicieux des foiblesses de son beau-frère. Il respendoit son venin mesme sur la sacrée personne du Roy ; de quoy estant repris un jour par le Sieur Desmarets en la case du Sieur Blanchard il protesta impudemment avec reniement de Dieu, qu'il scavoit bien ce qu'il disoit. Il avoit ce souverain degré de malice de calomnies plus insolemment les plus vertueux et les plus innocents. De sorte que comme il ne pouvoit souffrir l'honneur aux femmes, il le ternissoit par ses noires détractions, sa meschante langue ravissant par de faux discours et rapports celuy qu'il n'avoit peu par ses accèz infâmes et pour comble de malice affin de les faire croire avec plus de facilité et d'asseurance, il les accompagnoit d'exécrables serments et se couvroit du manteau de galanterie pour ruiner (100r) de réputation la vertu et l'innocence. Il fit attacher un jour (un jour) à la porte de l'esglise « Deffense de la part du Roy de mesdire de personne sous peines d'estre mis en justice et puny rigoureusement » ; mais il y devoit estre mis et puny le premier, frayant le chemin aux autres par son exemple, affin que le premier en mesdisance fut aussy le premier en peine pour estonner par son supplice ceux qui le suivroient dans ses désordres. Mais ce qui le porta à faire telle deffence est qu'il entendoit que tout le monde (?)[23] de ses horribles et scandaleux déportements, et luy ne pouvant souffrir ces grondements, qui estoient autant de senglantes reproches à sa conscience détestable. Enfin pour la vengeance, je n'en diray qu'un

22. Escholier de la Samaritaine : il existait à Paris à la seconde arche du Pont Neuf une machine hydraulique construite sous Henri III près d'un monument consacré à la Samaritaine de l'évangile. Le Pont Neuf était le rendez-vous de tous les tire-laine.

23. Un mot qu'il a été impossible de déchiffrer.

mot pour tout dire en disant qu'il ne demandoit rien à Dieu, à ce qu'il protestoit souvent, que « pouvoir se venger de ses ennemys et seroit content » ; pour tout le reste, il l'auroit bien par son addresse et son industrie. Aussy s'est-il tousjours vangé jusqu'à la mort, tout attaché qu'il estoit à l'infâme poteau de son supplice, sans que la considération d'un Dieu ny de sa conscience ait retenu sa langue de jetter le plus pernicieux venin, sur les vies les plus pures et les plus innocentes. Que dittes-vous à cela, amy lecteur ? En voylà beaucoup et rien toutefois au prix de ce qui en reste, que l'honnesteté et le respect ne me permettent de rapporter par le menu : je vous ferois hérisser le poil sur la teste, et vous meltroit tout en feu contre ce monstre de nature. Mais encore, je vous prie sur le peu que je vous en ay apporté, ne voylà pas un bon chrestien, ou un vray cannibal ? Un homme comme il falloit pour planter la Foy en ces terres infidelles et y annoncer la gloire de Dieu, ou un Caligula, un Héliogabale, un Domitian et autre peste du genre humain ? Je vous en laisse le jugement et vous dis cependant que le peuple de la Grenade ne pouvant plus supporter les horreurs de sa vie résolut de s'en deffaire par justice, et voicy comment.

Le plus courageux faisant réflection sur les désordres passés, arrestant sa veüe sur les présents, et prévenants ceux qui arriveroient infailliblement, si on ne s'opposoit de bonne heure à leurs ravages, leurs allant au-devant par une constante générosité, touché de compassion pour tant d'habitans qui souspiroient sans cesse de (?)[24] leurs cœurs dans l'amertume, et s'asfligoient de leurs misères qui à chaque moment se rendoient plus fascheuses, en communique secreltement aux plus résolus qui conclurent par entre eux de se saisir de sa personne et le bannir de la Grenade comme un exécrable blasphémateur, un perfide au Roy et à son seigneur, un concubinaire public, un tyran du peuple, la peste de l'isle et l'opprobre de la nature. Il me semble voir ce valheureux Machabée, prince du peuple de Dieu, qui voyant les maux qui l'avalloient de toutes parts, dit « malheur à moy, et pourquoy (?)[25] pour voir la désolation de mon peuple, les choses sainctes dessous la main des estrangers ! » Le

24. Deux mots qu'il a été impossible de déchiffrer.
25. Un mot qu'il a été impossible de déchiffrer.

temple a esté traitté comme l'on traittoit le plus chétif homme de la terre ; nos mystères, nostre beauté, et nostre gloire sont désoléz. A quelle fin vay-je, traisnant encor cette vie misérable ? Après voyants (100v) un apostat de sa nation offrir de l'encens à une idole, le tuer de sa propre main sur l'autel mesme et celuy encor qui contraignoit les autres de la part du roy Antioche à luy sacrifier, et puis ayant renversé cet autel sacrilège, dit tout haut : « tous ceux qui ont le zèle de la loy, soustenants courageusement la piété qui est le testament de nos pères me suyvent, comme estants prest en vanger les injures du Dieu et du peuple ». Ce qu'il fit avec autant de bonheur que de courage. Ses paroles estoient justement la figure de ce qui se passoit en la Grenade, car s'il se plaignoit que les choses sainctes estoient entre les mains des estrangers, les sacrements l'estoient entre celles d'un prestre sans mission, sant authorité, sans juridiction ; s'il se plaignoit que le temple avoit esté traicté en infâme et en abandonné, le R.P. missionnaire l'avoit esté, ainsy que j'ay faict voir cy-dessus ; et s'ils se plaignoient que tout ce qu'ils avoient de plus vénérable estoit désolé, la parole de Dieu, estoit interditte. Et qui pourroit souffrir ces désordres et qui n'iroit au-devant d'une sanglante boucherie à laquelle estoit destiné le peuple de la Grenade comme une victime de vengeance ? Aussy Dieu suscita cet autre courage Mathatias pour confondre l'insolence et ruiner l'impiété. A cet effet ce brave courage asseuré d'autant de personnes qu'il en falloit pour l'exécution d'un si généreux dessein, les dispose à telle sorte que comme l'on seroit à la messe et proche de l'élévation, les uns se saisiroient du fort au son de la cloche pour laditte élévation. Ce qu'estant fait on tireroit un coup de canon comme un signal pour faire anoncer ceux qui estoient cachéz et escartéz. Le Sieur Dubu sortant à ces coups de l'esglise et estant proche dudit fort seroit appréhendé par des plus forts mis en faction, et de là conduit aux fers, puis l'on se saisiroit de ses coffres et papiers, instruiroit de son profit en son procèz et sentence seroit porté sur les griefs dont il se trouveroit atteint et convaincu. Voylà qui est arresté pour le 28me octobre jour des glorieux apostres Saint Simon et Saint Jude. Ceux du dessein viennent donc de bon matin vers le fort sous le prétexte d'entendre la messe, couvrants ainsy leurs approches du manteau de piété, aussy un cœur fort de piété, comme c'est justice, se saisir d'un impie pour rompre le cours de ses impiétés et de ses autres crimes. Les uns se cachent, les autres se pourmènent, qui s'avancent, qui s'arrestent, et tous en armes. On sonne la messe, le Sieur Dubu y va ne se doutant de rien, quoyqu'il en fusse adverty par une de ses bonnes amies, mais il se persuadoit que personne n'oseroit jamais meltre la main sur luy. Comme l'on est proche de l'élévation, un des affidés qui avoit le mot sonne la cloche à l'ordinaire, pour servir de signal, qu'il estoit temps de s'approcher du fort et de s'en saisir. Il l'est aussytost sans bruit et sans résistence ; l'on tire un coup de canon, et pendant que les escartéz s'approchent, le Sieur Dubu sort promptement de la messe pour scavoir ce que s'estoit, avance tout seul, les autres restants font desvotion en la chappelle, quoyqu'il y en avoit qui devoient arrester (101r) ceux qui l'eussent voulus suivre, et il est talonné de près du chef de l'entreprise. Estant proche du fort, quatre en faction luy commendants de s'arrester. Se doubtant de sa prise il tire un pistolet de poche qui manque sur un d'eux, et son talonneur l'embrasse sur l'heure par le fort du corps, les autres se jeltent incontinent dessus, le terrassent, le fouillent, trouvent un poignard sur luy qu'il n'eust pas loisir de faire jouer, le meinent dans une guéritte du fort, et luy meltent les fers aux pieds et aux mains. Après l'on pose tout autour un corps de garde, et à la sortie de la messe le monde y accourant, il n'y a personne qui ne le charge d'autant de reproches, d'injures et de malédictions, qu'on faisoit autrefois le bouc émissaire que l'on chassoit au désert pour l'expiation des péchéz du peuple.

ANNEXE I

Extraits de l'*Histoire générale des Antilles* du R.P. du Tertre

A. ESTABLISSEMENT DES FRANÇOIS DANS L'ISLE DE LA GRENADE *

Dez l'an 1638. M. de Poincy resolut de prendre possession de cette Isle, sur les rapports advantageux du sieur de Bonnefoy, qui y avoit passé à son retour de la terre ferme. Mais la multitude des Sauvages qui l'habitoient, & son éloignement de celle de Saint Christophe, luy firent changer de dessein.

Depuis le sieur Aubert se voyant prest d'estre débusqué par M. Hoüel, y avoit envoyé le sieur Postel, l'un des mieux entendus des Isles en faict d'habitation, pour en découvrir la qualité, & pour connoistre sur les lieux la vérité des avantages qui donnoient à cette Isle une si haute reputation ; & sur son rapport, auquel ie me trouvé present, il y fût allé pour s'y establir, si les mauvaises affaires qu'il eut avec le sieur Hoüel ne l'en eussent empesché.

Enfin la Compagnie, sur le recit qu'on luy fit des bonnes qualitez de cette Isle, le dixiéme Iuillet de l'année 1645. pourveut le sieur de Noailly d'une ample Commission pour l'habiter, & pour y commander en qualité de Gouverneur ; mais n'ayant pû se mettre en estat de l'exécuter, elle ratifia la Commission qu'elle avoit donnée, & en pourveut l'onzième de Iuillet de l'année d'apres, le sieur de Beaumanoir, que Noailly avoit choisi pour son Lieutenant.

Mais cette Commission n'ayant pas esté executée, non plus que l'autre, il semble que la gloire de cette belle entreprise estoit reservée à M. du Parquet. Il s'estoit comporté si vaillamment & avec tant de prudence, non seulement avec les Sauvages de la Martinique, où il commandoit, mais encore avec ceux de la Grenade, qu'eux-mesmes le prierent de venir prendre place avec

* T. I, chap. XIV, p. 424-431. Édition de 1667.

eux. Les voyant donc si bien disposez à le recevoir, il se prepara à cette expedition sans perdre de temps, de peur que ces barbares, qui sont fort inconstans ne changeassent de volonté & ne s'opposassent à son dessein.

Il fit à ce sujet publier dans son Isle exemption de droits à tous les habitans qui voudroient l'y servir. La pluspart s'estans presentez pour l'accompagnier, il en choisit 200. qu'il connoissoit gens de cœur, & fort experimentez dans la culture des vivres & des marchandises du pays ; entre ceux-là il y avoit des Maçons, Charpentiers, Serruriers, & autres Artisans necessaires pour l'establissement des Colonies.

Il prepara de la Cassave (qui est le pain du pays) pour les nourrir l'espace de trois mois ; & sans s'attendre ny à la chasse ny à la pesche, il fit provision de lard & de viandes salées, comme si la Grenade eut esté l'Isle la plus dépourveuë du monde, de ces commoditez necessaires à la vie ; il amassa des pois, des féves de Bresil, & toutes sortes de graines pour semer.

Apres quoy, il choisit Messieurs le Comte ses cousins, le sieur le Fort, le Marquis, & quelques-autres braves de son Isle, pour l'accompagner à cette expedition ; il arma tous ses gens de fusils & de bons pistolets, & leur distribua à tous assez de munitions pour se battre une journée entiere, s'il en estoit besoin, sans la poudre qu'il fit porter dans plusieurs barils. Il fit aussi embarquer trois barriques d'eau de vie, deux pipes d'excellent vin de Madere, & tous les outils necessaires pour cultiver la terre ; il se munit aussi de quantité de Rassades, & autres merceries, pour traitter avec les Sauvages.

N'ayant pû avoir de Religieux, il mena son Aumosnier avec luy, en attendant que nostre R.P. Raymond luy en envoyât quelqu'un selon la promesse qu'il luy en avoit faite, & qu'il executa depuis.

M. du Parquet ayant ainsi disposé toutes choses pour l'establissement de la Colonie dans l'Isle de la Grenade, traita les navires du Capitaine Lormier & du Capitaine le Pas, qui estoient à sa rade, avec deux barques qui luy appartenoient ; & apres avoir fait entendre la Messe à tout son monde, s'embarqua, & fit voile au mois de Iuin de l'année 1650. & arriva à la Grenade quatre iours apres.

Le fameux Kaïeroüane, *Capitaine de tous les Sauvages de l'Isle, l'y receut, & luy témoigna beaucoup de joye, soit vraye ou feinte, de son arrivée. M. du Parquet commençant cette prise de possession par une acte de pieté, fit planter la Croix par son Aumosnier ; & l'ayant adorée avec tous ses gens, il pria Dieu qu'il benit son entreprise ; il abora ensuitte les Armes de S. M.*

au bruit du canon des deux Vaisseaux, & par une salve general de la mousquetterie.

Son premier soin fut de faire promptement monter une maison de charpente qu'il avoit fait faire à la Martinique, & d'occuper tous ses gens à couper les bois pour l'environner d'une forte pallissade à huict ou dix pieds de distance. Il y fit mettre deux pieces de canon, & quatre pierriers, si bien qu'en huict iours de travail, il la rendit essez forte, non seulement pour resister aux Sauvages, en cas qu'il leur prît fantaisie de le venir attaquer, mais encore aux Nations estrangeres qui voudroient entreprendre de le chasser.

Bien que ce Capitaine Kaïeroüane *eût si bien receu Monsieur du Parquet, il luy dit neantmoins fort franchement, que s'il vouloit avoir leur Isle & s'en rendre maistre ; il falloit qu'il leur donnât de la traitte en échange. M. du Parquet ayant receu cette proposition avec bien de la joye, convint avec luy, au nom de tous les autres, de leur donner une certaine quantité de serpes, de Rassades, de Cristaux, de Coûteaux, & d'autres merceries qu'ils luy demanderent, avec deux quarts d'eau de vie, qu'il luy mit entre les mains; & par ce moyen les Sauvages luy cederent de bon cœur tout le droit qu'ils avoient dans cette Isle, s'y reservant tousjours leurs Carbets & leurs habitations.*

Cét accord & cette cession volontaire des Sauvages de l'Isle, font bien voir que le sieur de Rochefort a esté fort mal informé de sa prise de possession, quand il a dit que les François eurent à leur arrivée beaucoup à démêler avec les Karaibes, qui leur en contesterent quelques mois par la force des armes la paisible possession.

M. du Parquet s'estant ainsi estably avec l'agréement mesme des Sauvages, ordonna qu'on défrichât la terre, le long de la montagne, proche de l'estang, où il fit commencer une grande habitation, sur laquelle il ne voulut pas d'abord planter des marchandises mais seulement des vivres pour la subsistance de ces nouveaux habitans.

Il donna des places à tous ceux qui luy en demanderent, à condition que ceux qui n'avoient point de serviteurs s'emmatteloteroient, c'est à dire s'associeroient trois ensemble, ou du moins deux, de peur de quelque surprise du costé des Sauvages. Les habitations furent données le long de l'estang, & proche du Fort; sur lesquelles chacun se mit à travailler dans l'esperance d'y faire de bonnes marchandises.

Apres avoir si heureusement estably sa Colonie, il retourna à la Martinique, laissant M. le Comte son cousin pour Gouverner sous luy. Ce Gentil-homme estoit fort bien fait, d'un port martial, d'un bel esprit, d'une humeur affable, & qui avoit toutes les qualitez

& l'experience necessaires à la conduite d'une Colonie. Il gouvernoit son monde avec douceur, il vivoit en bonne intelligence avec les Sauvages, & nos François avoient déja fait une levée de petun, qui fut trouvé si excellent, qu'une livre en valoit trois de celuy des autres Isles, lors que les Sauvages poussez d'un mauvais genie, huict mois apres la prise de possession, s'aviserent de leur faire la guerre. Ces traîtres s'estans mis en campagne, massacroient autant de François qu'ils en trouvoient à l'écart dans les bois, mais cette perfidie ayant esté reconnüe des habitans, ils se mirent sur la défensive, & ne travaillerent plus qu'en troupe & les armes toûjours prestes.

A la nouvelle qu'en donna le sieur le Comte à M. du Parquet, il luy envoya promptement 300. hommes de renfort, avec ordre de faire main basse sur tous les Sauvages qu'ils rencontreroient ; & à la moindre resistance, de leur porter la guerre dans leurs carbets, & de les obliger à quitter l'Isle. Ce secours arrivé, les Sauvages qui ne croyoient pas qu'on sçeut les massacres qu'ils avoient fait, vinrent en troupe chez le sieur Imbaut Parisien ; & beuvant avec luy, & luy témoignant leurs caresses accoûtumées, le tuerent avec son matelot.

Ce dernier attentat ayât fait resoudre le sieur Comte à leur faire la guerre, il se disposa de les attaquer dans un de leurs carbets qui étoit au dessus d'une montagne, escarpée presque de toutes parts. Les Sauvages estans venus au devant de luy sur le bord de la Mer, s'opposerent autant qu'ils pûrent à sa descente, faisant pleuvoir une gresle de flêches sur tous ceux qui sortoiêt de sa barque, & des canots, dont ils blesserent quelques-uns ; mais nonobstant leur resistance, les nostres ayant mis pied à terre, ils furent poussez jusques sur la montagne, où ils s'estoient fortifiez : neantmoins comme il n'y avoit qu'une avenuë qu'ils défêdoient courageusement, faisant rouler de gros tronçons d'arbres sur les nostres, ils furent contrains de se retirer.

Quelque-temps apres les Sauvages de la Dominique & de Saint Vincent s'estant joins à ceux de la Grenade, tous ensemble vinrent attaquer les François, qui les ayant receus avec beaucoup de cœur, apres un combat assez rude où plusieurs Sauvages furent tuez, ils les pousserèt dans les bois, & les obligerent de se retirer sur cette montagne, où ils pensoient estre en seureté : mais nos François en ayant découvert le chemin les y surprirent, & firent main basse sur tout ce qui se trouva devant eux.

Ceux qui échaperent coururent vers le precipice, où se voyant vivement poursuivis, apres avoir mis leurs mains devant leurs yeux, ils se jetterent de cette haute montagne dans la mer, où ils perirent miserablement, au nombre de quarante, outre quarante qui estoient demeurez sur la place ; une jeune Sauvage assez belle, âgée de douze à trêze ans, fut quelque-temps le sujet de la contes-

tation de deux Officiers : mais pendant qu'ils disputoient à qui l'auroit, une troisiéme arriva, qui ayant donné un coup de pistolet dans la teste de cette pauvre fille ; & l'ayant fait tomber morte à ses pieds, les mit d'accord.

La montagne d'où les Sauvages se precipiterent dans l'eau, a esté appellée depuis ce temps-là, le Morne des Sauteurs. *Les François ne perdirent qu'un seul homme dans cette expedition, apres laquelle ils brûlerent toutes les cases, détruisirent les jardins, arracherent le* Manyoc, *enleverent tout ce qu'ils trouverent chez les Sauvages, & s'en retournerent bien joyeux, ne croyant pas que ceux qui estoient échapez fussent assez témeraires pour entreprendre un second combat.*

Ils se tromperent pourtant ; car quelques-temps apres les Sauvages qui estoient cantonnez en grand nombre à la Capsterre, prirent resolution dans un vin general qu'ils firent, d'avoir leur revanche des François ; ils ne l'entreprirent pas neantmoins ouvertement ; mais s'estans divisez par bandes, tuoient sans misericorde tous ceux qu'ils trouvoient à la chasse dans les bois, ou tant soit peu écartés du Fort, par ce moyen ils en massacrerent plusieurs sans qu'on s'en apperceut, ny qu'on les poursuivit ; mais leur ruse ayant esté découverte, cela obligea le sieur le Comte de reprendre les armes, & d'aller avec 150. hommes à la Capsterre pour leur faire la guerre, & tâcher de les y surprendre, comme il avoit fait au Morne des Sauteurs.

Comme il fut proche de leurs carbets, il fit faire alte à ses soldats ; & les ayant surpris à la pointe du iour, il les mit en déroute, puis allant de carbet en carbet il tua tout ce qu'il rencontra, sans pardonner aux femmes, ny aux enfans. Il fit faire ensuite les mesmes actes d'hostilité qu'auparavant, car il fit brûler les cases & arracher tous les vivres ; mais ce qui rendit sa victoire plus complette, ce fut qu'ayant trouvé toutes les pirogues & tous les canots dans une riviere, il s'en saisit, & leur osta par cette prise le moyen d'aller implorer le secours des Sauvages des Isles de Saint Vincent, & de la Martinique.

Cette victoire neantmoins ne fut pas moins funeste aux François qu'aux Sauvages, par la mort déplorable de M. le Comte ; car comme il s'en retournoit par mer à la Basse-terre, tout glorieux de l'avantage qu'il venoit de remporter sus ses ennemys, le canot où il estoit tourna & se renversa dans la mer ; tous ceux qui estoient dedans se mirent à nâger de toutes leurs forces pour regagner la terre ; luy-mesme s'y estoit déjà sauvé, mais appercevant un Officier appellé du Plessis son intime amy, qui se noyoit, il se rejetta à la mer pour le secourir ; celuy-cy qui avoit déjà presque perdu connoissance, entendant remuer à ses costez, saisit M. le Comte, & le tint si fort, que luy ostant la liberté de nâger & de le secourir, ils se noyerent tous deux.

M. du Parquet ayant eu advis de la mort de M. le Comte, apprehendant que le sieur le Fort qui estoit un homme fier, brutal & haut à la main, ne s'emparât du Gouvernement, parce qu'il estoit premier Capitaine & Major de l'Isle, y envoya le sieur de Valminière avec la Commission de Gouverneur.

Il ne s'estoit pas trompé dans sa pensée ; car le Fort qui avoit assez bien servy dans l'Isle, crut que de droit le Gouvernement luy estoit deû, & que l'on devoit donner sa Charge de Major au sieur le Marquis son amy intime ; de sorte que le sieur de Valminiere ayant fait lire sa Commission, le Fort dit tout haut qu'il honnoroit la Commission, mais qu'il ne pouvoit le reconnoistre pour Gouverneur, & que sans injustice, cette charge ne pouvoit estre donnée à un autre qu'à luy : cependant le sieur de Valminière s'empara de la Forteresse, & fut suivy de plusieurs habitans, & le Fort accompagné du Marquis se retira dans sa maison, qui avoit esté fortifiée pour se défendre contre les Sauvages.

Toute l'Isle se trouvant pour lors dans une épouvantable division, & tous les habitans prests à s'entrecouper la gorge, M. de Valminiere en écrivit à M. du Parquet, qui envoya aussi-tost ordre aux sieurs le Fort & le Marquis de reconnoistre M. de Valminiere pour Gouverneur ; auquel il envoya aussi en mesme temps une Compagnie de 100. soldats Brasiliens, la plupart walons, qui ayant esté au service des Estats de Holande dans le Bresil, & en ayant esté chassez par les Portugais, s'estoient loüez à M. du Parquet, & ne le servirent pas moins dans cette affaire, qu'à deffendre cette Isle contre les Sauvages.

Le sieur le Fort & le sieur le Marquis n'ayant point voulu déferer aux ordres de M. du Parquet, n'y reconnoistre le sieur de Valmeniere, firent prendre les armes à leurs Compagnies, & se cantonnerent dans l'habitation du sieur le Fort, qui estoit fortifiée. La barque du grand du Plessis arrivant pour lors du Kayeman, & contre l'advis de M. Valminière, estant allée dans une riviere proche du sieur le Fort pour prendre des eaux, il s'en empara, & y mit du monde pour la garder. Le sieur de Valminiere en ayant eu advis, luy envoya le Capitaine des Brasiliens avec sa Compagnie, lequel ayant demandé à parler à luy & à entrer dans sa maison, le Fort ayant répondu qu'il y pouvoit entrer luy deuxiéme, & non autrement, le Capitaine Brasilien voulant y entrer de force, le Fort lâcha un coup de pistolet, dont un Officier fut blessé. Aussi-tost tout le monde mit la main aux armes ; & le combat s'échauffa si fort, qu'il y en eust plusieurs de tuez & de blessez de part & d'autre ; dont le nombre auroit esté bien plus grand, si le Fort n'eut esté griévement blessé au pied ; car ayant esté pris prisonnier avec le Marquis, ils furent tous deux conduits au fort, pendant quoy ceux qui avoient pris la barque se furent rendre aux Espagnols, M. du Parquet ayant eu advis de tout ce qui s'estoit passé, y envoya M. du Coudray son Iuge, pour faire le procez aux coupables ; & le bruit courut que le Fort voyant sa mort inévitable, s'estant fait donner du poison par une Sauvage qui estoit à son service, il en mourut, sans vouloir pardonner à M. de Valminiere. Le Marquis fut condamné à estre pendu ; mais ayant appellé de la Sentence au Conseil de la Martinique, elle fut moderée à un bannissement & confiscation de ses biens, que M. du Parquet luy fit rendre.

Quelque-temps apres M. de Valmeniere gouvernant cette Isle avec assez de paix, les Sauvages attaquerent encore quelques cases, où M. de la Neufville & quelques-autres furent tuez. Et cette petite guerre s'estant renouvellée de temps en temps, tandis que M. du Parquet en a esté le Seigneur & le Proprietaire ; cette Colonie a épuisé la meilleure partie de son bien ; car ayant esté obligé d'entretenir beaucoup de gens, une barque, & quelquefois deux, pleines de matelots & de soldats, qui ne faisoient qu'aller & venir de la Martinique à la Grenade, pour y porter toutes les choses necessaires aux habitans & à la garnison, & pour en rapporter les marchandises qui s'y faisoient : il n'est pas croyable combien il a dépensé de bien à toutes ces choses ; car comme cette Isle est fort éloignée de la route des Vaisseaux, & qu'on y faisoit fort peu de marchandise, elle ne tiroit aucun secours que de luy ; si bien que la Grenade & Saincte Alousie, ont esté les deux sangsuës qui ont épuissé la plus clair de son bien ; & Messieurs ses Enfants auroient aujourd'huy un million de bien en France, s'il y avoit envoyé ce qu'il a dépensé pour la conservation de ces deux Colonies.

B. LETTRE DU R.P. DU TERTRE AU COMTE DE SÉRILLAC *

Monsievr,

« *Voicy le temps qu'apres tant de dépenses sans avancer affaires,*
« *tant de peines souffertes par vos amis, tant de perils évitez, &*
« *tant d'obstacles surmontez, vous estes arrivé au terme & à l'accom-*
« *plissement de vos desirs, nous avons fait tout ce que vous avez*
« *souhaité, nous avons parcouru & veu fort exactement toutes les*
« *Isles, & nous nous sommes informés avec des soins incroyables*
« *de toutes les personnes les plus sinceres, les moins suspectes &*
« *les plus experimentées de tous les lieux où nous avons passé ;*
« *& apres tout cela, nous avons esté obligéz de nous attacher au*
« *premier conseil que ie vous ay donné, & M. de Maubray a esté*
« *contraint d'avoüer que dans toute l'Amerique il n'y avoit presen-*
« *tement rien de plus asseuré, de plus utile, & dont l'on pût esperer,*
« *que de l'affaire que nous avons contractée ; si bien qu'ayant*
« *resolu entre nous deux, de nous en retourner sans rien faire, ou*
« *de traiter pour la Grenade ; nous avons adroitement fait sonder*
« *M. du Parquet, & apres avoir connu qu'il estoit en quelque reso-*
« *lution de vendre la Grenade, nous nous y sommes transportez, &*
« *l'avons presque visitée par tout, aussi bien que les autres Grena-*
« *dins, mais particulierement* Kayrioüacou, *qui est une belle &*
« *bonne terre avantagée d'un tres-beau Havre, & qui est capable de*
« *soûtenir une bonne Colonie : pour l'Isle de la Grenade, elle est*
« *une fois aussi grande que Saint Christophe : son terroir est un*
« *peu coupé de montagnes le long du rivage de la Basse-terre &*
« *aux environs du Havre, où sont les habitations, mais tout le reste*
« *est un tres-beau & tres-agreable pays, où les chevaux & les*
« *carosses pourront aller par tout, lors qu'elle sera découverte ;*
« *l'on ne sçauroit presque faire une lieuë de chemin, excepté vers*
« *les salines, ou l'on ne trouve une, deux & trois rivieres ou sources*
« *d'eau vives ; le Sol y est si fecond, que tous les arbres qui le*
« *couvrent sont plus beaux, plus droits, plus hauts & plus gros que*
« *dans les autres Isles où j'ay esté : la pesche & la chasse y sont*
« *incomparablement plus abondantes que dans toutes les autres*
« *Isles ; il si trouve une grande quantité de petits animaux que l'on*
« *nomme* Armadille *ou* Tatou, *dont la chair vaut celle du mouton,*
« *& les habitans en font leur principale nourriture. Nous avons*
« *sondé le Havre, & l'avons trouvé fort net & capable de contenir*
« *cinquante navires ou barques à couvert de toutes les tempestes ;*
« *proche du Havre il y a un grand Estang rond, fort creux, qui*
« *n'en est séparé que par une digue de sable, large comme la*
« *chaussée de vostre Estang, laquelle estant coupée, l'Estang pour-*
« *roit contenir un tres-grand nombre de navires & de barques,*

* T. I, chap. xx, p. 507-510.

« *encloses comme dans une boëte ; le Fort qui est scitué entre*
« *l'Estang & le Havre, est un bastiment de charpente d'environ*
« *vingt-cinq pieds en quarré, tout revestu de planche & couvert*
« *dessente ou barreau ; il est environné à huict ou dix pieds du*
« *bastiment d'une forte pallissade faite d'arbres tous entiers, aux*
« *deux coins qui regardent la mer il y a deux petits pavillons de*
« *charpente, dans l'un desquels demeure M. le Commandant. L'ha-*
« *bitation de M. du Parquet est un grand desert qui contient toute*
« *la montagne prochaine du Havre, au bas de laquelle sont les*
« *magazins, qui font cent ou cent vingt pieds de bastimens de*
« *briques & de charpente. L'Eglise est scituée sur cette place à*
« *environ trois cents pas du Fort, mais elle n'est que de fourches*
« *& de roseaux, & tout le dedans fort pauvre ; toute cette place est*
« *couverte de Magnioc, de patates & de pois & plantée d'orangers,*
« *& d'autres fruicts ; il y a sur cette place douze grand Negres &*
« *plusieurs petits qui ne sont pas encore mis au travail, comme*
« *aussi vingt ou vingt-cinq engagez pour trois ans, qui n'ont pas*
« *encore accomply le premier ; Il y a dans l'Isle trois cens personne*
« *habituées, & toutes tellement placées, que de six en six Cases,*
« *il y a un petit Fort ou bastiment de charpente, à deux estages*
« *couvert de barreau, où les habitans des six habitations se retirent*
« *la nuict pour éviter les incursions & surprises des Sauvages ; car*
« *de iour ils ne les craignent pas, il y a dans quelques-unes de ces*
« *habitations plusieurs mousquets, & dans le Fort quelques fusils,*
« *qui sont à M. du Parquet ; il y a douze belles piéces de canon*
« *de fer, depuis huict iusqu'à douze livres de balles, toutes les*
« *ustencilles necessaires pour une telle habitation desquelles nous*
« *avons pû avoir le memoire, avant que de partir. M. Renaudin*
« *que nous avons commis de vostre part pour avoir le soin de tout,*
« *nous mandera le détail de ces petites choses, c'est un jeune*
« *homme de probité connuë, tres-sage & fort experimenté, tant au*
« *travail du pays qu'au trafic ; il a du bien, & prend une habi-*
« *tation dans l'Isle de la Grenade, où il fera une Indigotterie ; il*
« *aura le soin de faire travailler tant vos esclaves que les engagez,*
« *selon les memoires que nous luy avons donné ; cela suffit pre-*
« *sentement pour ce qui regarde l'Isle, venons au marché & au*
« *Traité qui en a esté le plus contesté, le plus rompu & renoüé, &*
« *le plus de fois desesperé qu'autres Traitez que j'ay veu faire.*
« *M. du Parquet me dit d'abord qu'il ne vouloit ny terre ny rente,*
« *ny papiers ny debtes en payement, mais de l'argent comptant*
« *clair & net, qu'il commençoit à cueillir les fruits de ce qu'il*
« *avoit semé dans la Grenade, & qu'il avoit advis par le Capitaine*
« *Balliardet qu'il y avoit une pesche de perle sur un banc qui*
« *dépendoit de cette Isle, & qu'en un mot il en vouloit avoir cent*
« *mille livres ; la prudence de M. de Maubray parut extraordinaire-*
« *ment dans la conduite de cette affaire, & ie crois fermement que*

*« tout autre que luy (& M. du Parquet l'advoüe) ne l'auroit jamais
« fait venir au but où il est arrivé. Les Clauses principales du
« Contract sont, que M. du Parquet vous vend le fond & le tres-
« fond & Seigneurie de l'Isle de la Grenade & Grenadins, l'habi-
« tation, tous les esclaves & engagez, tous les canons, fusils &
« mousquets, munitions de guerre, bastimens, ustencilles, & gene-
« ralement toutes les choses à luy appartenantes dans l'Isle de la
« Grenade ; il se demet aussi entre vos mains, sous le bon plaisir
« du Roy, de la Lieutenance generale : tant les esclaves ; qu'engagez
« travaillent dez la premiere nouvelle de la vente à vostre profit,
« & font des viures pour 1 000. personnes avant que vous arriviez.
« Vous devez dans la Saint Iean prochaine prendre possession par
« vous ou un envoyé de vostre part, & pendant tout ce temps M. du
« Parquet doit entretenir l'Isle de toutes choses, & la deffendre
« contre tous ennemis ; si vous tardez davantage, les frais raison-
« nables pour la subsistance de la garnison, ou pour la défense
« de l'Isle, seront à vos dépens, tout cela moyennant la somme de
« trente mille escus, dont vous devez mettre la moitié entre les
« mains de M. de Miroménil avant la prise de possession, & le
« reste dans un an ; voila les principales conditions du Contract,
« tout le reste des circonstances sont à vostre avantage, ou de peu
« de consequence : la cherté du prix ne vous doit pas estonner ;
« car ie vous puis bien asseurer que si vous croyez le conseil de
« vos amis, vous ferez non seulement une chose tres-considerable,
« mais avant trois ou quatre ans, vous tirerez sans le principal dix
« fois autant que vous aurez mis. M. de Poincy & les autres
« Gouverneurs regardant cét affaire comme la plus belle chose qui
« se soit encore faite dans les Isles par nostre Nation, presque tous
« les habitans des lieux où nous avons passé se disposoient à se
« retirer dans la Grenade, mesme des personnes tres-riches, en un
« mot, on vous attend comme un Seigneur sous lequel l'on espere
« de respirer un air tout autre que celui qu'on a gouté iusques à
« present dans les Isles, particulierement dans la Grenade, où tous
« les habitans font des vœux pour vostre venuë, pendant que j'en
« fais icy pour vostre prosperité ; & vous prie de croire que ie suis,*

A Flesingue ce quinziéme
Ianvier 1657.

*Vostre tres-humble & tres-
affectionné serviteur,
F.I.B. DV TERTRE.
de l'Ordre des Freres Prescheurs »*

ANNEXE II

Extrait des papiers Dyel de Miromesnil*

COPIE D'UN ESTAT DES ARMES ET UTENCILES TROUVÉS À LA GRENADE

COPPIE :

Estat des armes et autres ustencilles qui se sont trouvées dans le fort de l'Annonciation et que Monsieur de Valminière escuyer a rendu et mises au pouvoir de Monsieur du Bu, lieutenant général dans lad isle le 8 juillet 1658.

Premièrement :

— *52 fuzils et mousquctons y compris trois fuzils crevez.*
— *38 mousquets.*
— *Un baril de poudre appartenant à Monsieur Blanchard.*
— *Un baril de poudre appartenant à Monsieur de la Bedade.*
— *5 quarts de poudre à canon.*
— *7 petits quartaux de balles tant à mousquetz qu'à fuzils.*
— *Deux grèges de cuivres, une grande et une petite.*
— *2 platines de fer pour faire casave.*
— *1 quartault de cloud, ou environ.*
— *1 quartault de piere a fuzil.*
— *3 scies de long et une petite de travers.*
— *15 haches tant vieilles que neuves dont une de charpentier est comprise.*
— *7 petits ronchets.*
— *1 coffre plein de gargouches à canon ;*
— *9 ansards*
— *1 paire de balance et 4½ livre de poids.*
— *11 serpes.*
— *2 pinces pour le canon.*
— *80 boulletz.*

---

* Archives nationales, Paris, T. 103.

— *Quelques grenades appartenants à Monsieur Blanchard.*
— *3 pairriers de fer.*
— *Le tour du moulin à grager de cuivre.*
— *9 pièces de canon de fer garnis de leurs tire-bourse et autres utenciles.*
— *3 magazins couverts de chaume et un Rouge couvert de thuile.*
— *Une chèbre pour monter le canon avec son rouet de fer.*
— *6 nègres.*
— *6 nègresses avec un petit nègre.*
— *Un coffre de chirurgie garny de médicaments arrivé despuis trois mois en ceste isle.*
— *28 serviettes tant bonne que mauvaise.*
— *17 autres serviette qu'il promet donner.*
— *45.*
— *4 nappes et 4 à la lessive tant bonnes qu'autres.*
— *14 plats tant grands que petits.*
— *25 assiettes.*
— *6 gobelets.*
— *6 cueillères.*
— *2 salières.*
— *1 denyon (?)*
— *1 pavillon de toile blanche.*
— *Une caisse.*
— *Un coffre d'arpajou.*
— *1 garde-manger.*
— *9 gères tant grands que petits.*
— *4 cannes, 2 grandes et 2 petites.*
— *2 romaines.*
— *1 grand coffre dans lequel il y a quelques vieilles bandolières et méches.*
— *6 chaudières tant grandes que petites.*
— *1 poelle, 1 broche, et 1 lèche fritte.*
— *1 meule.*
— *1 paire de beurettes.*
— *7 cabrits, un masle et six femelles.*
— *2 tables avec leurs bancs.*
— *4 truyes.*
— *1 moulin de fer à grager.*

Plus le fort en l'estat qu'il est avec l'habitation en despendant, entièrement plantée en vivres.

Le grand morne en patattes et l'autre morne prochain en poid, mil, et manioc, en nombre et quattre vingt dix mil fosses, et a ledit de Valminière déclaré que toute les volailles d'Inde, communes oyes, canes et pigeons qui sont en la de habitation du fort luy appartiennent et encor qu'il luy est deub la moitiyé de ce a quoy le travail des nègres et engagez peut estre estimé depuis la vente de cette isle, qu'il a receu l'ordre de les faire tous travailler à planter des vivres pour la nourriture des hommes que Monsieur le conte de Sérillac s'estoit résolu d'envoyer sur les lieux, attendu qu'i a esté accordé aud sieur de Valminière en le mettant en possession dudit gouvernement que la moitié du travail des d[ts] *hommes et nègres lui appartiendroit avec une portion des droitz et tout le casuel desquels droits du travail des d hommes engagez et nègres il n'a peu tirer aucun profit ayant esté employez mesme tous les habitans à faire des vivres suivant l'ordre que led sieur de Valminière en a pour raison de quoy il proteste de se pourvoir par devant Madame la Généralle du Parquet sauf son recours contre qui est ainsy qu'elle vera bon estre.*

De plus, a encore le d. sieur de Valminière déclaré que toute les munitions et autres choses qui luy ont esté envoyées par deffunct Monsieur le Général du Parquet et par Madame sa vefve lesquelles ont esté despensées pour la subsistance des engagez et nègres et pour le maintien de lad isle et habitations cy bien qui ont esté distribuées à plusieurs habitans selon leur nécessités despuis la Saint-Jean 1657, il n'en peut quant a présent donner un estat au vray, ny estant nécessaire de compter avec plusieurs desd. habittants et d'examiner tous les mémoires qu'il en faictz et qu'il restera exprès pour dresser led mémoires et le fournir à Monsieur Du Bu à présent gouverneur pour Monsieur le conte de Sérillac.

Nous a encore led sieur de Valminière déclaré qu'il reste onze françois engagez scavoir les nommer Beaumont, et Lavigne pour jusques à la fin de février 1659.

Les nommez La Fosse, la Verdure, La Rivière, Joseph dict leFlaman, Claude de Boursier dict leParisien, Jean le Coc, Jacques Mercier jusques au 27 apvril aud an 1659. Charles du Cro et Anthoine Chauveau jusques à la Saint-Jean de la mesme année 1659 et pour certifier le présent mémoire led sieur de Valminière a signé.

Nous, François du Bu, chevalier seigneur de Cosse lieutenant pour Monsr *le Conte de Sérillac en cette isle de la Grenade et Grenadine, reconnaissons que le contenu du mémoire cy-dessus nous a esté deslivré et mis en les mains par Monsieur de Loubier procureur spécial de Madame la Généralle du Parquet en exécution du contract de vente de ceste isle, à la réserve de ce que M. de Valminière nous adéclaré luy appartenir, desquelles choses deslivrées, nous, comme ayant pouvoir dud sieur conte de Sérillac avons deschargé et deschargeons led sieur de Loubiers au nom et promett de l'en faire descharger envers et contre tous et de rendre lesd grenade et poudre au d Blanchard et la Bédade suivant la déclaration qui a esté faitte que lad poudre et grenade leur appartiennent, faict à la Grenade led jour 8 juillet 1658, signé sur l'original Valmainière et du Bu.*

Collation faitte sur l'original estant en pappier...

Le 1 jour d'août 1658

De Villers Greffier.

Table des matières

LES PRESS[illegible]**RÉAL**
C.P. 6[illegible]

CATALOGU[illegible]

[illegible]ologie

Anthropologie de la colonisation au Québec — Le dilemme d'un village du Lac-Saint-Jean. Michel VERDON
L'Archipel inachevé — Culture et société aux Antilles françaises. Jean BENOIST
Les Bedik (Sénégal oriental) — Barrières culturelles et hétérogénéité biologique. Jacques GOMILA
Pédagogie musulmane d'Afrique noire. Renaud SANTERRE

Essai

Albert Camus ou l'imagination du désert. Laurent MAILHOT
Balzac et le jeu des mots. François BILODEAU
Le Bestiaire perdu. Revue *Etudes françaises,* août 1974
Boileau : visages anciens, visages nouveaux. Bernard BEUGNOT
Les Camerounais occidentaux — La minorité dans un Etat bicommunautaire. Jacques BENJAMIN
Commynes méMORiALISTE. Jeanne DEMERS
Domination et sous-développement. Revue *Sociologie et Société,* novembre 1974
L'Elan humain ou l'éducation selon Alain. Olivier REBOUL
L'Espace multidimensionnel. Henri PRAT
Essai contre le défaitisme politique. Joseph PESTIEAU
L'Eveil des nationalités. Revue *Études françaises,* novembre 1974
Expérience religieuse et expérience esthétique. Marcelle BRISSON
Flaubert ou l'architecture du vide. Jean-Pierre DUQUETTE
Fin d'une religion ? — Monographie d'une paroisse canadienne-française. Colette MOREUX
Henri Bosco : une poétique du mystère. Jean-Cléo GODIN
Henri de Régnier : le labyrinthe et le double. Mario MAURIN
Hugo : Amour/Crime/Révolution — Essai sur les Misérables. André BROCHU
Jean Racine : un itinéraire poétique. Marcel GUTWIRTH
Journal dénoué. Fernand OUELLETTE
Kant et le problème du mal. Olivier REBOUL
Le Missionnaire, l'apostat, le sorcier — Relation de 1634 de Paul Lejeune. Guy LAFLECHE
« Parti pris » littéraire. Lise GAUVIN
Paul Claudel : une musique du silence. Michel PLOURDE
Pierre Perrault ou un cinéma national. Michel BRULE
Récits et réalités d'une conversion. André BILLETTE
Saint-Denys Garneau — Œuvres. Edition critique présentée par Jacques BRAULT et Benoît LACROIX
Sigrid Undset ou la morale de la passion. Nicole DESCHAMPS
La Vie familiale des Canadiens français. Philippe GARIGUE

Histoire

Les Imprimés dans le Bas-Canada — 1801-1810. John HARE et Jean-Pierre WALLOT
Joseph-François Perrault (1753-1844) et les origines de l'enseignement laïque au Bas-Canada. Jean-Jacques JOLOIS
Musiciens romains de l'Antiquité. Alain BAUDOT
Québec contre Montréal — La querelle universitaire 1876-1891. André LAVALLEE
Rituels sacramentaires. Adrien GAUVREAU

Hors collection

Corps de gloire, poèmes. Juan GARCIA
L'Homme rapaillé, poèmes. Gaston MIRON
Variables, poèmes. Michel BEAULIEU
Montréal, guide d'excursions/Montreal Field Guide. Ludger BEAUREGARD

Achevé d'imprimer à Montréal, le 5 février 1975
par Thérien Frères (1960) Limitée